D0184277

Kinderen van de jungle

Torsten Krol

Kinderen van de jungle

Vertaald door Peter Abelsen

ARENA

Oorspronkelijke titel: *The Dolphin People*

Omslagontwerp: HildenDesign, München
Foto omslag: Tim Pannell / Corbis
Typografie en zetwerk: CeevanWee, Amsterdam
ISBN 978-90-8990-011-1
NUR 302

EEN

De toppen van de golven waren bleekgroen, met randjes wit schuim, maar daaronder werd het water diepblauw. Giovanni, de matroos met wie Zeppi en ik vriendschap hadden gesloten, noemde het Atlantisch blauw en zei dat het heel anders was dan het Middellandse Zeeblauw dat we eerder hadden gezien. En hij had gelijk, dit Atlantische blauw was heel donker, soms zelfs tegen zwart aan, maar hoe zuidelijker we kwamen, des te groener werd het.

Toen ik moeder erop wees, zei ze dat al dat blauw hetzelfde was en wij alleen verschil zagen omdat we zo opgewonden waren. Zeppi was dat inderdaad, maar ik niet. Hij was pas twaalf, ik was vier jaar ouder en allang geen kind meer. Maar voor moeder waren we net zo eender als de golven. Giovanni zei dat alle moeders zo waren.

Het was een Italiaans schip, de Stromboli, en onder zijn naam stond er GENOA op de boeg, de havenstad waar we aan boord waren gegaan voor de overtocht naar Venezuela. Daar wachtte oom Klaus op ons. Moeder ging met hem trouwen omdat mijn vader dood was, gesneuveld aan het oostfront in '43, en het voor haar veel te zwaar zou zijn om alleen in het leven te staan met twee opgroeiende jongens. Zo had ze het ons uitgelegd nadat ze de brief met het huwelijksaanzoek van oom Klaus had ontvangen.

Ze had ons de brief voorgelezen, althans delen eruit. Oom Klaus schreef dat de geweldige zoons van zijn broer een vader verdienden, en dat zij, Helga, een man nodig had die voor ons zou zorgen nu de oorlog verloren was en de Führer dood. Hij klonk heel stellig over alles – de oorlog, de Führer, de redenen waarom moeder er goed aan zou doen om met hem te trouwen en Zeppi en mij groot te brengen in een land dat ver verwijderd was van het onheil dat over Duitsland was gekomen. Ze moest het voor haar zoons doen, schreef hij, en voor zijn heldhaftige broer Heinrich, die in de Russische modder begraven lag en er recht op had dat zijn gezin het zonder hem zou redden.

Zo stond het er, en moeder voegde eraan toe dat weduwen in de Bijbel ook vaak met de broer van hun overleden man trouwden – voor mij een teken dat ze in tweestrijd stond, want ze kon soms heel vroom zijn, maar was het vaak ook helemaal niet. Ze dacht er vier dagen over na en schreef toen een brief terug aan oom Klaus in Caracas, en zes weken later kregen we biljetten opgestuurd voor de zeereis. Moeder verkocht alle spullen die te groot waren om mee te nemen, alles wat nog heel was na de bombardementen, en we vertrokken per trein naar Genua.

We waren nog niet uitgevaren of moeder werd zeeziek, hoewel de golven niet eens zo hoog waren. Het stonk in onze hut, dus brachten Zeppi en ik de meeste tijd aan dek door, waar we Giovanni leerden kennen. Hij vertelde ons alles wat we moesten weten, hoe we in de reddingsboten moesten komen als het schip zonk, waar de kombuis was, en de eetzaal voor de passagiers.

Er waren maar elf passagiers, want de Stromboli was voornamelijk een vrachtschip, en onder hen bevond zich maar één andere vrouw, die met moeder te doen had en zei dat ik goed voor haar moest zorgen. Ze zei het ook tegen Zeppi, maar die luisterde natuurlijk weer niet, dus was ik degene die om de paar uur naar de hut ging om te vragen of moeder iets wilde eten of drinken, en telkens voor niets, want ze voelde zich veel te beroerd.

Toen we de Straat van Gibraltar bereikten was het laat in de avond, maar Zeppi en ik gingen toch aan dek omdat we een groots schouwspel verwachtten, hoog oprijzende klippen waar het schip maar net tussendoor zou kunnen. Het viel tegen. We hadden de Zuilen van Hercules willen zien, met woest opspattend schuim, als iets uit een prentenboek, maar het mistte en we zagen alleen de lichtjes van Gibraltar aan de rechterkant, die traag aan ons voorbijtrokken. Zeppi weigerde te geloven dat we de Zuilen gepasseerd waren, maar ik zei dat hij moest ophouden met jammeren en naar onder moest gaan om te slapen. Ik was zelf ook teleurgesteld, maar moeder zei altijd dat ik een voorbeeld voor hem moest zijn.

Ik bleef nog een tijdlang aan dek en voelde het water dieper worden nu we de oceaan op voeren. De golfslag werd hoger en langer. Ik kon de golven wel niet zien in de dichte mist, maar voelde hoe ze tegen de boeg sloegen en in het donker langs de romp trokken. Dit waren de golven die we tot aan Venezuela zouden bevaren, de blauwgroene baren van de Atlantische Oceaan. Toen ik naar het achterschip liep om Europa te zien wegtrekken, was het al verdwenen.

Moeder had gezegd dat we nooit meer terug zouden gaan, nooit de wederopbouw van het vaderland zouden zien, als het al weer opgebouwd zou worden. Ze zei dat de Russen en Amerikanen het onderling zouden verdelen, als een taart in tweeën zouden snijden, dat het nooit meer Duitsland zou zijn, en dat het dus beter was om elders een nieuw leven te beginnen. Oom Klaus was arts, een fatsoenlijk man. Hij zou een vader voor ons zijn in een land waar altijd de zon scheen en de lucht vol was met bontgekleurde papegaaien en de geur van bananen. Ik had wel eens een banaan gegeten, toen ik nog veel jonger was dan Zeppi nu, maar kon me de smaak niet meer herinneren. Alles zou anders zijn in Venezuela, waar ik een man zou worden zoals mijn vader, die gestorven was in de sneeuw.

Halverwege de oceaan brak er storm uit, en moeder, die zich net een beetje beter was gaan voelen, werd weer zeeziek. Zeppi werd het ook, en ik moest hun emmers legen in het toilet en hun braaksel doorspoelen. Na een tijdje moest ik zelf ook overgeven, maar dat kwam door de stank, niet door het slingeren van het schip. Toen moeder en Zeppi niets meer in zich hadden dat eruit kon, liet ik ze alleen en ging de storm bekijken door het raam van de eetzaal. Ik mocht van Giovanni niet aan dek komen, waar ik de kans liep overboord te slaan, dus bleef ik de hele middag voor dat raam staan om de golven te bekijken en naar het huilen van de wind te luisteren.

Alle andere passagiers waren zeeziek en de matrozen waren druk bezig, dus had ik de eetzaal voor mij alleen. Ik moest mijn voeten ver uit elkaar zetten en de stang onder het raam vasthouden om op de been te blijven. Het was heerlijk om zo heen en weer te worden gegooid en ik voelde me sterk. Dat was het laatste wat vader tegen me gezegd had toen hij vertrok voor zijn laatste veldtocht, dat ik altijd sterk moest zijn, en dit was de eerste keer dat ik me ook werkelijk zo voelde. Ik vroeg me af of hij me kon zien zoals ik hier stond, wijdbeens in het midden van een Atlantische storm. Volgens moeder konden de doden ons vanuit de hemel zien en mochten we hen niet teleurstellen door dingen te doen die ze afkeurden. Ik vroeg me af of mijn vader het goedkeurde dat we naar Venezuela gingen, en of ik daar ook altijd sterk zou moeten zijn, of dat nog wel nodig was als we er een nieuwe vader kregen die zich sterk voor ons zou maken.

Ik had oom Klaus voor de oorlog een keer of twee ontmoet, en na het doodsbericht van vader was hij ons zijn medeleven komen betuigen. Hij zag er precies zo uit als een dokter eruit hoorde te zien – rijzig, met intelligente ogen in een knap gezicht. Hij was knapper dan zijn broer, mijn vader, die op hun moeder leek. Oom Klaus leek meer op mijn grootvader, die in de Eerste Wereldoorlog had gevochten. Mijn oom de dokter leek dus op een soldaat, terwijl mijn vader de soldaat meer weg had van een stationskruier, wat hij overigens niet was. Hij had voor de oorlog in verzekeringen gehandeld. Maar dapper was hij wel. De Führer had hem hoogstpersoonlijk het IJzeren Kruis opgespeld, voor alle Russen die hij gedood had met zijn tank. Toen mijn vader het aan mij gaf, zei hij dat het de hoogste eer was die een Duitser ten deel kon vallen. De Führer had geglimlacht toen hij hem decoreerde.

De onderscheiding lag nu in mijn koffer, helemaal onderop in zijn leren doosje, waar een dief hem niet ontdekken zou. Ik had hem gekregen toen vader me opdroeg sterk te zijn voor onze familie. Niet lang daarna had ik hem stiekem opgedaan en mezelf bekeken in de spiegel. Hij was verrassend licht. Er was een golf van schaamte over me gekomen, omdat ik het niet verdiende om ermee te pronken, en ik had hem snel weer in zijn doosje gedaan. Toen mijn moeder oorlogsweduwe werd, wilde ze hem nooit meer zien, maar ik wist dat oom Klaus dat wel zou willen. Ik zag al voor me hoe ik hem het doosje aangaf, en terwijl hij het opende, zou ik zeggen: 'Dit is het IJzeren Kruis dat mijn vader is verleend. Hij zou gewild hebben dat u het zag.'

Vanachter het raam van de eetzaal zag ik een hoge golf over het dek spoelen en weer schuimend over de rand verdwijnen. Die neemt het verleden met zich mee de diepte in, dacht ik, en voor ons zal alles nu nieuw en beter worden. Moeder had me voorgehouden dat het onbeleefd zou zijn om oom Klaus met mijn vader te vergelijken. Onbeleefd en zinloos. Mijn eigen vader was dood, maar mijn tweede zou meer dan wie ook op hem lijken, omdat hij zijn broer was. Het was de best denkbare oplossing voor het probleem dat Zeppi en ik geen vader meer hadden en mijn moeder geen echtgenoot.

Op mijn vraag of ze van oom Klaus hield, had moeder geantwoord dat ze hem altijd zeer toegenegen was geweest en hem in 1933 bewonderd had toen hij lid van de Partij werd om met de Führer mee op te marcheren naar een gouden toekomst voor alle Duitsers. Dat had vader nooit gedaan. Ik had menigmaal gesprekken opgevangen waarin ze hem verweet dat hij zichzelf en zijn gezin tekortdeed door niet net als zijn broer partijlid te worden. Maar hij wilde er niets van weten. Zo boos als moeder hierom was, zo trots was ze toen hij zich in de oorlog bij de Wehrmacht aanmeldde, en op de schoorsteenmantel had lange tijd een foto van hem op de geschutkoepel van zijn tank gestaan, tot dat deel van ons huis werd weggevaagd door Amerikaanse bommenwerpers.

Kijkend naar de storm besloot ik moeders visie over te nemen. Het was heel grootmoedig van oom Klaus om ons een nieuw bestaan te bieden, ver weg van alle honger en verwoeste steden en een Duitsland dat als een taart in tweeën was gesneden. Ons vroegere leven was voorgoed weg, alleen oom Klaus was nog over uit die tijd, en juist hij wilde ons nu uit de put helpen. Moeder had gelijk – hij was een goede man, die niet hoefde te doen wat hij voor ons deed, en hij verdiende onze waardering. En wat ook mooi was: we hielden onze eigen achternaam! Ik bleef gewoon Erich Linden, hoefde niet iemand met een lelijke of bespottelijke naam te worden. Ja, oom Klaus was de volmaakte oplossing voor alles. Ik probeerde me uit alle macht de smaak van bananen te herinneren, maar het lukte niet. Ook dat was weg. Maar ik zou binnen een week in de gelegenheid komen om ze opnieuw te proeven.

We konden Venezuela ruiken voor we het zagen. Het was Zeppi die aan Giovanni vroeg waar die zware, dompige geur vandaan kwam. 'Dat is land,' zei Giovanni, 'maar jullie zullen het morgen pas zien.'

'Nou zeg, dat ruikt dan niet best,' zei Zeppi tegen mij. 'Het ruikt verrot.'

Ik zei dat dat alleen maar kwam omdat de zee zo anders rook en dat we er wel aan wenden als we weer aan land waren. 'Hier wen ik nooit aan,' zei hij op de drenzerige toon die hij vaak kreeg als er iets niet naar zijn zin was. 'Je zult wel moeten, druiloor,' zei ik, 'want er is niks aan te doen. En waag het niet om bij moeder te gaan janken, anders draai ik je oor om.'

Hij wist dat ik het meende en hield zijn mond, maar trok een pruillip om me zijn ongenoegen te tonen, alsof hij nog maar zeven was en geen twaalf. 'Wat doe je toch altijd kinderachtig,' zei ik, waarop hij zijn tong uitstak en zich lachend uit de voeten maakte voor ik zijn oor kon grijpen.

Een paar minuten later kwam moeder aan dek. 'Wat is dat voor lucht?' vroeg ze. Ik zei dat het Venezuela was, en ze zei niets terug.

De volgende ochtend ging ik bij het krieken van de dag naar boven, en ja hoor, land in zicht, met lage wolken erboven. Het was opeens veel warmer, en de geur was nog sterker. Er vlogen vogels om het schip, maar het waren geen papegaaien, nog niet, alleen maar zeemeeuwen. Mijn hart bonkte van opwinding. Daar lag mijn nieuwe land, en ergens achter die groene streep wachtte Klaus op ons.

Ik had die nacht besloten hem niet langer als mijn oom te beschouwen, en aangezien hij nog niet met mijn moeder was getrouwd, kon ik hem ook geen vader noemen, dus moest hij voorlopig maar gewoon Klaus zijn, tot alles geregeld was. Het voelde bovendien beter om hem Klaus te noemen, vertrouwder, alsof hij een goede vriend was die ik veel vaker had gezien dan die paar keer voor de oorlog. Zou hij na het huwelijk willen dat we 'vader' tegen hem zeiden? Dat zou dan wel een beetje raar voelen. Ik had het liefst dat hij uit zichzelf zou vragen of we hem Klaus wilden noemen. Als hij op 'oom' stond, en daarna op 'vader', zou dat me... teleurstellen.

Zeppi kwam naast me staan. 'Het gaat alleen maar erger stinken,' zei hij met een vies gezicht. 'Als een vuilnisbak vol raapschillen.'

'Je went er heus wel aan.'

'Nietes. Ik wíl er niet eens aan wennen.'

'Dan zul je je altijd rot voelen, en dat is dan je eigen schuld.'

'Kan me niet schelen.'

'Hou toch je kop, jongetje.'

Hij sloeg me zo hard als hij kon op mijn arm. 'Noem me geen jongetje!'

'Meisje dan. Je lijkt ook op een meisje, wist je dat?'

En of hij het wist. Zeppi was de mooiste jongen die ik kende, zo mooi dat het me wel eens jaloers maakte. Dat had hij van moeder, dat mooie, terwijl ik meer op onze vader leek. Op school was hij vaak geplaagd om zijn pruimenmondje en lange wimpers, tot hij rood aanliep en er tranen in zijn ogen kwamen, wat ook precies de opzet was, want met tranen in zijn ogen leek hij nóg meer op een meisje. Hij was slecht in sport en spelletjes en ik had hem altijd gemeden op het schoolplein, uit schaamte voor zijn meisjesachtigheid. Maar hij was mijn broer, zoals Klaus de broer van mijn vader was, dus was het mijn plicht om van hem te houden en voor hem te zorgen, zeker nu ons een nieuw leven wachtte.

'Jíj moet je kop houden!' zei hij, en ik wendde me van hem af om de ongelijke strijd te beëindigen voor die kon beginnen.

'Kijk,' zei ik, met mijn vinger in de lucht priemend, 'een pelikaan.'

'Welnee, da's een kraanvogel.'

Het was wel degelijk een pelikaan, maar ik deed er het zwijgen toe en zag vanuit mijn ooghoeken dat hij wat opmonterde.

'Wanneer zijn we er nou?' vroeg hij. 'Dit schip hangt me de keel uit.'

'Giovanni zei dat we eerst nog een eind de rivier op moeten varen. Het duurt nog wel een paar dagen.'

'Maar Caracas ligt toch aan zee? Dat hebben we zelf in de atlas gezien. Het is de hoofdstad en het ligt aan zee.'

'Klopt, maar we gaan niet naar Caracas maar naar een andere stad, Bolivar of zoiets. De rivier is breed genoeg voor schepen als deze. We varen wel tweehonderd kilometer landinwaarts, dwars door het oerwoud.'

'Met apen?'

'En papegaaien, en anaconda's die je helemaal te pletter knijpen en dan in één keer doorslikken.'

'Mooi niet, dat zal ze bij mij niet lukken.'

'Je kunt anaconda's niet tegenhouden, hoor. Ze laten zich vanuit een boom op je neervallen en slingeren zich om je heen, en dan knijpen en knijpen ze tot je buik openbarst en je ogen uit je hoofd puilen. Aan een anaconda valt niet te ontkomen, tenzij er iemand bij je is met een pistool, die hem doodschiet voor hij je ribben kan breken.'

'Dan ga ik snel een pistool kopen, en dat moet jij ook maar doen, dan kunnen we elkaar redden. En als we onder de bomen lopen, moeten we altijd samen zijn.'

Ik zag dat hij het meende en hield mijn lachen in.

'Welke rivier is dat trouwens?' vroeg hij. 'De Amazone?'

'Je hebt toch in de atlas gekeken? Nou, hoe heet de grootste rivier van Venezuela?'

'De Amazone, toch?'

'Die loopt in Brazilië, slimmerik. De rivier die wij op gaan heet de Orinoco.'

'Orinoco,' zei hij. 'Orinoco...' Hij kreeg een vage, afwezige blik in zijn ogen, alsof hij half in slaap was. Dat gebeurde wel meer en ik had hem er vaak mee geplaagd, tot moeder me dat verboden had. 'Laat hem met rust, hij is gewoon een beetje dromerig,' had ze gezegd. 'Misschien wordt hij later wel een groot denker.' Dat laatste geloofde ik niet. Als hij zo mooi zou blijven, werd hij misschien een filmster zoals Rudolph Valentino. Maar een denker? Zeppi kon zonder mijn hulp nog geen kruiswoordpuzzel oplossen.

Ik vroeg me wel eens af hoe moeder mijn toekomst zag. Toen ik op een keer zei dat ik tankcommandant wilde worden, net als mijn vader, was ze heel boos geworden. 'Geen denken aan! Dat nooit meer!' Het maakte me duidelijk hoe zwaar ze onder zijn dood gebukt ging, en het verklaarde waarom ze nooit meer naar zijn IJzeren Kruis wilde kijken. Het deed me ook iets begrijpen wat ze zei nadat ze het aanzoek van Klaus had aanvaard. 'Een arts, daar kun je trots op zijn. Iemand die heling brengt in plaats van vernietiging.' Ik wist dat het geen veroordeling van mijn vader inhield. Nu de oorlog verloren was en Duitsland in puin lag, leek het haar gewoon heilloos om nog in een tank te rijden.

Iemand die heling brengt – dat vond ik mooi klinken. Klaus was iemand die mensen weer heel maakte. Hij zou van moeder ook weer de vrouw maken die ze voor de oorlog geweest was. Misschien vergiste ik me wel en wilde hij het IJzeren Kruis net zomin zien als zij. Je kon nooit van tevoren weten wat iemand wilde. Ik stelde me voor dat hij ons in een witte jas zou begroeten, een echte doktersjas, getooid met een stethoscoop in plaats van het IJzeren Kruis van mannen die vernietiging brachten.

'Kunnen slangen zwemmen?' vroeg Zeppi.

'Sommige wel.'

'En anaconda's, kunnen die zwemmen?'

'Weet ik niet.'

'Dan kunnen we ook maar beter uit het water blijven,' zei hij met een frons.

De Stromboli voer door een doolhof van wateren waar de Orinoco uitkwam in zee. Ik zag overal oerwoud, maar kon niet uitmaken of het bij het vasteland hoorde of bij eilandjes in de riviermonding, en Giovanni wist het ook niet. Hij zei dat ze op de loods vertrouwden, een man die net zo'n olijfkleurige huid had als Giovanni, en net zo'n matrozenmuts droeg, maar er een groter vignet op had omdat een loods belangrijker was dan een matroos.

Aan het eind van de ochtend lieten we alle bochten en inhammen achter ons en werd de rivier veel breder, zo breed dat het nauwelijks meer een rivier leek. Het oerwoud zag er weer net zo uit als vanaf zee, als een dunne groene streep, maar dan aan weerszijden van het schip. De aanblik ging al snel vervelen, maar Zeppi en ik bleven aan dek omdat het onder nu veel te heet was. Moeder en de andere passagiers waren ook aan dek, in vouwstoelen onder een groot zonnescherm dat Giovanni en een paar andere matrozen voor hen hadden opgezet. We hadden nog geen papegaai gezien. Die hielden er blijkbaar niet van om boven open water te vliegen.

Zelfs in de riviermonding waren we nooit dicht genoeg langs een oever gekomen om iets interessants te kunnen zien, en het voelde alsof we nog steeds niet in Venezuela waren aangekomen. Ik vond dat we er pas waren als ik een papegaai zag. Bij voorkeur een rood-met-blauwe, of een geel-met-blauwe, met een zware snavel, zoals ik ze in boeken had gezien. Ik kon niet wachten tot ik er een als huisdier had. In Duitsland hadden we twee katten gehad, en daarna een hond, maar die waren we allemaal kwijtgeraakt in de oorlog. Niet door bommen, overigens. Moeder zei dat iemand ze had gestolen en opgegeten, wat Zeppi in tranen bracht. Ik wilde nooit meer een hond of kat. Een papegaai zou fantastisch zijn. Ik zou hem leren op mijn schouder te zitten, als een echte piratenvogel, en allerlei slimme dingen te zeggen.

Bij het vallen van de avond voeren we nog steeds op de rivier. Je zag hier en daar lichtjes op de oever, maar die waren heel ver weg. Sommige passagiers sliepen net als de matrozen aan dek. Giovanni zei dat we boften dat de rivier zo breed was, want dichter bij de oever zouden de muggen ons levend hebben verslonden. Het dek was keihard en ik lag de hele nacht wakker, naar de sterrenhemel te staren. De scheepsmachines klonken veel harder dan op zee, maar dat kwam misschien omdat ik niet slapen kon. De slaap wilde niet komen om me weg te voeren van dat machinelawaai, de geur van het oerwoud en de schittering van de sterren. Het leek opeens veel echter allemaal, en het riep een gedachte op die me des te slapelozer maakte – morgen zouden we voor het eerst in drie jaar Klaus zien.

Zou hij er nog steeds zo uitzien als vroeger? Rookte hij zijn sigaretten nog altijd door een lang geel pijpje van echt ivoor? Mijn vader had dat ooit aanstellerij genoemd, waarop moeder had gezegd dat het juist elegant was, zo'n pijpje, in tegenstelling tot de pijp die vader rookte. Dat sigarettenpijpje gaf Klaus iets jeugdigs en zwierigs, zei ze, terwijl vader er met die pijp uitzag als een ouwe vent. Daarna hadden ze twee dagen lang geen woord gewisseld.

De havenplaats waar we aanmeerden heette Ciudad Bolivar. Het wemelde er van de donkerhuidige mensen, Spaanse types en indianen, en we verstonden geen woord van wat er geschreeuwd werd toen de dokwerkers aan boord kwamen om het schip te lossen. Ik keek toe terwijl Giovanni ze hielp met het openen van de luiken, waarbij telkens een golf van hitte vrijkwam die de lucht deed trillen. Het was het laatste wat ik van Giovanni zag, hoewel ik me had voorgenomen om uitgebreid afscheid van hem te nemen. Moeder had onze koffers al uren van tevoren gepakt en een matroos droeg alles over de loopplank naar de kade, met ons drieën haastig achter zich aan.

En daar, op de kade, zag ik mijn eerste papegaai. Hij zat op een meerpaal, met zijn kop een beetje schuin, en keek me nieuwsgierig aan. Hij had rood-met-blauwe veren, maar zijn vleugels waren gekort om te voorkomen dat hij wegvloog. Dus hij was al iemands huisdier. Ik zwoer een stille eed dat ik mijn eigen papegaai nooit zou kortwieken, want deze zag er afschuwelijk uit. Mijn papegaai zou zoveel van me houden dat het gewoon niet bij hem opkwam om weg te vliegen. Toen ik dichterbij kwam, zag ik dat de papegaai op de paal zijn eigen borst had kaalgepikt. Het vel scheen er helemaal doorheen, pukkelig en bleek als van een kip bij de poelier. Ik had hem willen aaien, maar moest daar nu niet meer aan denken.

'Niet wegdwalen, Erich!'

Moeder had Zeppi's hand in de hare genomen en stond zenuwachtig om zich heen te kijken of ze Klaus zag, maar hij viel nergens te bekennen. Ik voelde hoe onder mijn hemd het zweet in straaltjes over mijn lijf liep en mijn voeten leken te gloeien in mijn sokken. Mijn gezicht en hals waren kletsnat. Ik wilde van de kade springen om weg te komen van die vreselijke hitte, maar toen ik omlaag keek, zag ik dat het water smerig en bruin was en dat er allerlei rommel in dreef.

'Erich, kom hier. We moeten bij elkaar blijven!'

Ik ging bij hen staan wachten. Zeppi zat op de grote hutkoffer, mistroostig voor zich uit te kijken. Zijn haar plakte in slierten op zijn voorhoofd. Er kwamen passagiers van de Stromboli langs om moeder het beste te wensen, waarna ze nog iets aardigs tegen Zeppi en mij zeiden en wegliepen, met havenwerkers die hun bagage voortduwden op karretjes. Het duurde niet lang of we waren er nog maar met zijn drieën. Een matroos riep ons toe dat we naar het douanekantoor moesten gaan, weg uit de zon. Hij schreeuwde iets naar een man, die onze spullen op een karretje zette en ons voorging naar het kantoor. Dit bleek weinig meer dan een schuur van golfplaten, met een balie waar sommige passagiers hun bagage op moesten tillen om die te laten inspecteren.

Wij waren de laatsten in de rij en niemand nam nog de moeite om in onze koffers te kijken. Een man in een smoezelig uniform begon traag en omzichtig stempels in moeders paspoort te zetten, telkens op zijn stempel blazend voordat hij die op het papier drukte. Ik vroeg me af waar Klaus bleef en zag moeder steeds nerveuzer worden.

Een uur ging voorbij. Zeppi zanikte over de warmte en dat hij zo'n honger had, en ik legde hem met een snauw het zwijgen op. Ik begon boos te worden – Klaus had hier moeten zijn om ons op te vangen. Dit was een slecht begin. Ik zag moeder al net zo hard tegen haar tranen vechten als Zeppi.

De deur van het douanekantoor ging open en er kwam een limonadeventer binnen. We maakten hem duidelijk dat we drie flesjes wilden kopen, maar toen hij ons geld zag, schudde hij nee en wees naar de geldwisselaar in de hoek. De douaniers hadden niet eens de moeite genomen om ons erop te wijzen dat we onze marken moesten inwisselen voor wat het ook was dat de Venezolanen gebruikten.

Na de venter te hebben betaald had moeder nog maar weinig van haar nieuwe geld over. Het leed geen twijfel dat hij ons had afgezet. Hij had een Spaans uiterlijk, kleren die in geen eeuwigheid gewassen leken en een strooien hoed met een gat in de bol. Hij probeerde ons nog een paar flesjes aan te smeren en werd kwaad toen moeder weigerde. Hij begon in het Spaans tegen haar te schreeuwen en klonk allesbehalve vleiend. Ik kreeg zin om hem een paar flinke trappen tegen zijn schenen te geven. Blote schenen onder veel te korte broekspijpen. Hij had niet eens echte schoenen aan, maar sandalen. Hoe haalde zo iemand het in zijn hoofd om tegen mijn moeder tekeer te gaan?

Dit zou nooit gebeurd zijn als Klaus er was geweest om ons op te vangen. Hij daalde snel in mijn achting, bijna net zo snel als de Venezolanen. Niemand maande de limonadeventer tot kalmte, ook die kerels in uniform niet. Ze keken alleen maar toe en leken het nog amusant te vinden ook. Een welkom verzetje.

Het was midden op de dag en bloedheet. Door een groot raam in de zijwand zag ik een stel grote zwarte vogels op het dak van een gebouw aan de overkant. Er kwam een derde aangeflapperd, met vleugels die aan kapotte paraplu's deden denken. Hij streek met klunzige bewegingen naast hen neer en bewoog zijn lelijke kop van links naar rechts. Als ik een geweer had gehad, zou ik ze alle drie hebben neergeknald. De limonadeventer was even stil geweest, maar hij begon mijn moeder opnieuw lastig te vallen, op een zoetsappig toontje nu, om haar ook haar laatste geld af te troggelen. En er greep nog steeds niemand in. Dus stapte ik op hem toe en gaf hem een zet.

Hij was er niet op verdacht en viel tegen zijn gammele karretje met flesjes aan, wat een gerinkel vanjewelste gaf. Het leverde me een scheldkanonnade op en hij schreeuwde ook iets naar de douaniers, maar die bleven op hun gemak van het schouwspel staan genieten, rokend en tussen hun tanden pulkend, met hun petten achter op hun hoofd. Het maakte de venter alleen maar luidruchtiger en hij maakte een dreigend gebaar naar me, dus stak ik mijn vuisten op als een filmheld, al had ik geen flauw idee hoe je met je vuisten moest vechten.

'Erich, hou op! Ik wil geen narigheid hier.'

'Hij weet van geen ophouden, moeder. En die anderen staan alleen maar te kijken.'

'Negeer hem nou maar, dan gaat hij vanzelf weg.'

'Hij gaat niet weg.'

'Jawel. Gewoon geen blik waardig keuren.'

Ik liet mijn vuisten maar weer zakken omdat ik mezelf voor gek vond staan, en ik had er het gescheld van de venter niet mee afgezwakt. Ik had geen idee hoe het verder moest. En toen zag ik Klaus. Hij was al halverwege de ruimte en kwam met snelle stappen naderbij op zijn lange benen. Ik herkende hem aan zijn sigarettenpijpje. Al het andere aan hem was nieuw en anders. Hij droeg een ruimvallend roomwit kostuum dat koel en comfortabel oogde, en een breedgerande gele strohoed, ongeveer dezelfde kleur als het pijpje. Hij liep zo snel dat de rook in zijn ogen kringelde, maar hij knipperde niet eens.

Het pijpje wipte op en neer tussen zijn tanden terwijl hij in het Spaans tegen de venter begon uit te varen. De man schrok zichtbaar en deinsde achteruit. Toen Klaus nog iets tegen hem blafte, pakte hij de handgrepen van zijn karretje en droop af als een geslagen hond.

‘Klaus...’ was alles wat moeder kon uitbrengen. Ze staarde hem met vochtige ogen aan, maar het waren tranen van opluchting omdat hij er eindelijk was.

‘Neem me niet kwalijk, Helga,’ zei hij. ‘Ik werd opgehouden op het bureau. Ik moest nog wat papieren tekenen, maar die lapzwansen wilden aan hun siësta beginnen. Alles in orde met jullie? Hoe was de reis? Prettige overtocht gehad? Allemachtig, jongens, jullie zijn wel twee koppen gegroeid sinds ik jullie voor het laatst zag.’

‘O, Klaus...’ zei moeder met een snik. ‘We begonnen ons al ongerust te maken...’

‘Dat is dan mijn schuld en het spijt me zeer. Ik had er rekening mee moeten houden dat ze het papierwerk niet in orde zouden hebben. Alles moet in drievoud, terwijl ze het vervolgens prompt kwijtraken. Maar genoeg daarover. Jullie zullen wel honger hebben. Ik heb het hotel een broodmaaltijd laten verzorgen, waarmee we het tot het avondeten moeten kunnen redden. Alles staat al klaar, dus laten we maar snel gaan. Laat jullie spullen zolang maar hier staan.’

‘Hier?’ Moeder keek bezorgd naar onze koffers.

‘Ja hoor, hier staan ze veilig. Wacht maar even.’

Hij liep naar de douaniers, zei iets tegen ze en kwam weer terug.

‘Zo, dat is geregeld. Zij zullen op alles passen. Kom, dan gaan we.’

Hij bood moeder zijn arm aan, en ze haakte er na een aarzeling de hare in.

‘We zullen voor ieder van jullie een hoed moeten kopen,’ zei Klaus. ‘Je kunt hier niet blootshoofds in de zon lopen. Dan loop je een zonnesteek op.’

We liepen het schamele douanekantoor uit, het helle zonlicht en de middaghitte in. Zeppi en ik hadden nog geen woord gezegd. Ik wees naar de kapotteparapluvogels op het dak aan de overkant. ‘Wat zijn dat voor vogels?’

Klaus keek. ‘Gieren. Lelijke mormels, hè? Maar daar wen je wel aan. Nog last van zeeziekte gehad?’

‘Ik niet,’ zei ik. ‘De anderen wel.’

'Laten we maar aan de schaduwkant gaan lopen,' zei Klaus, en hij leidde ons de straat over. Er liep niemand anders buiten en de winkels hadden allemaal hun luiken dicht. 'Siësta,' zei Klaus. 'Daar zul je vast wel eens van gehoord hebben. Wegens de hitte gaat alles tot laat in de middag dicht, een onlosmakelijk onderdeel van het leven hier, vrees ik.'

'Waar gaan we heen?' vroeg Zeppi.

'Naar het hotel, een hapje eten. Ik heb er kamers geboekt voor ons allemaal. Mijn hemel, Zeppi, wat ben je groot geworden. Noemen ze je nog steeds Zeppi, of ben je nu Friedrich?'

'Maakt me niet uit,' zei Zeppi. Hij geneerde zich voor zijn koosnaampje, maar ik wist hoe erg hij het vond om met Friedrich te worden aangesproken.

'Wist je trouwens dat ik je ooit Zeppi heb gedoopt? Vlak na je geboorte was dat. Ik kwam op bezoek om de nieuwe telg te bewonderen, en je vader zei: "Klaus, dit is de kleine Friedrich," en ik zei: "Noem dat maar eens klein! Hij lijkt wel een ballon, of nee, een zeppelin," en zo ben je aan die naam gekomen. Wist je dat?'

'Jazeker,' zei hij, maar ik wist dat hij het vergeten was.

'Erich, jij droeg je kleine broertje vaak door de kamer en deed alsof hij een zeppelin was die het luchtruim doorkruiste. Dan maakte je een zoemend geluid en holde tussen de meubels door. Je was zelf ook nog maar een kind. Ik moest er altijd vreselijk om lachen, maar je moeder was bang dat je hem liet vallen.'

'O ja? Dat weet ik niet meer.'

'Dat kan ik me voorstellen. Het is al heel wat jaren terug, en we hebben heel wat bij te praten.'

Hij keek weer naar moeder. Ze merkte het, sloeg haar ogen naar hem op en keek weer haastig weg. Ze bloosde, volgens mij. Maar het kon ook de hitte zijn.

'Zien jullie dat ruiterstandbeeld daar?' Klaus wees terwijl we een plein op liepen. In het midden stond een standbeeld van een ridderlijk ogende man met een opgeheven zwaard. Het paard had bolle spieren en manen die zijwaarts wapperden in een niet-bestaande wind. 'Dat is Simon Bolivar,' zei Klaus. 'Meer dan een eeuw geleden verloste hij Venezuela van het Spaanse juk. Je zult hier overal beelden en schilderijen van hem zien.'

'Zoals de Führer bij ons?' vroeg Zeppi.

'Zoiets, ja,' zei Klaus. 'Al is dat natuurlijk geen vergelijk. De missie van de Führer was veel grootser en belangrijker. Maar hier bewondert iedereen Bolivar, dus is het voor buitenlanders een kwestie van beleefdheid om hem ook respect te betuigen. Zo zijn er wel meer dingen die je hier gaandeweg zult oppikken.'

'Ik heb nu alweer dorst.'

'Het hotel is hier om de hoek. We zijn er zo.'

Er stond een rij palmbomen voor het hotel, met dikke, schubbige stammen en trossen oranje vruchtjes onder de bladeren. Dus moesten het dadelpalmen zijn, wist ik, want kokospalmen waren dunner en hoger. Op de gevel prijkte een bord met HOTEL CONCORDIA. We liepen de treden op en een ruime foyer binnen, met een lange receptiebalie van donker hout. Aan het plafond hingen grote ventilatoren met traag draaiende bladen. Ze brachten niet het minste windje voort, maar het was binnen wel koeler. Er stond niemand achter de balie. Klaus voerde ons mee een grote wenteltrap op en vertelde ondertussen dat dit het beste hotel van Ciudad Bolivar was. En dat we er twee dagen bleven, tot de rivierboot vertrok.

'Waar varen we dan heen?' vroeg ik.

'Verder landinwaarts. Ik werk voor Zamex, de tweede oliemaatschappij van Venezuela. Hun hoofdkantoor staat in Caracas. Ik heb jullie pas laten komen toen ik die baan had. Een getrouwd man moet vast werk hebben.'

Ik keek naar moeder om te zien hoe ze reageerde op deze toespeling op het aanstaande huwelijk, maar haar gezicht verried niets. Klaus vertelde verder. 'Er is onlangs een goede positie vrijgekomen in een nieuw olieveld dat ze in het binnenland exploiteren. Mijn loon wordt daar hoger omdat de omstandigheden zwaarder zijn. Zo is het gesteld in dit land. Hoe verder bij de kust vandaan, des te moeilijker het leven.'

'Zijn er daar ook slangen?' wilde Zeppi weten.

'Reken maar. En krokodillen, al heten ze hier kaaimannen.'

'Ook van die grote slangen die je dood kunnen knijpen?'

'Misschien wel. Maar wie een beetje oppast, zal nooit in de maag van zo'n slang belanden, Zeppi. Ik wil niet dat je je ongerust maakt om zulke dingen, en zeker niet zolang het niet hoeft. Hier zijn in elk geval geen slangen waar je gevaar van hebt te duchten. Kijk, hier is jullie kamer. Heel wat comfortabeler dan jullie scheepskajuit, vermoed ik.'

En inderdaad, we betraden een ruime kamer met een plafondventilator. Klaus drukte op een wandschakelaar en hij begon te draaien. Het plafond was heel hoog. Er waren luiken voor de hoge ramen, waardoor het er nogal schemerig was, maar ook aangenaam koel. Er stonden twee grote bedden, met geel en heloranje beddengoed.

'Ik heb twee kamers en suite genomen,' zei Klaus. 'Ik hoop dat jullie er geen bezwaar tegen hebben om vannacht met zijn drieën deze kamer te delen. De mijne ligt achter die deur daar. Morgen hebben jullie deze kamer voor jullie beiden, jongens. Alles is geregeld, Helga. De plechtigheid is vroeg in de ochtend, voordat de hitte toeslaat. In een kerkje hier vlakbij. Ik hoop dat je geen al te hoge verwachtingen hebt, want ik heb het sober moeten houden. Je trouwt niet bepaald met een rijkaard, vrees ik.'

'Maak je geen zorgen, Klaus, het zal ongetwijfeld naar behoren zijn. De jongens en ik vinden het al geweldig dat we hier nu zijn. Nietwaar, jongens?'

Ik zei ja. Zeppi knikte. Moeder schonk hem een nerveuze glimlach. Ik probeerde me voor te stellen hoe ze zich voelde nu ze hier tegenover haar zwager stond, in de wetenschap dat hij morgen haar echtgenoot zou zijn. Klaus leek ook een beetje zenuwachtig. Zijn glimlach paste niet goed op zijn gezicht. Een ogenblik lang zei niemand iets en de stemming dreigde ongemakkelijk te worden, dus zei ik: 'Hoe zit het met die broodmaaltijd?'

'Erich!' zei moeder. 'Wees niet zo brutaal.'

'Nee, nee,' zei Klaus. 'Hij heeft volkomen gelijk. Jullie zullen wel rammelen van de honger. Ik tenminste wel. Het staat allemaal in de andere kamer. Loop er maar heen, de deur is niet op slot.'

De kamer van Klaus was vrijwel hetzelfde, met een draaiende plafondventilator en de luiken voor de ramen. In het midden stond een tafel die daar niet leek te horen, met een schaal sandwiches onder een vliegengaas, en een ijsemmer waar flesjes limonade uit staken. Zeppi liep er meteen naartoe en tilde de gazen stolp op.

'Zeppi, wacht tot het je wordt aangeboden,' zei moeder. Haar stem sloeg zowat over van de zenuwen.

'Nee hoor, Zeppi, tast toe,' zei Klaus. 'Geen plichtplegingen, we zijn hier onder ons. Erich, kun jij nog even een stoel pakken?'

We gingen aan tafel zitten. Het waren lekkere sandwiches, met vleeswaar en sla. Er was een schaal met stukjes fruit, en de limonadeflesjes waren groter dan die van de venter in het douanekantoor. Moeder at langzaam en vocht zichtbaar tegen de neiging om Zeppi en mij op onze tafelmanieren te wijzen. Klaus at maar weinig. Het geschrok van Zeppi en mij deed hem kennelijk inzien dat hij niet genoeg besteld had, dus besloot hij ons het leeuwendeel te gunnen. Ik vond dat erg aardig van hem, en vergaf hem zijn late komst naar de haven.

Ik vroeg: 'Waarom gaat een dokter eigenlijk in een olieveld werken?'

'Erich!' zei moeder bestraffend.

'Nee, dat is een goede vraag,' zei Klaus. 'Ik ga er ook als arts werken, Erich. Op boorinstallaties wordt met zware machinerie gewerkt, dus gebeuren er veel ongelukken.'

'Maar je bent toch chirurg?' zei ik. Moeder had de buren vaak over haar zwager-de-chirurg verteld. Het klonk als belangrijker werk dan zomaar wonden verbinden.

'Jazeker, en mijn vaardigheden zullen er ook vaak genoeg van pas komen, geloof me.'

'Maar chirurgen werken toch in grote ziekenhuizen?'

'Over het algemeen wel, ja. Maar ik wilde wel eens iets nieuws proberen. Eerlijker werk, zal ik maar zeggen, zonder schone schijn. In Berlijn had je tal van chirurgen die meer om hun bankrekening gaven dan om hun patiënten. Zo zijn mensen wel vaker, helaas, maar ik wilde echt iets voor mijn medemensen betekenen, in een nieuw land waar ik een nieuw leven kon beginnen. Dat komt je nu misschien vreemd voor, Erich, maar het zou me niet verbazen als je die gevoelens hier zelf ook ontwikkelt. Heb ik daarmee je vraag beantwoord?'

'Ja.'

Hij sprak verder. 'Op jullie leeftijd is het een zegen om hier te zijn, jongens. Hier hebben jullie een toekomst. Duitsland is kapot, uitgeput.'

Moeder zei: 'Sommige dingen kun je maar het best vergeten...'

'Nee, Helga. Erich heeft een levendige geest en een scherp verstand. Zo was ik zelf ook op die leeftijd, en Zeppi zal niet anders zijn. Zijn vragen verdienen een eerlijk antwoord.' Hij keek ons ernstig aan. 'Met Duitsland zal het nooit meer goed komen. De communisten krijgen het er voor het zeggen, zoveel is zeker. De Britten en Amerikanen zijn veel te weekhartig om ze terug te dringen, ze zullen ze hun gang laten gaan, en ik zou nooit in een Europa willen leven dat vanuit het oosten wordt overlopen. De Russen en al die andere Slaven verschillen in niets van de Mongoolse horden uit de geschiedenis. Wat er ooit aan Europese cultuur bestaan heeft, zal totaal worden verwoest. Maar jullie hebben hier de vrijheid om een nieuw begin te maken. Je zult zien dat mijn woorden uitkomen.' Hij glimlachte. 'Goed, de preek is ten einde. Heeft iedereen genoeg gegeten?'

'Ik wel,' zei Zeppi.

'Mooi zo. Dan raad ik jullie nu de Venezolaanse gewoonte aan om een middagdutje te doen. Jongens, nemen jullie maar ieder een bed in de andere kamer, dan kan Helga het mijne hier nemen. Ik heb elders nog wat zaken te regelen, siësta of geen siësta.'

'Wanneer ben je weer terug?' vroeg moeder.

'Aan het eind van de middag, denk ik. Ga maar lekker slapen.' Hij stond op.

Moeder kwam ook overeind. Ze leek een beetje ontredderd. 'Dank je, Klaus. Bij jou zijn we in goede handen.'

'Zo is het!' zei hij met een lachje. Als hij glimlachte, was hij nog knapper. Sommige mensen hebben een gezicht dat automatisch vertrouwen inboezemt, en Klaus was zo iemand. Zijn haar was iets langer dan het in Duitsland was geweest, wat hem het voorkomen gaf van een held uit een volksverhaal. Hij was drie jaar jonger dan vader, zesendertig dus, maar zag er nóg jonger uit door dat warrige blonde haar, zijn gebronsde huid en witte tanden. En zijn ogen waren diepblauw. Het soort ogen waar alle meisjes op vallen. Hij was nooit getrouwd of zelfs maar verloofd geweest, en ik nam aan dat hij het tijd had gevonden om afscheid te nemen van zijn vrijgezellenbestaan, en tegelijk zijn naaste familie van de communistische Mongolen te redden.

Hij pakte zijn hoed en weg was hij. De kamer voelde leeg zonder hem.

Die avond nam Klaus ons mee naar een restaurant dat een Duits menu voerde. Hij scheen er meerdere mensen te kennen, onder wie de eigenaar, een dikke man uit Beieren die naar onze tafel kwam om ons welkom te heten in Venezuela. Hij gaf moeder en Klaus een likeurglas met zijn beste schnaps, en toen Klaus vroeg of Zeppi en ik voor de gelegenheid mochten meedrinken, kwam hij ons twee piepkleine glaasjes en een fles kirsch brengen. Het smaakte naar kersen en was zoet en bitter tegelijk. Ik vond het wel lekker, maar Zeppi trok een vies gezicht. Iedereen moest lachen, maar daar trok hij zich niets van aan, terwijl hij doorgaans overgevoelig is, en de maaltijd verliep daarna in een vrolijke stemming.

Het restaurant had een dansvloer en een orkest, en Klaus kreeg moeder zover dat ze een dansje met hem maakte. Ze vormden een mooi paar en draaiden in het rond alsof ze niet anders gewend waren. Moeder leek veel meer ontspannen nu het zo gezellig was.

Klaus vertelde honderduit en maakte Zeppi en mij voortdurend aan het lachen. Niet dat zijn grapjes echt leuk waren, maar er was iets aan hem waardoor je gewoon makkelijk lachte.

Toen we terugliepen naar het hotel, waren de straten druk en rumoerig, heel anders dan in de middag, en we aaiden een aapje dat op de schouder van een man zat. Het droeg een klein vestje en was heel aanhalig. Het sprong zelfs op Zeppi's hoofd en begon opgewonden te krijsen en op en neer te springen. Dat vond Zeppi maar niks, dus tilde de man het weer van zijn hoofd, waarop het kalmeerde. Volgens Klaus was het aapje dol op Zeppi.

Onze bagage was overgebracht uit het douanekantoor en in onze kamer neergezet. We moesten bij Klaus in de kamer wachten terwijl moeder zich omkleedde voor de nacht, waarna Klaus nog iets ging drinken in de hotelbar en wij onze pyjama's aantrokken. Toen we de kamer betraden, lag moeder al in bed maar sliep nog niet.

Ze vroeg: 'Vinden jullie oom Klaus aardig?' En op ons bevestigende antwoord: 'Aardig genoeg om bij hem te blijven tot jullie oud genoeg zijn om zelf een gezin te stichten?' Toen we opnieuw ja zeiden, kon ik zien hoe opgelucht ze was.

'En u, moeder?' vroeg ik. 'Denkt u er ook zo over?'

Ze dacht diep na en zei: 'Jullie vader was een geweldige man, en het is zeker niet Klaus' bedoeling om zijn plaats in te nemen. Dat begrijpen jullie toch, hè? Het leven kan hard zijn en het neemt vaak onverwachte wendingen, en als dat gebeurt, moet je wel eens dingen doen die je nooit van plan bent geweest. Maar dat hoeft nog niet slecht te zijn. Ik denk... ja, ik denk dat we gelukkig kunnen worden met zijn vieren.'

'Ik ook,' zei Zeppi, en moeder omhelsde ons, waarna we in ons bed kropen. Moeder viel vrijwel onmiddellijk in slaap. Ik moest wachten tot Zeppi ook sliep eer ik hem naar zijn kant van het bed kon duwen. Als je hem zijn gang liet gaan, vouwde hij zich helemaal om je heen. Ik ging naar de muziek liggen luisteren die door het open raam kwam. Vrolijke, zorgeloze muziek was het. Ik vroeg me af wat voor leven me hier te wachten stond. Misschien werd ik ook wel dokter, net als Klaus, al kon ik er niet tegen om bloed te zien. Hij kon me in elk geval een hoop leren. Ja, dat zou mooi zijn, dokter worden. Dokters worden door iedereen bewonderd.

Een hele tijd later hoorde ik Klaus zijn kamer binnengaan. Hij stootte in het donker tegen iets aan en ik zag een streep licht onder de tussendeur komen. Hij neuriede een liedje dat ik niet kon thuisbrengen. Toen de streep licht doofde, dommelde ik weg.

TWEE

De kerk was niet ver van het hotel, zoals Klaus al had gezegd. We moesten van moeder onze mooiste kleren aan, ondanks dat die veel te dik waren voor deze hitte. Zeppi klaagde en jammerde, maar het moest toch, en we gaven ons gewonnen toen Klaus zei dat we na de plechtigheid wel zouden gaan winkelen voor luchtiger kleren. Dus liepen we even later zwetend en puffend naar de kerk, soppend in onze sokken en met het gevoel dat onze nek zowat doormidden werd gezaagd door onze hemdsboord.

Het was vreselijk. In de kerk stond ik aan ijsjes en koele bergstromen te denken terwijl de priester maar doorzanikte. Zijn stem weergalmde in de lege ruimte, waardoor het lastig zou zijn geweest om hem te verstaan, maar hij sprak in het Spaans dus je kon het toch niet volgen. Moeder begreep het al net zomin, maar Klaus hielp haar de juiste antwoorden te geven.

Zeppi en ik waren de enige getuigen, en God natuurlijk, die alles van boven bekeek. Tenminste, dat hoorde je te geloven. Ik heb zelf nooit in God geloofd, eerlijk gezegd. Zelfs niet in de tijd dat moeder ons nog wel eens meenam naar de kerk. Volgens mij geloofde zij er ook niets van en deed ze maar alsof om niet uit de toon te vallen bij de andere mensen. Zou het niet grappig zijn als helemaal niemand in God geloofde en mensen alleen maar deden alsof omdat ze net als de anderen wilden zijn?

Ze schoven elkaar een ring aan de vinger, de priester drensde nog wat, en toen konden we eindelijk weer naar buiten, wat nogal tegenviel omdat het in de kerk nog relatief koel was geweest.

'Mooi,' zei Klaus, 'wat zullen we de rest van de ochtend gaan doen?'

'Ik heb het heet,' zei Zeppi, meteen weer op een klaagtoon.

'Ah ja, ik had jullie nieuwe kleren beloofd, nietwaar? Laten we maar snel gaan, want jullie lijken wel een paar gebraden speenvarkens. Mogen ze wel alvast hun jasje uit en hun das af, Helga?'

Een uurtje later liepen Zeppi en ik in gerieflijke korte broeken en hemden met korte mouwtjes, alles van dunne, witte katoen. We hadden allebei een strohoed op en sandalen aan onze voeten. Onze armen en benen waren bijna net zo wit als onze kleren, en volgens Klaus leken we nu niet meer op speenvarkens maar op gepelde bananen. Moeder hoorde het lachend aan.

In een andere winkel kocht Klaus ook kleren voor moeder en toen was het bijna tijd voor de siësta. Met onze oude spullen in papieren tassen liepen we terug naar het hotel. We lunchten in de bar, dronken er massa's limonade bij en gingen weer naar boven, waar moeder zich nu met Klaus terugtrok in zijn kamer. Toen Zeppi doorkreeg dat ze niet langer bij ons was, liep hij naar de tussendeur en draaide de knop om, maar de deur zat op slot. Hij begon erop te bonzen en riep: 'Moeder! Moeder!'

Klaus maakte de deur open en Zeppi holde langs hem heen de kamer in. Ik wilde zien of moeder in het bed lag, waar ze natuurlijk het volste recht op had nu ze met Klaus getrouwd was, dus deed ik alsof ik Zeppi terug wilde halen en liep ook naar binnen. Klaus hield me niet tegen. Moeder zat in een stoel bij het raam, waarvoor de luiken gesloten waren. Ze was nog helemaal gekleed, wat me nogal verbaasde omdat ze een mooie vrouw was en Klaus zou toch wel een echt huwelijk met haar willen, met alles wat erbij hoorde. Maar misschien hadden ze willen wachten tot Zeppi en ik sliepen.

Zeppi sloeg zijn armen om haar heen. 'Waar blijf je nou?' vroeg hij, wat natuurlijk heel onbeleefd en dom was.

'Ik blijf hier, Zeppi. Dit is nu de kamer van Klaus en mij. We zijn getrouwd, dat weet je toch? Erich en jij hebben de andere kamer helemaal voor jullie zelf, tot we vertrekken. Ieder een eigen bed, dat is toch veel comfortabeler?'

'Nee!' dramde Zeppi. 'Ik wil het weer zoals het was...'

'Maar Zeppi,' zei Klaus, 'wil je dan niet dat Helga gelukkig is? Als een man en een vrouw getrouwd zijn, slapen ze liever samen. Dan willen ze natuurlijk wel bij de kinderen zijn, maar ze willen ook een leven met elkaar. Je bent nog jong, maar over een tijdje zul je dat vast wel begrijpen. Erich, jij begrijpt het al wel, hè?'

'Natuurlijk.'

'Misschien kun jij Zeppi het een en ander uitleggen.'

'Nee,' zei moeder. 'Dat zal ik wel doen. Klaus, Erich, willen jullie ons even alleen laten?'

Klaus en ik gingen naar de andere kamer, waar hij een sigaret in zijn gele pijpje deed en opstak. We hoorden moeders stem door de deur. Klaus blies zijn rook uit en zei: 'Zeppi is wel érg jong voor zijn leeftijd.'

'Zo is hij nu eenmaal. Hij heeft gewoon tijd nodig om te wennen, meer niet.'

'Dat hoop ik dan maar. We vertrekken morgen naar de boorinstallatie en Helga zal daar nieuwe verplichtingen hebben, dus hij zal wel een beetje moeten opgroeien. Een jongen van twaalf hoort niet meer zo aan zijn moeder te hangen, vind jij ook niet?'

'Ik praat wel met hem.'

'Goed zo, Erich. Jij en ik rooien het wel samen, dat weet ik nu al. Wij zijn praktisch ingesteld, en met zo'n instelling kom je het verst. Het leven verandert van dag tot dag, en een mens moet zich kunnen aanpassen.'

Zeppi kwam door de deur en liep regelrecht naar zijn bed. Klaus ging zonder iets te zeggen naar de andere kamer. Later, toen het zonlicht als gesmolten goud door de spleten in de luiken drong en Zeppi diep in slaap was, lag ik nog steeds mijn oren te spitsen op geluiden uit de andere kamer. Maar ik hoorde niets en doezelde uiteindelijk ook weg.

Die avond aten we in hetzelfde Duitse restaurant en de eigenaar kwam weer schnaps en kirsch brengen. Ik zei tegen Klaus dat ik wel eens iets sterkers wilde proberen, en hij gaf me wat schnaps. Zeppi wilde ook, maar moeder vond hem nog te jong. Hij reageerde met zijn gebruikelijke gepruil, en toen ze hem negeerde werd hij nukkig en zeurde dat hij terug wilde naar het hotel. Moeder en Klaus gingen de dansvloer op om van hem af te zijn, en ik zei hem dat hij niet zo kinderachtig moest doen.

Hij keek me niet aan terwijl ik hem toesprak en zei verder niets meer, ook niet toen moeder en Klaus weer aanschoven. We deden maar alsof hij er niet was, alsof we niet zagen dat hij zijn engelengezichtje vertrok tot een masker van afkeuring. Toen niemand keek, nam ik stiekem nog wat schnaps, waarna ik de hele situatie nogal lachwekkend begon te vinden. Wat stelde hij zich weer aan, en hij bereikte er weer eens niets mee. Ik had bijna met hem te doen. Het gaf me een volwassen gevoel om de zijde van moeder en Klaus te kiezen, al was het niet echt een conflict omdat niemand iets zei. Het orkest ging steeds harder spelen. Ik kreeg hoofdpijn.

Op de terugweg vroeg Zeppi waar de man met het aapje was. Een stomme vraag, natuurlijk, en toen niemand antwoord gaf hield hij zijn mond maar weer en bleef zwijgen tot we terug waren in Hotel Concordia.

Moeder en Klaus vroegen ons mee te lopen naar hun kamer, waar Klaus het woord nam. 'Jongens, ik heb een paar belangrijke dingen te zeggen. Ga even zitten en luister goed. Zeppi, let jij ook goed op?'

'Ja,' zei hij.

'Goed. Om te beginnen heb ik een verrassing voor jullie. Ons reisplan is bijgesteld. Als we morgenochtend naar de boorinstallatie van Zamex vertrekken, gaan we niet over de rivier. Kunnen jullie raden hoe we dan wel gaan? Het is heel ver weg, dus ik kan alvast verklappen dat we niet gaan lopen.'

'Met een vrachtwagen,' zei ik.

'Kan niet,' lachte Klaus. 'Er zijn geen wegen!'

'Met een boot?' zei Zeppi, en ik moest me bedwingen om hem geen pets op zijn achterhoofd te geven.

'Hij zegt toch dat we niet over de rivier gaan!'

'Ik bedoel een boot voor op zee!' snauwde Zeppi terug.

'We gaan met geen enkele soort boot,' zei Klaus sussend.

Ik dacht na. 'Muilezels? Paarden?'

'Alweer mis. Nog een keer.'

'Een vliegtuig!' schreeuwde Zeppi. 'We gaan met een vliegtuig!'

'Juist,' zei Klaus. 'Helga vertelde me dat jullie nog nooit gevlogen hebben, dus dit leek me wel een leuke verrassing. We vliegen rechtstreeks naar Amazonas, een federaal territorium in het diepe zuiden van het land. Een vlucht van een paar uur.'

Zeppi sprong van enthousiasme overeind en was zijn boosheid op slag vergeten.

'Mooi,' zei Klaus. 'Dat idee valt in goede aarde, zie ik. Maar ik moet jullie nog iets anders vertellen...'

'Zeppi!' gebood moeder. 'Ga zitten en luister.'

Hij ging weer zitten. Klaus schraapte zijn keel. 'Dit zou wel eens vreemd kunnen overkomen, jongens, maar ik zeg het in ernst. Jullie heten niet langer Linden. Vanaf vandaag is jullie achternaam Brandt. Erich en Friedrich Brandt, zo heten jullie voortaan.'

'Maar ik vind Friedrich vreselijk!' riep Zeppi.

'Zeppi Brandt mag ook,' zei Klaus. 'Jullie moeten weten dat ik al een tijdlang Klaus Brandt heet. Sinds ik in Venezuela ben. Knoop de naam goed in je oren, en zorg dat je je niet vergist. Als iemand jullie naar je naam vraagt, of vraagt hoe ik heet, of je moeder, dan is het Brandt. Afgesproken?'

'Maar waarom dan?' vroeg ik. 'Je heet toch Linden, net als onze vader? Je bent zijn broer, dus hoe kun je dan Brandt heten?'

'Omdat ik daarvoor gekozen heb.'

'Je zult ze moeten uitleggen waarom,' zei moeder.

'Ja, je hebt gelijk,' zei Klaus. Hij begon op en neer te lopen door de kamer. 'Zoals jullie maar al te goed weten, hebben we de oorlog verloren. En als een volk een nederlaag lijdt tegen andere volkeren, raakt het alles kwijt. Niet alleen zijn leger en de uitrusting daarvan, niet alleen vliegtuigen en duikboten. Een verslagen volk verliest zijn autonomie, zijn vrijheid. Onze vijanden hebben Duitsland nu volledig in de greep, en het was een van hun eerste daden om individuele Duitsers de schuld te geven van de oorlog.'

'Maar de oorlog is al ruim een jaar voorbij,' zei ik.

'Ze vervolgen onschuldige Duitsers,' sprak Klaus verder alsof ik niets gezegd had. 'Ze eisen bloed, ons bloed, als vergelding voor hun eigen misdaden. Een schande, maar niets is zo machteloos, zo weerloos, als een volk dat verslagen is in een oorlog. Ze kunnen met ons doen wat ze willen, jongens, want we kunnen ons onmogelijk verzetten.'

'De naam, Klaus,' onderbrak moeder zijn uitweiding.

Hij hield op met ijsberen en haalde diep adem. 'Goed, de naakte waarheid dan maar. Van enkele trouwe Duitsers die hier in Venezuela wonen, hoorde ik dat mijn naam voorkomt op de lijst van beschuldigden. Jullie zullen je kunnen voorstellen hoe schokkend het was om dat te horen, maar ik ben niet van zins om me zomaar aan onze vijanden over te geven. Zouden jullie er niet net zo over denken?'

Zeppi knikte zwijgend, zijn mond hing open, en uit mijn eigen mond kwam een verstikt 'Ja...' Mijn hoofd tolde. Hoe durfden ze mijn oom, mijn *nieuwe vader*, van iets slechts te beschuldigen!

'Kijk,' ging Klaus verder, 'het lijdt natuurlijk geen twijfel wie hierachter zitten. Er is op de hele wereld maar één groep die machtig en boosaardig genoeg is om zo de publieke opinie te vergiftigen. Er is maar één slag dat de doortraptheid en geslepenheid heeft om op deze schaal de meest verschrikkelijke leugens te verspreiden. Erich, op wie doel ik?'

'Op... de joden,' stamelde ik.

'Precies. Maar in mijn geval hebben ze pech. Ze zoeken een ongetrouwde meneer Linden als slachtoffer voor hun laster, geen gezinshoofd met de naam Brandt. Snappen jullie hoe belangrijk jullie voor me zijn? Jullie zijn mijn gezin én mijn dekmantel. Als jullie me tenminste willen helpen. Kan ik op jullie rekenen, jongens?'

'Ja!' zei ik, en Zeppi zei het me na. Klaus leek nu heldhaftiger dan ooit. Of nee, hij leek geen held, hij wás een held. Een valselijk beschuldigde held, net als de graaf van Monte Christo. De joden probeerden hem in een kwaad daglicht te stellen, zodat ze hem konden vermoorden, maar hij was ze te slim af. Hij toonde moed en gebruikte zijn hersens, zoals helden dat doen. En moeder, Zeppi en ik hielpen hem! Mijn borst zwol van trots, maar ik voelde me ook wel een beetje bezwaard, omdat Klaus mijn vader overtrof. Een dode held heeft minder allure dan een levende, die zich niet gewonnen geeft en onvermoeibaar tegen onrecht blijft strijden – zeker niet als die levende held in al zijn onverschrokkenheid tegenover je staat en je hulp inroept.

'Dank jullie wel,' zei Klaus, en hij lachte zijn witte tanden bloot. 'Samen staan we sterk, wij... Brandts. Samen kunnen we de vijand om de tuin leiden. Ze zullen falen, hoeveel kranten en regeringen ze ook in hun macht hebben. De oorlog mag dan voorbij zijn, de strijd is nog niet gestreden, niet zolang mannen als ik hun vrijheid behouden en een bestaan kunnen opbouwen in streken waar geen jood durft te komen. Want vergis je niet, Amazonas is een uiterst onherbergzaam gebied. Helga heeft me de allerhoogste eer bewezen door mijn vrouw te willen worden, in het volle besef van wat haar daar te wachten staat, en nu hebben jullie ook mijn zijde gekozen. Ik kan jullie niet zeggen hoe trots me dat maakt. Jongens, Helga, ik voel me onoverwinnelijk!'

Zeppi vloog op Klaus af en sloeg snikkend zijn armen om zijn middel. Ik had hem nog nooit zo overstuur gezien. Heel ontroerend was het. Ook voor Klaus, zag ik, want hij streek Zeppi zachtjes over zijn blonde haar. In moeders ogen blonken tranen, en ik voelde er zelf ook een paar opwellen. Met zijn vieren waren we, verenigd tegen de joden. En wij zouden winnen. Het was een schitterend moment, en het overtrof al mijn verwachtingen. Tijdens de overtocht had ik slechts gehoopt dat Klaus een aanvaardbare nieuwe vader zou zijn, terwijl ik vreesde dat hij zou tegenvallen, en nu bleek mijn somberheid volkomen misplaatst. We werden helden in dienst van Klaus, gingen hem bijstaan in zijn ongelijke strijd. En als klap op de vuurpijl ging we ook nog een vliegtocht maken!

Toen ik die avond naar bed ging, deed ik iets vreemds – ik tooide mezelf met het IJzeren Kruis van vader. Ik durfde het natuurlijk niet op mijn hemd te prikken, waar iedereen het kon zien, dus pakte ik het lint dat om de doos van moeders nieuwe jurk had gezeten. Een mooi groen lint was het. Ik reeg het door het oogje van het Kruis, legde er een knoop in en deed het om mijn nek. Zo kon niemand er iets van zien. Vaders onderscheiding hing op mijn buik, en het lint bleef onzichtbaar zolang ik het tweede knoopje van mijn hemd dicht hield.

Ik denk dat ik het Kruis uit eerbied voor mijn vader wilde dragen, nu moeder hertrouwd was. Vader zou het vast en zeker eens zijn geweest met dit huwelijk, want Klaus was immers zijn eigen broer, en de beste man die ze had kunnen krijgen. Maar toch, ik wilde iets van hem bij me blijven dragen, op mijn huid, zodat zijn geest zich niet eenzaam hoefde te voelen. Het was puur iets tussen vader en mij.

Het was maar een klein vliegveld, weinig meer dan een paar gebouwtjes en een windzak. Er stond maar één vliegtuig, het onze, met op de romp ZAMEX in grote oranje letters. Ik vond dat een geweldige naam voor zoiets gewoons als een aardoliemaatschappij. Hoeveel woorden hebben zowel een z als een x? Het leek wel de naam van een indianengod. Zamex, heerser over het oerwoud en de bergen! Een god met zo'n naam zou ongetwijfeld mensenoffers verlangen, harten die kloppend en wel uit een borst werden gerukt en omhooggehouden naar de zon. De wrede god Zamex.

'Wij zijn de enige passagiers,' zei Klaus terwijl we het trapje beklommen. Binnen stonden kisten met Spaanse opdruk tegen de wanden. 'Boorapparatuur,' zei Klaus. Een man van het vliegveld bond onze koffers ook met touwen en netten tegen een wand, en wij liepen naar voren door het nauwe looppad dat tussen de lading overbleef.

Het was een tweemotorig vliegtuig, met een inklapbaar landingsgestel, en het rook naar gemorste olie, vuil metaal en zweet.

Moeder drukte een zakdoekje met eau de cologne tegen haar neus en Zeppi riep: 'Wat stinkt het hier!'

'Onze zitplaatsen zijn vooraan,' zei Klaus. 'Jullie zullen ze weinig comfortabel vinden, vrees ik.' Hij droeg een stevige leren tas, van het soort dat aan de bovenkant openklapt als een oester. Een echte dokterstas. Wat hij over de zitplaatsen zei, bleek maar al te waar: ijzeren kuipstoeltjes die met bouten aan de wanden waren bevestigd. Geen kussen, alleen veiligheidsgordels. Ik ging zitten en het voelde als de ijzeren zitting van een tractor.

'O hemel,' zei moeder, 'dat zit inderdaad niet al te prettig. Hoe lang gaat de vlucht duren, Klaus?'

'Een uur of zes, zeven, afhankelijk van de wind. Maar het is voorbij voor je het weet, hoor. Ik heb passagiers op kortere vluchten in slaap zien vallen, puur uit verveling.'

'Hoe kun je dit nu vervelend vinden?' zei Zeppi. 'Ik ga zeker niet in slaap vallen.'

'Zo mag ik het horen,' zei Klaus. 'Zoek maar een plekje en zorg dat je gordel goed vastzit, want zo'n vlucht is vaak behoorlijk hobbelig. Helga, kom jij maar met mij aan de ene kant, dan kunnen de jongens aan de andere kant zitten. In vrachtvliegtuigen moet je zo veel mogelijk voor evenwicht zorgen.'

'Dan zou ik met moeder aan de ene kant moeten zitten, en Zeppi en jij tegenover ons,' vond ik.

'O, zo nauw luistert het nu ook weer niet,' zei Klaus, terwijl hij naast moeder plaatsnam. 'Als we maar niet allemaal aan één kant zitten.' Hij zette zijn zwarte tas onder zich, zodat hij die met zijn kuiten tegen de wand kon klemmen.

Zeppi trok een van de gordijnen opzij, die ons van de cockpit scheidden. Er was geen deur, alleen die smoezelige gordijnen, met lachende clownsgezichten erop. Niet echt wat je verwachten zou in een vliegtuig. Misschien had de vrouw van een van de piloten ze gemaakt.

'Niet de piloten lastigvallen, Zeppi,' zei Klaus. 'En maak je gordel vast.'

Ik hoorde stemmen in de cockpit. De piloot of copiloot stak zijn hoofd door de gordijnen en vroeg iets in het Spaans. Klaus antwoordde en de man liep tussen ons door naar de deur van het laadruim, die hij met een klap dichttrok. Hij kwam weer terug en verdween door de gordijnen van de cockpit. Er werd nog wat gepraat daarbinnen, waarna de motor van de rechtervleugel een schurend gehoest liet horen, dat overging in een oorverdovend gebrul, waarna ook de linkermotor op gang kwam. Die deed helemáál pijn aan mijn oren, omdat Zeppi en ik aan de linkerkant zaten. Zeppi sloeg zijn handen over zijn oren, wat ik ook had willen doen, maar nu niet meer omdat hij het al gedaan had. Moeder had ook haar handen voor haar oren, ze lachte en riep iets, maar ik kon het niet verstaan. Klaus grijnsde haar vrolijk toe. Het geluid van de motoren werd alleen nog maar harder, en mijn stoeltje schudde zo hard dat ik er zonder die gordel vanaf zou zijn geschoven.

En toen kwamen we in beweging. Het was een onverharde startbaan, dus reden we hotsend en botsend naar het begin. Ik werd er een beetje misselijk van, en met de deur van het laadruim dicht werd het bloedheet in de cabine. Klaus zei iets tegen me, riep het misschien wel, maar ik verstond er geen woord van en knikte alleen maar. Hij wilde me waarschijnlijk zeggen dat het koeler en minder hobbelig en lawaaiig zou worden als we eenmaal in de lucht waren. Tenminste, ik hoopte maar dat hij dat zei. Het vliegtuig maakte opeens een scherpe draai en ik begreep dat we het begin van de startbaan hadden bereikt. We bleven even staan, en toen gingen de motoren harder tekeer dan ooit en we begonnen we met volle snelheid over de baan te rijden. Het staartwiel en de wielen onder de vleugels kwamen van de grond en het schudden werd opeens veel minder.

Ik keek door het ronde raam naast me, maar zag niet veel meer dan dat de grond onder ons wegviel. Mijn maag leek tot onder in mijn buik te zakken, een heel eigenaardig gevoel, en het vliegtuig zwenkte naar rechts en begon langzamer te klimmen.

Ik zag hoe de wielen inklapten om het toestel gestroomlijnder te maken, en de kleppen werden in de vleugel gedraaid. Een minuut of wat later werden de motoren iets getemperd en gingen we horizontaal vliegen. Door het raam zag ik maar drie dingen: de blauwe hemel, de witte wolken en het groene oerwoud.

Zeppi wrong zich in bochten om ook iets te zien, maar tevergeefs omdat hij verder van het raam af zat dan ik. Het frustreerde hem zo dat hij zijn gordel begon los te maken. Klaus riep dat hij ervan af moest blijven, en ditmaal verstond ik hem wel, dus was het inderdaad minder lawaaiig in het vliegtuig. Zeppi hoorde hem echter niet, of deed alsof hij hem niet hoorde, en bleef aan de sluiting van zijn gordel frunniken. Dus boog ik me naar hem toe en sloeg zijn handen weg.

'Afblijven!' schreeuwde ik, maar hij sloeg op zijn beurt mijn hand weg, dus sloeg ik terug, waarop hij me een stoot op mijn borst probeerde te geven, en miste, waarna ik hem een stoot op de zijne gaf. Die voelde verrassend zacht aan, mijn knokkels leken door een kussentje te dringen alvorens ze zijn borstbeen raakten en hij gilde het uit van pijn. Moeder hief een bestraffende vinger naar ons op en riep dat we ons moesten gedragen. Zeppi begon te huilen en gaf me nog snel een laatste tik op mijn schouder. Het deed geen pijn. Zijn klappen deden nooit pijn. Daar was hij veel te slap en meisjesachtig voor. Ik had hem het liefst een flink pak slaag gegeven. Hij irriteerde me vaak mateloos met zijn kinderachtigheid, en ik vond dat moeder hem veel te veel zijn gang liet gaan. Het was maar goed dat we nu Klaus hadden. Klaus zou hem zijn geklier wel afleren.

De man van daarnet kwam weer door de gordijnen, ditmaal met een brede glimlach en een stapeltje kussens in zijn handen. Hij gaf ons er ieder één en verdween weer in de cockpit. Mijn kussen voelde vettig en rook naar haarolie, en de andere oogden niet veel frisser. Moeder trok een vies gezicht en legde het hare op de vloer. 'Gebruik het nu maar,' zei Klaus, 'je zult er een hoop plezier van hebben, geloof me.' Maar ze schudde haar hoofd. Ik wist dat ze zoiets smerigs nooit aan haar huid of zelfs maar haar kleren zou dulden. Vader had altijd gezegd dat ze de properheid zelve was, en een voortreffelijk huisvrouw. Thuis was alles altijd kraakschoon geweest, zelfs nadat er bij een bombardement een muur was weggeslagen.

Zeppi stak zijn hand uit. 'Geef mij het dan maar!' Ze raapte het kussen op en gooide het naar hem toe. Hij stopte het onder zijn gat, en zijn eigen kussen achter zijn rug. Ik legde het mijne achter mijn hoofd en ging ertegenaan zitten leunen, waardoor het trillen van de wand door mijn schedel trok. Niet onaangenaam, dat gevoel. Ik stelde me een grote, beverige hand voor, die zich koesterend om mijn hersenpan vouwde. De gedachte maakte me slaperig. Het was ietwat koeler in de cabine, en het monotone geronk van de motoren was bijna weldadig.

Ik wees naar de zwarte tas van Klaus. 'Zitten daar je instrumenten in?' Ik moest schreeuwen om mezelf verstaanbaar te maken.

'Ja!'

'Scalpels en injectiespuiten en zo?'

Hij knikte alleen maar, had kennelijk geen zin om schreeuwend te moeten praten.

Urenlang bromden we door de lucht. Na Ciudad Bolivar was het landschap even verlevendigd door bergen, maar sindsdien was alles vlak. Als ik uit het raam keek, zag ik telkens hetzelfde: een onafzienbaar groen tapijt met hier en daar een kronkelige zilveren draad. De schaduwen van de wolken gleden over het oerwoud als donkere walvissen door een zee van groen. Hoe lang ik het ook uitstelde om naar buiten te kijken, het zag er steeds hetzelfde uit en na verloop van tijd werden mijn oogleden zwaar en liet ik me net als de anderen wegzakken in een doezelslaapje. Er was niets meer te zeggen, en de motoren maakten daar ook veel te veel herrie voor.

Na een langdurig dutje sloeg ik mijn ogen op en zag moeder en Klaus naast elkaar zitten als de koning en de koningin uit een sprookje uit mijn kindertijd, voor altijd in slaap getoverd op de tronen in hun stille kasteel. Ik wist niet meer of dat koningspaar twee zoons had of slechts één, maar die prins of prinsen hadden wel iets met de betovering van doen. Ik was nog klein geweest toen ik het las, of misschien had moeder het me voorgelezen. Zeppi was misschien nog niet eens geboren.

Ik draaide me naar hem om. Hij leek inderdaad net een koningskind met zijn mooie gezichtje. Hij voelde me kijken en keek ook opzij. Ik knipoogde naar hem en hij probeerde terug te knipogen, maar net als fluiten is dat iets wat hij nooit onder de knie heeft gekregen. Als hij een deuntje probeerde te fluiten, kwam er alleen maar lucht uit, en als hij knipoogde, kneep hij beide ogen dicht en leek het eerder op een zenuwtrek, heel bespottelijk. Hij zag aan mijn lachje dat het ook nu weer mislukt was, en stak zijn tong uit om te laten zien dat het hem niet schelen kon. Dus gaapte ik om te laten zien hoe vervelend hij was. Het was en bleef een klein kind. Op zijn twintigste zou hij nog steeds een aanstellerig jongetje zijn. En iedereen zou het hem vergeven omdat hij zo knap was. De vrouwen tenminste wel. Het stond nu al vast dat hij veel meer succes bij de meisjes zou hebben dan ik. Want zo oneerlijk was het verdeeld tussen ons – ik had al het verstand van vader geërfd, maar hij alle knapheid van moeder. Ik troostte me met de gedachte dat schoonheid ten slotte vergaat terwijl intelligentie je leven lang blijft.

Ik zag dat hij me iets probeerde te zeggen en boog me naar hem toe.

'Ik vind er niks aan, dat vliegen,' zei hij in mijn oor.

'Leuk juist!' zei ik, maar hij schudde zijn hoofd.

'Veel te veel lawaai en we hebben niks te doen.'

'Ga dan slapen.'

'Dat kan niet met die herrie. Wat een rotvlieguig. Ik zou het liefst uitstappen.'

'Nou, daar is de deur,' zei ik. 'Dááq.'

'Ach, hou je kop.'

'Hou zelf je kop, zeurkous. Ik dacht dat je piloot wilde worden?'

'Niet meer. Ik vind er niks aan.'

'O, nou, dat kan ik verder ook niet helpen, dus hou dat gezeur maar voor je.'

'Je bent een waardeloze broer,' zei hij.

'Mij een zorg.'

Hij keek of moeder ons kon horen, zag dat ze nog steeds diep in slaap was en begon te schelden. 'Apenkop, apenkop, lelijke apenkop...'

Ik wilde hem een mep geven, maar dan gilde hij moeder wakker, dus hield ik het bij woorden. 'Als je later groot bent, heb je spijt dat je dat allemaal zegt. Maar maak je maar geen zorgen hoor, want dat duurt nog zeker een jaar of vijftig, lulletje.'

'Apenkop.'

'Lulletje rozenwater. En nou ophouden, anders draai ik je oor eraf.'

'Durf je toch niet! Dan krijg je van moeder op je kop.'

Daar had hij nog gelijk in ook, dus negeerde ik hem maar en deed demonstratief mijn ogen dicht. En nu ik niets meer zag, klonk het motorlawaai nog veel harder, maar na een poosje droomde ik toch weer weg.

We werden achtervolgd door vliegende joden. Reusachtige joden met zwarte jassen en hoeden, als donderwolken. Wapperende lange baarden en pijpenkrullen. Ze bliezen hun wangen bol en probeerden ons neer te halen met felle vlagen van hun giftige adem, maar we bleven in de lucht, vastbesloten om ze te verslaan met onze brullende motoren. Onze propellers hakten hun graaiende vingers af, ze verloren hun zwarte jodenhoeden in de luchtstroom van onze vleugels, en we bleven ze steeds net een stukje voor. Ze kregen ons dappere zilveren vliegtuigje niet te pakken en knarsten met hun tanden, die nog rood waren van het bloed van christenkinderen, zoals hun tongen zwart waren van hun laster over Klaus. Maar toen vloog de grootste jood van allemaal op ons toe. Hij sperde zijn mond open, steeds verder, tot een donkergroene tunnel waarin we opgeslokt dreigden te worden. Ik sprong op en probeerde hem van ons af te slaan.

Mijn gordel sneed in mijn schoot en ik plofte terug en bonkte met mijn achterhoofd tegen de metalen wand. Waar was mijn kussen? Waar was het zonlicht dat door het raam naast me had geschenen? De motoren krijsten van inspanning en de cabine schokte heen en weer. Moeder zat met een krijtwit gezicht naar me te kijken. Klaus hield haar hand vast. Ik keek opzij naar Zeppi en zag een straal braaksel uit zijn mond komen. Het pletste neer op zijn knieën en hij barstte in tranen uit, of misschien huilde hij al lang.

Het vliegtuig dook naar beneden, schoot weer omhoog en begon te slingeren terwijl buiten de donder rolde. Het was nog veel erger dan het noodweer tijdens de overtocht op zee. Regen striemde het raam. Het was donker in de cabine, en toen opeens hel door een bliksemschicht. De stank van Zeppi's braaksel drong mijn neus binnen en ik moest zelf ook kokhalzen, maar wist het binnen te houden. Mijn kussen lag voor me op de vloer, maar toen ik ernaar reikte, schoot het weg omdat het vliegtuig opzij schokte door de hardste donderslag die ik ooit had gehoord. Het kussen vloog als een dik tovertapijt door de lucht, leek even tegen het gebogen plafond te plakken en zeilde vervolgens naar de achterkant, gevolgd door een van Zeppi's kussens.

Er trok iets door mijn borststreek dat ik herkende van de bombardementen – doodsangst. Als een vuist die zich om mijn hart klemde. Een bijna vertrouwd gevoel. De vliegende joden hadden ons toch nog ingehaald en beukten nu op ons vliegtuig in met hun reuzenvuisten, probeerden ons uit de lucht te meppen, drukten hun smerige baarden tegen de ramen, dompelden ons in duisternis. Zeppi braakte opnieuw, en ditmaal kreeg ik de volle laag, maar ik gaf hem geen klap. Ik was te bang om hem iets kwalijk te nemen. Moeder was ook bang, dat kon ik aan haar gezicht zien. Maar Klaus niet. Hij had zijn armen zo goed mogelijk om moeder heen geslagen, gehinderd door hun beider veiligheidsgordels, en zijn gezicht stond zorgelijk maar niet angstig. Hij zag me kijken en wierp me een bemoedigende glimlach toe, een blik van man tot man om me een hart onder de riem te steken.

Alweer een dreunende klap, het vliegtuig schudde alsof het midden in de lucht op een stenen muur was gebotst, en meteen daarop een verblindend licht. Ik wist meteen wat dit betekende – we waren door de bliksem getroffen. Moeders lange haar stond kaarsrecht alle kanten op. Ook het haar van Klaus stond overeind als ijzervijlsel op een magneet, en dat van Zeppi ook, en het mijne. Er trok een rilling over mijn huid, van mijn kruin naar mijn tenen. Zeppi kefte van schrik, als een bange pup. Bij het gordijn met de clownsgezichten verscheen een bal van licht, alsof een van de clowns een goocheltruc uithaalde en een gloeiende blauwe zeepbel uit zijn mond liet komen. De bal bleef een paar tellen roerloos in de lucht hangen, en rolde toen langzaam naar de achterkant van de cabine, waarbij hij een toverachtig blauw schijnsel op onze gezichten wierp. Zeppi's mond was zo ver opengezakt dat het bijna lachwekkend was, maar ditmaal niet van angst. Hij staarde vol bewondering naar de wondermooie lichtbal, die zich zomaar in het niets oploste. Ik hoopte dat er nog een kwam, maar het bleef bij deze ene. Het moest iets te maken hebben gehad met de blikseminslag, een elektrische lading die het vliegtuig was binnengedrongen, en die nu even plotseling was verdwenen.

De piloot en copiloot begonnen tegen elkaar te schreeuwen. Tot dusver hadden ze in stilte tegen het onweer gevochten, ervaren en professioneel, maar nu hoorde ik ze boven de donder en de motoren uit. En daardoor viel het me op dat de motoren veel minder hard klonken. En dat kwam omdat een van de twee, die op de rechtervleugel, was stilgevallen. Ik keek naar Klaus om te zien of hij het ook opmerkte. Hij hield inderdaad zijn hoofd schuin, luisterde aandachtig en keek op zijn beurt naar mij. Moeder en Zeppi hadden nog niets in de gaten, en de blik van Klaus zei dat het weinig zin had om ze wijzer te maken. Zeppi was al bang genoeg, en ik kon aan moeders dichtgeknepen ogen zien dat ze om redding bad tot de God in wie ze maar half geloofde.

Een minuut of tien bleven we zo zitten, en toen hield de andere motor er ook mee op – en ondanks het geraas van de storm kon dát niet onopgemerkt blijven.

'Klaus...' zei moeder, 'wat is er met de motoren...?'

'Dat is maar tijdelijk,' suste hij. Het was een overtuigende leugen en haar gezicht ontspande zich meteen. Maar dat veranderde weer toen ze Zeppi zag.

'Zeppi? Zeppi! Maak je geen zorgen, lieverd. De motoren gaan zo weer aan.'

Zeppi staarde haar even wantrouwig aan en draaide zich naar mij met ogen die om geruststelling vroegen, dus gaf ik hem die. 'En als ze niet aangaan, blijven we gewoon zweefvliegen.'

Dat kalmeerde hem. Hij wist wat zweefvliegen was, omdat we vaak samen bij de plaatselijke zweefvliegclub waren gaan kijken, naar de langvleugelige toestellen die urenlang door het luchtruim gleden. Wat hij echter niet wist, was dat een metalen vliegtuig maar korte tijd kan zweven, afhankelijk van de hoogte. Ik smachtte er zelf naar om het geronk van de motoren weer te horen, en elke seconde die zonder dat geronk verstreek, met niets dan de donder om naar te luisteren, leek een eeuwigheid te duren. Het was nu stil genoeg om de piloot en copiloot te kunnen horen, terwijl die niet eens meer schreeuwden, alleen nog maar korte, afgebeten zinnetjes uitwisselden. De spanning in hun stemmen was onmiskenbaar. Ik verstond ze wel niet, maar het was duidelijk dat ze van alles probeerden om de motoren weer aan de gang te krijgen. En niets hielp. We zweefden nu al een minuut of twee, drie zonder voortstuwing, en ik vroeg me af hoe dicht we al bij de grond waren.

De man die ons eerder kussens had gebracht kwam opnieuw door de clownsgordijnen, maar nu zonder glimlach. Hij zei iets tegen Klaus en stapte de cockpit weer in.

Klaus zei: 'We gaan landen.' Op een toon alsof het de gewoonste zaak van de wereld was.

'Maar waar dan?' vroeg moeder. 'Zijn we er al?'

'Onder ons is een rivier die breed genoeg is voor een buiklanding.'

'Een rivier...? Maar Klaus...'

'Tussen de bomen krijg je een vliegtuig niet aan de grond, maar een waterlanding is veilig. Jongens, zodra we beneden zijn en niet meer bewegen, wil ik dat jullie je gordels losmaken en naar de deur achterin hollen. Niet treuzelen, we hebben misschien maar weinig tijd voordat het toestel zinkt. Begrepen?' Zeppi en ik knikten zwijgend. 'Ik neem aan dat jullie allebei kunnen zwemmen?' We knikten opnieuw. 'Mooi, dan zie ik verder geen problemen. Helga en ik volgen jullie op de voet. Zwem zo snel mogelijk naar de kant en kijk niet om.'

Het vliegtuig helde vervaarlijk naar links, maar werd weer rechtgetrokken en ik hoorde het schurende geluid van de vleugelkleppen die omlaag werden gedraaid. Door het raam zag ik het oerwoud, verlicht door bliksemflitsen, maar geen rivier. Die lag waarschijnlijk pal onder ons. De hoogste boomtoppen leken te leven, zo wild zwaaiden ze heen en weer in de stormwind.

De piloot schreeuwde iets en Klaus zei: 'Het is zover! Steek je hoofd tussen je knieën en vouw je armen eroverheen! Nu!' Ik hoorde Zeppi zachtjes janken terwijl ik me bukte en mijn armen over mijn achterhoofd legde, waar ik me bepaald niet veiliger door voelde. Er gebeurde een paar tellen niets en ik kreeg de neiging om me weer op te richten en door het raam te kijken, maar wilde niet gesnapt worden door Klaus. En toen was er opeens een ontzaglijke bonk onder mijn voeten. Ik werd in de richting van de cockpit gerukt en Zeppi smakte gillend tegen me aan, waarna we weer opveerden en de andere kant op werden gesmeten. Zonder die gordels zouden we als ledenpoppen door de cabine zijn geslingerd. Weer een bonk, maar nu niet meer zo hard, en we gleden door – het vliegtuig had voor de tweede keer het water geraakt en stuitte niet meer op.

We gingen steeds langzamer en ik haalde mijn armen weg van mijn hoofd. Klaus zei dat we onze gordels moesten losmaken en ik gehoorzaamde meteen. Maar toen ik opstond, zag ik dat Zeppi nog steeds voorovergebogen zat, verstijfd van angst. 'Help hem!' riep Klaus, die moeder van haar gordel bevrijdde, en ik maakte zijn gesp los en trok hem overeind. De piloten zaten nog steeds in de cockpit en zeiden niets, dus nam ik aan dat ze bezig waren met de dingen die piloten hoorden te doen na een buiklanding op een rivier.

'Naar de deur!' schreeuwde Klaus, dus sleurde ik Zeppi mee naar achteren. Er was zoveel lading uit de netten en riemen geschoten, dat er geen sprake meer was van een looppad, maar we konden zonder veel moeite over alles heen klauteren. Ik bereikte de deur, trok de hendel omlaag en duwde, en hij zwaaide probleemloos open. Ik zag water, een massa water, woelig door de plenzende regen, en toen ik opkeek zag ik bomen. Ze waren niet ver weg, een afstand die makkelijk te zwemmen leek, maar er liep al water over de drempel van de vliegtuigdeur.

'Naar buiten!' riep Klaus. Hij hielp moeder met één hand over de omgevallen kisten heen. In de andere hield hij zijn zwarte dokterstas. 'Geen getalm nu!' Ik greep Zeppi beet, die beefde over al zijn leden, en wierp mezelf naar voren.

Het water was lauwwarm, als badwater. Ik ging kopje-onder en verloor mijn greep op Zeppi, maar toen ik weer opdook, zag ik hem vlak naast me. Zijn haar hing in zijn ogen en hij hapte naar adem. 'Kom op!' riep ik, en we begonnen te zwemmen. We waren beiden geoefende zwemmers, al had Zeppi weinig uithoudingsvermogen. Ik zorgde ervoor dat ik niet te ver voor hem uit zwom, zodat ik het zou zien als hij moeilijkheden kreeg of in paniek raakte. Maar dat gebeurde niet. Hij ploeterde naarstig voort, als een hondje dat zo snel mogelijk op het droge wilde komen.

Toen we ongeveer op de helft waren, keek ik achter ons. De romp van het vliegtuig lag nu half in het water, als een zilveren walvis. Tussen het toestel en onszelf zag ik de hoofden van moeder en Klaus, die dus goed waren weggekomen. Klaus zwom met één hand en hield met de andere zijn tas boven zijn hoofd. Verder zag ik niemand, maar de piloten hadden een eigen deur in de cockpit, dus misschien waren zij aan de andere kant naar buiten gegaan. Terwijl ik keek, gleed de romp in een vloeiende beweging onder water, gevolgd door het staartstuk. Ik zwom weer verder.

Zeppi lag intussen op me voor, dus zette ik aan om weer naast hem te komen en hem te laten merken dat hij niet alleen was. Maar hij had me niet eens in de gaten. Hij spartelde nu eerder dan dat hij zwom en zijn ademhaling klonk veel te gejaagd, een teken dat hij de paniek nabij was. 'Rustig aan!' riep ik. 'We zijn er bijna!' Maar hij bleef doorgaan, zijn handen petsten op het water als de bladen van een raderboot. Hij hijgde en proestte – nog een paar tellen en hij zou onder water verdwijnen. Ik hield op met zwemmen, richtte me op om hem te ondersteunen, en merkte tot mijn blijdschap dat mijn voeten de bodem raakten. Zeppi spartelde verder en ik zag hem de kant bereiken en op handen en voeten de oever op kruipen, zonder éénmaal om te kijken. Toen ik naar hem toe waadde, viel hij uitgeput op zijn zij en bleef zo met een zwoegende borstkas liggen.

Ik voelde of het IJzeren Kruis nog om mijn nek hing en draaide me om. Moeder en Klaus waren er ook bijna, maar de piloot en de copiloot waren nergens te bekennen. Even later stonden we met zijn vieren op de modderige oever en keken naar het water. De regen bleef neerplenzen en de wolken maakten alles donker, behalve als het bliksemde. Zeppi omklemde zichzelf en rilde.

'Waar zijn die twee mannen?' vroeg moeder. 'Hebben ze het gered?'

'Misschien zijn ze naar de andere oever gezwommen,' zei Klaus. 'De deur van de cockpit zat aan de andere kant, dacht ik.'

'Maar dat is veel verder weg. Ze moeten met opzet dicht bij deze oever zijn geland, dus waarom zouden ze naar de overkant zwemmen?'

Klaus schudde zijn hoofd. 'Wie weet wat er gebeurd is. Voor hun daar in de cockpit moet de klap van het neerkomen veel harder zijn geweest dan voor ons.'

Moeder veegde haar natte haren uit haar gezicht. 'Wat wil je daarmee zeggen?'

'Misschien hebben ze hun nek gebroken. Ik kan er slechts naar gissen, Helga. Misschien klemde hun deur en zijn ze verdronken, of anders heeft de stroming ze misschien te pakken gekregen. Ik heb geen idee.'

'Dat laatste lijkt me niet,' zei ik. 'Daar is de stroming lang niet sterk genoeg voor.'

Klaus zei niets meer, opende zijn dokterstas en inspecteerde de inhoud.

'Is alles nog heel?' vroeg ik.

'Jazeker. Alles ligt op orde, kurkdroog. Jullie grootvader gaf me deze tas toen ik afstudeerde. Hij was peperduur, maar wat een kwaliteit. Alle waar naar zijn geld, dat blijkt maar weer.'

Moeder knielde bij Zeppi neer en trok hem tegen zich aan, waarna ze beiden begonnen te snikken. Het ging niet zozeer om die twee piloten, denk ik, als om wat er allemaal gebeurd was. Zelf rilde ik over mijn hele lichaam. Niet omdat ik het koud had, maar omdat ik op het nippertje aan de dood was ontsnapt.

Klaus sloeg een arm om mijn schouders. 'We hebben geluk gehad,' zei hij. En dat hadden we.

DRIE

We hadden halverwege de middag de noodlanding gemaakt. Toen het onweer wegtrok en we de hemel weer konden zien, was de zon al aan het ondergaan. De rivier was bruin, het oerwoud groen. Uit de doorweekte grond steeg een warme nevel op, die zwaar in de lucht bleef hangen. We werden ontdekt door muskieten, die er meteen op los staken.

'Laat ze ophouden!' jammerde Zeppi terwijl hij radeloos op zijn blote armen mepte. Moeder verjoeg ze, maar hun plaats werd onmiddellijk door nieuwe ingenomen. Klaus zei dat het hielp om modder op je blote ledematen te smeren, maar daar wilde Zeppi niks van weten omdat die modder te erg stonk. 'Dan laat je je maar bijten,' zei Klaus, 'maar hou op met dat gezanik, want die paar insecten zijn nu wel onze minste zorg.'

Ik smeerde me wel in, zelfs mijn gezicht. Klaus gaf me een goedkeurend knikje, maar volgde zelf zijn advies niet op. Misschien werd hij minder gebeten dan wij, of het kon hem niet schelen. Ook moeder smeerde modder op haar armen en benen, terwijl Zeppi pruilend toekeek. Ik wist dat ze hem ook zou insmeren, en dat deed ze dan ook zodra ze klaar was met zichzelf. 'Moeten we hier blijven,' vroeg ik Klaus, 'of gaan we lopen? Zouden ze voor de landing een radiobericht hebben uitgezonden?'

'Misschien, maar de zender kan ook beschadigd zijn geweest door de bliksem, dus we kunnen er niet op rekenen dat iemand een SOS heeft opgevangen. En het is altijd maar beter om van het ergste uit te gaan. Dat heeft de oorlog ons wel geleerd, nietwaar?'

'Maar wat moeten we dan?'

'Goede vraag.' Hij draaide zich peinzend om naar het oerwoud achter ons, een grillige groene muur vol onheilspellende schaduwen. 'Kijk, dat is nu onze vijand,' zei hij. 'Als we ons de jungle in wagen, zijn we gedoemd, zeker zonder voorraden, een kompas en wapens. Laten we dus maar hier blijven. Als ik me vergis over dat SOS, zullen ze een verkenningsvliegtuig sturen dat onze vliegroute volgt. Hier op de oever zijn we waarneembaar vanuit de lucht, tussen de bomen niet.'

'Dus we blijven?'

'Erich, ik weet net zomin als jij wat het beste is om te doen. Als jij in de komende uren of dagen op ideeën komt, hoor ik ze graag. Maar voorlopig denk ik dat we er inderdaad goed aan doen om hier te blijven.' Hij keek heimelijk naar moeder, die met Zeppi in de weer was, en fluisterde: 'Luister, Erich, houd mijn twijfels over de radio en zo maar voor je. Jij en ik kunnen alles bespreken, zelfs de dingen waar we liever niet aan willen denken, maar Zeppi en je moeder zijn beter af als we ze afschermen voor de... harde feiten. Afgesproken?'

'Afgesproken.'

'Goed zo, jongen. We zitten in een lastig parket, maar het had allemaal veel erger kunnen zijn. We hebben het overleefd en niemand is gewond, althans niemand van ons gezin.'

'Maar we hebben geen eten,' zei ik. Hij keek me glimlachend aan.

'Geen groot probleem. Een gezond mens kan wel drie weken buiten voedsel, zolang hij maar drinkwater heeft.'

De gedachte dat er misschien geen noodsignaal verstuurd was, maakte me bang. Als niemand wist waar we ons bevonden, konden we onmogelijk overleven. Ooit zouden we toch voedsel nodig hebben, en we hadden geen jachtgeweer of visgerei. Niets om in ons onderhoud te voorzien. Niets dan de spullen in de dokterstas van Klaus. Ik voelde tranen branden, maar slikte ze weg, want dankzij Klaus zag ik in dat ik nu een man moest zijn. Een man zoals hij. Moeder en Zeppi waren van ons afhankelijk, en we moesten hen in hun eigen belang om de tuin leiden met een montere blik en optimistische woorden.

Zeppi vormde onze zwakste schakel. Hij had geen greintje karakter, geen enkele eigenschap die hem in moeilijke omstandigheden betrouwbaar maakte. In de oorlog had de Führer ons voortdurend opgeroepen moed te tonen, maar aan Zeppi waren die woorden nooit besteed geweest. Hij had zich al die tijd gedragen alsof hij in een andere wereld leefde, alsof alles hem ontging. Als hij op school de Hitlergroet bracht, zag het er mallotig uit, alsof hij geen idee had waarom hij zijn arm ophief, alsof hij alleen maar domweg de anderen nadeed. Ik geneerde me altijd dood voor hem. Het was maar goed dat hij nooit bij de Führer op bezoek had mogen komen voor een persoonlijke ontmoeting, want dan had hij zich alleen maar aan de wanden en plafonds vergaapt, zonder de leider van ons vaderland zelfs maar aan te kijken.

Ik verdacht Zeppi er wel eens van dat hij zwakzinnig was, net als Otto Fruenmeyer, die bij ons in de straat had gewoond. Kort voor de oorlog was Otto weggehaald om voortaan in een gesticht te wonen, maar de week daarop had zijn moeder verteld dat hij er overleden was, omdat hij weigerde te eten. Nu Klaus me gezegd had dat je drie weken zonder eten kon, werd het me duidelijk dat hij aan iets anders moest zijn bezweken. Longontsteking of zo.

Zeppi had op Otto voor dat hij zo meisjesachtig knap was, wat hem altijd een hoop krediet zou geven. Otto was oerlelijk, met vochtige weke lippen en ogen die hij nooit stil kon houden. En scheve tanden waar zijn moeder hem geen beugel voor liet aanmeten, wat ook weinig zin zou hebben gehad, want met rechte tanden zou hij nog steeds een lelijke idioot zijn geweest. Er hadden trouwens wel meer zwakzinnigen in ons stadje gewoond, die allemaal naar het gesticht waren afgevoerd en over wie we nooit meer iets hadden gehoord.

Ik keek toe terwijl moeder Zeppi insmeerde alsof hij een baby was. Zonder haar zou hij hier geen week overleven, zoveel was zeker, want Klaus en ik zouden hem niet zo in de watten leggen als moeder. Het voelde wel een beetje raar om op deze manier over hem te denken, de Klaus-manier, eerlijk en realistisch, want het bleef natuurlijk toch mijn broertje. Maar voor sentimentaliteit was nu geen plaats. Dat was iets voor doetjes als Zeppi. In de echte wereld, de wereld van de harde feiten, was hij een nutteloos mens. Eigenlijk was het een wonder dat hij levend uit de oorlog was gekomen, als een enkele roze roos in een door bommen verwoeste tuin, zachtjes wiegend op de wind en zich van niets bewust.

Moeder zou alles op alles zetten om te overleven, al was het maar voor Zeppi. En misschien ook wel voor mij, omdat ik haar andere zoon was, en voor Klaus, omdat hij nu haar man was – hoewel ik geen verzorging meer nodig had en Klaus het sowieso zou redden.

Na een tijdje begon de zon onder te gaan. Het water van onze onvrijwillige zwempartij was uit onze kleren verdampt, maar nu waren we nat van het zweet omdat het broeierig heet was. Het was onheilspellend om die grote rossige schijf achter de boomtoppen te zien zakken, maar Klaus gaf ons geen tijd om er al te lang naar te kijken. 'We hebben beschutting nodig,' zei hij, 'voor als het vannacht weer gaat regenen. Dus kom op, mensen, aan de slag. Jij ook, Zeppi. Laten we onszelf maar eens nuttig gaan maken.'

We liepen een stukje de jungle in, waar de lucht iets droger leek, en vonden een open plek waar we een schuilplaats bouwden van afgevallen takken en bladeren. Vers, soepel groen zou beter zijn geweest, maar we hadden geen mes of bijl om mee te hakken. Tegen zonsondergang hadden we een gammel hutje dat tegen een omgevallen boomstam leunde. Het zat vol gaten, en als het weer ging regenen zouden we er weinig aan hebben, maar het was beter dan slapen onder de blote hemel. Het was maar klein, zodat we dicht tegen elkaar moesten kruipen, maar dat bleek een voordeel, want we hadden geen middelen om een vuurtje aan te leggen en als het donker is, wordt het verrassend koud in het oerwoud, zeker als je op de vochtige bodem moet liggen. Ik zat op mijn hurken tegen de boomstam, met mijn hoofd op mijn knieën en mijn armen om mijn benen om te voorkomen dat ik omviel. Mijn maag deed pijn van de honger en Zeppi zanikte net zo lang om eten tot hij van uitputting in slaap viel. Klaus en moeder spraken zo min mogelijk om hem niet wakker te maken, maar voor ik zelf wegdommelde hoorde ik hem iets tegen haar fluisteren. 'Prettige bruidsnacht.' Ze moest erom giechelen, heel kort maar en heel zachtjes, maar ik voelde een enorme bewondering voor die twee.

Ik werd die nacht een paar keer wakker, een keer om te plassen en een keer omdat Klaus zijn tas openmaakte. De sluiting gaf een harde klik, of misschien was het de beweging die me uit mijn slaap haalde.

'Wat is er?' vroeg ik.

'Er sluipt iets rond tussen de bomen,' fluisterde hij. 'Ik heb een scalpel gepakt. Niet bewegen, anders raak ik jou misschien.'

'Iets groots?' fluisterde ik terug.

'Geen idee. Sst.'

We spitsten onze oren en ik hoorde het ook, een gesnuif en geritsel. Er bewoog zich inderdaad een of ander beest door het struikgewas. Ik ving er ook de geur van op, muf en zurig, en op datzelfde moment hield het geritsel op. Het beest had ons waarschijnlijk ook opgemerkt, en het volgende moment hoorden we hoe het zich uit de voeten maakte. 'Vals alarm,' zei Klaus, 'hij is net zo bang als wij.' Daar moest ik om grinniken, maar ik hield me in om moeder en Zeppi niet wakker te maken.

'Hadden we maar een kampvuur,' zei Klaus zachtjes. 'Dat zou een heel verschil maken. Dat moeten onze voorouders ook gedacht hebben als ze zich in hun grot verschuilden voor een sabeltandtijger.'

'Of een reuzenbeer,' zei ik. 'In de oertijd leefden er beren met enorme afmetingen.'

'Ja, en hier zitten wij. Te bibberen omdat er een miereneter langs kwam scharrelen.'

'Zou dat het geweest zijn?'

'Vast. Een verscheurend roofdier zou meer belangstelling hebben getoond, denk ik.'

‘Morgen moeten we vuur proberen te maken met zo’n stokje, weet je wel, dat je met de punt in een hoopje droog gras zet en dan heen en weer rolt tussen je handen.’

‘Vuurwrijven,’ zei Klaus. ‘Maar een vuurboor zou nog beter zijn. Een gebogen tak met een gespannen draad die je om het stokje draait. Dat gaat makkelijker en sneller.’

‘Maar we hebben toch geen draad?’

‘Ik heb hechtdraad in mijn tas. Ouderwets, degelijk spul, van paardenhaar.’

‘Echt?’

‘Dat gaan we morgen als eerste doen, een vuurboor maken.’

Zeppi kreunde in zijn slaap en we vielen stil. Ik stelde me voor hoe we het vuur zouden aanleggen, zag al voor me hoe er rook en vlammetjes uit het droge gras opkwamen. Het idee alleen al gaf me een rilling van genoegen. En als we vuur hadden, gingen we speren maken, en bogen om mee te schieten, en pijlen natuurlijk. En we maakten een echte hut, met een ondoordringbaar dak van gevlochten bladeren. We zouden de Zwitserse familie Robinson worden, maar dan in het oerwoud in plaats van op een eiland.

Voor ik weer wegdoezelde, vroeg ik me af waarom ik me er nu al mee verzoend had dat er geen zoekvliegtuig zou komen. Het ging tegen de menselijke natuur in om zo pessimistisch te zijn, dus waar kwam die houding vandaan? Het moest door Klaus komen, door wat hij zei en hoe hij zich opstelde. Hij was, zoals hij zelf al zei, een praktisch man, iemand die uitging van wat haalbaar was. Maar hij was ook moedig en eerlijk. Hij liet moeder en Zeppi in de waan dat we gered zouden worden, maar tegenover mij had hij er niet omheen gedraaid en gezegd dat we onszelf zouden moeten redden. Met mij wilde hij van man tot man de harde feiten bespreken, waar hij vrouwen en kinderen liever voor afschermde.

In Zeppi’s geval had hij zeker gelijk, maar volgens mij kon moeder ook wel een hoop aan. Ze had immers al heel veel meegemaakt. Maar goed, ik legde me graag neer bij wat Klaus wilde. Hij was praktisch en verstandig. Zijn vertrouwen deed me zo goed dat ik mijn knorrende maag vergat en mijn voorhoofd weer op mijn knieën liet rusten. Toen ik mijn ogen sloot, drong de gedachte zich op dat we het misschien toch niet zouden redden, omdat de natuur zich niets van moed en verstandigheid aantrok. Die gedachte stond me niet aan, dus duwde ik haar weg, diep de duisternis in, tussen de bomen en struiken waar de wilde beesten elkaar beslopen en opvraten.

De volgende morgen huilde Zeppi omdat hij zo'n dorst had, maar hij wilde niet naar de rivier lopen om te drinken. Hij was bang dat er een anaconda uit het water zou opduiken om hem mee te sleuren. Moeder moest hem uiteindelijk meevoeren naar de oever, waar ze handenvol water voor hem opschepte, dat hij als een hondje oplebberde. Ik wilde hem zeggen dat hij niet moest zeuren over slangen in het water, dat het echte gevaar van krokodillen kwam, of kaaimannen, zoals ze hier heetten, maar ik bedacht me net op tijd – als ik dat zei, zou hij helemáál niet meer naar de rivier durven en liever omkomen van dorst. Bespottelijk was het.

Toen we gedronken hadden, begon Klaus ons toe te spreken. Woorden als ontbijt. Ik had liever iets te eten gehad, maar wat hij zei klonk wel inspirerend.

'In afwachting van een zoekvliegtuig zullen we op zoek moeten naar voedsel, al was het maar om iets omhanden te hebben. In de jungle wemelt het vast van de eetbare planten, maar ik heb geen idee hoe die eruitzien en de kans is niet denkbeeldig dat we iets giftigs tot ons nemen. Planten en knollen moeten we dus mijden. In plaats daarvan moeten we een dier zien te verschalken, want met vlees weet je wat je in handen hebt. En omdat we geen jachtgerei hebben, zullen we dat eerst zelf moeten maken. Speren, pijl en boog, met dat soort dingen zullen we voor een volle buik moeten zorgen, er zit niets anders op.'

'Maar Klaus, hoe maken we zulke dingen?' vroeg moeder.

'Laat dat maar aan Erich en mij over. In de tussentijd kunnen Zeppi en jij met takken en lianen een visfuik proberen te vlechten.'

‘Een visfuik...’ zei moeder aarzelend. ‘Hoe ziet zoiets eruit?’

‘Ik teken er straks wel een in het zand,’ zei Klaus. ‘Maar nu graag eerst jullie aandacht voor het volgende. Als we voor eten hebben gezorgd, zullen we hier weg moeten zien te komen. En het zou dom zijn om zomaar het oerwoud in te wandelen. Dat is op de meeste plekken ondoordringbaar, en zonder kompas zullen we alleen maar in cirkels rondgaan.’

‘Maar er komen toch vliegtuigen om ons te zoeken?’ zei Zeppi.

‘Dat hoop ik inderdaad van harte, Zeppi, maar het is verstandig om altijd een tweede plan te hebben. En wat ik bedacht heb, gaat goed samen met de mogelijkheid dat ze ons komen zoeken. Onze beste uitweg is namelijk de rivier! In Amazonas vloeit elke stroom, hoe klein ook, naar een grotere, en uiteindelijk komt alles uit in de Orinoco. Op het water blijven we steeds goed zichtbaar vanuit de lucht, en mochten we ten slotte de Orinoco bereiken, dan worden we binnen de kortste keren opgemerkt door het rivierverkeer.’

‘Maar Klaus, hoe komen we aan een vaartuig?’

‘Door er een te maken! We hebben wel geen gereedschap, maar het moet mogelijk zijn om een paar omgevallen bomen met lianen tot een vlot te binden.’

Moeder en Zeppi leken niet echt overtuigd.

‘Luister, we kunnen kiezen,’ zei Klaus. ‘Of we doen wat ik heb voorgesteld, of we blijven hier zitten en komen uiteindelijk om van de honger. Geef jij de voorkeur aan dat laatste, Zeppi?’

‘Nee...’

‘En jij, Helga?’

‘Natuurlijk niet...’

‘Mooi, dan lijkt me de keuze bepaald. Erich, wat vind jij van mijn plan?’

‘Het lijkt me heel verstandig.’

‘Goed zo. Ik had ook niet anders verwacht, want een mannenbrein is op zijn best als het om overleven gaat. Laten we dan meteen maar aan de slag gaan, voor we te veel krachten verliezen. Erich, jij gaat geschikte takken of jonge boompjes zoeken om bogen van te maken. Let erop dat het hout goed soepel is. Als je wat gevonden hebt, kom je bij me en geef ik je de bottenzaag uit mijn tas.' Hij hurkte neer, pakte een takje en veegde over het zand om een fuik te tekenen. 'Kijk, Helga, het moet een soort buis worden die uitloopt in een punt.'

Ik ging met een gewichtig gevoel op pad. Klaus had mij aangewezen om het juiste materiaal voor een wapen te vinden. En zonder wapen konden we niet jagen, en hadden we niets te eten, en zou het ons aan kracht ontbreken om een vlot te bouwen en onszelf in veiligheid te brengen. Dus alles hing eigenlijk van mij af.

Toen ik diep genoeg de jungle in was om geen stemmen meer te horen, sloeg mijn stemming langzaam om. Het voelde anders, zo in mijn eentje. Gevaarlijker. De lucht was intussen alweer zwaar van de hitte, en op het gezoem van insecten na doodstil. Alsof ik door onzichtbaar water liep, over de bodem van een groene zee.

Ik speurde voortdurend de bodem af, beducht voor slangen. Niet voor anaconda's maar voor kleine gifslangen die zich schuilhielden onder de bladeren, die je pas ontdekte als je erop trapte. Mijn sokloze voeten voelden kwetsbaar en weerloos. Ik vroeg me af hoe het zou zijn als zo'n slang opeens tussen de bandjes van mijn sandalen gleed en zijn tanden diep in mijn vlees zette. Hoe zijn gif me in een paar seconden zou verlammen. Het beeld was zo indringend dat ik verstarde en geen stap meer durfde te zetten. Ik hoorde mezelf hijgen, wist dat ik net zo bang was als Zeppi en schaamde me diep.

Als een standbeeld bleef ik staan, te angstig om zelfs maar met mijn ogen te knipperen. Er vloog een piepklein vogeltje voor me langs, groen en rood. De vleugeltjes gingen zo snel dat ze een waas waren. Het keerde terug en bleef vlak voor mijn gezicht in de lucht hangen. Een kolibrie, wist ik. Adembenemend mooi... en weg was het weer. Ik durfde niet eens mijn hoofd te draaien om het na te kijken. Een belachelijke toestand. Klaus verwachtte een goed stuk hout voor een boog en hier stond ik, stokstijf. Op nog geen vijftig meter van de rivier. Ik kon niet eens mijn hand opheffen om het zweet van mijn voorhoofd te wissen. Het liep in straaltjes over mijn neus en wangen, prikte in mijn ogen, liet alles in mijn blikveld dansen en wiebelen. Er slopen meedogenloze roofdieren om me heen, klaar om me te bespringen en het vlees in lappen van mijn botten te scheuren. Mijn darmen gingen tekeer van angst. Ik dreigde het letterlijk in mijn broek te doen. Ik wilde om hulp roepen, maar mijn keel was dichtgesnoerd van angst. Ik voelde ze steeds dichterbij komen, die verscheurende beesten op hun geruisloze poten, hun tanden ontbloot, kwijlend van moordzucht.

En toen zag ik de man. Een spiernaakte man, met grote oorbellen waar gele veertjes aan hingen. Hij stond bedachtzaam naar me te kijken. Zijn huid was lichtbruin. Hij was klein van stuk. Zijn sluike, gitzwarte haar was vlak boven zijn wenkbrauwen en oren afgesneden, in een rechte lijn. Donkere ogen die me roerloos opnamen.

Hij was niet besneden, zoals Zeppi en ik. Daar hadden vader en moeder op aanraden van Klaus toe besloten, ondanks dat de joden het ook met hun zonen deden. Een besneden penis was veel hygiënischer, volgens Klaus. Vader was niet bang geweest dat we voor joden zouden worden aangezien, want daar waren we veel te blond voor. De penis van de bruine man had een vel tot het eind, net een worst. In zijn hand had hij een rechte stok die wel twee keer zo lang was als hijzelf en die ik herkende van plaatjes uit de natuurlijkehistorieboeken van school – een blaaspijp. De koker met gifpijlen droeg hij aan een riempje om zijn hals. Het ding was versierd met veertjes, net als zijn oorsieraden die, dat zag ik nu pas, een soort stoppen waren die in uitgerekte gaten in de lellen waren gedrukt.

We bekeken elkaar zonder een vin te verroeren. Hij moest daar al die tijd al hebben gestaan, in de schaduw tussen de bomen. Hij had deel uitgemaakt van de jungle en zou me nooit zijn opgevallen als ik niet stil was blijven staan. Of misschien had hij me door een soort van toverij doen stoppen om me beter te kunnen bekijken, en had hij daarna besloten zichtbaar voor me te worden. Ik weet niet waarom ik dat rare gevoel kreeg, maar het was heel sterk. Mijn angst vloeide langzaam weg en verdween ten slotte helemaal. Dit was een mens, geen jaguar. Ik wist dat hij me geen kwaad wilde doen. Er was geen haat of angst in zijn ogen. Zelfs geen nieuwsgierigheid. Hij keek alleen maar naar me, volstrekt onbewogen.

En toen keerde hij zich om en verdween in het groen alsof hij er nooit geweest was. Mijn hart bonkte van opwinding en ik rende zo snel als ik kon terug.

Toen ik de open plek bereikte, zag ik alleen nog onze verlaten schuilplaats. Geen spoor van moeder, Klaus en Zeppi. Waren ze in de tussentijd weggevoerd door andere bruine mannen? Was ik nu alleen? Mijn opwinding sloeg om in paniek.

'Klaus! Moeder! Waar zijn jullie?'

Links van waar ik de open plek was binnengestormd hoorde ik stemmen tussen de bomen. Ik rende er onmiddellijk naartoe en bleef om ze roepen. Ik zag Zeppi als eerste, toen moeder en Klaus, en verder niemand. Ze keken me stomverbaasd aan en ik kwam hijgend en zwetend tot stilstand.

'Erich, is er iets?'

'Klaus...'

'Wat is er, jongen, zeg het me!'

Ik wees achter me, de jungle in. Klaus volgde mijn vinger, maar zag natuurlijk niets. 'Heb je een geschikte boom gevonden? Toe, zeg eens wat!'

'Heb je een slang gezien?' vroeg moeder. 'O, Erich, je bent toch niet gebeten, hè?'

'Er was een man...' bracht ik ten slotte uit.

'Wat voor man? Je moet nog vlakbij zijn geweest, waar is die man dan?'

'Een man...' hijgde ik. 'Daarginds... met een blaaspijp!'

'Een blaaspijp?'

'Zonder kleren aan. Een bruine man. Hij zag mij ook, en toen liep hij weg.'

'Weet je zeker dat je je het niet verbeeld hebt?' vroeg moeder.

'Nee! Hij was er echt, een bruine man, zonder kleren en met een lange blaaspijp. Hij liep weg.'

Moeder draaide zich naar Klaus. 'Is dat een goed teken?'

'Misschien, maar misschien ook niet. Als hij naakt was, moet het een echte wilde indiaan zijn, die nog nooit een missionaris heeft gezien. Maakte hij een vijandige indruk, Erich?'

'Nee, hij keek alleen maar naar me.'

'Er zullen er vast nog meer in de buurt zijn,' zei Klaus. 'Die is hij waarschijnlijk gaan halen.'

'Wat moeten we doen?' vroeg moeder. Ze liep naar Zeppi en legde haar arm om zijn schouders. Hij leek niet te snappen waar het over ging, keek sprakeloos van de een naar de ander.

'Vluchten heeft geen zin. We gaan terug naar de open plek en wachten af. Als ze opduiken, toon dan geen enkele angst. Doe maar net alsof je tegenover een grommende hond staat, kijk ze rustig aan en maak geen onverhoedse bewegingen. Als ze geen kwade bedoelingen hebben, is dit misschien wel het beste wat ons gebeuren kon.'

'Maar als ze nu wél kwaad in de zin hebben, zijn we dan niet in levensgevaar?'

'Kalmeer, Helga. Het zijn wel wilden, maar daarom nog geen woestelingen. Ik vermoed dat ze vooral nieuwsgierig zijn, zeker als ze nog nooit een blanke hebben gezien, en zulke stammen zijn er nog volop in het oerwoud. Zo ja, dan zullen ze eerder bang voor ons zijn dan dat ze ons naar het leven willen staan.'

Ik zei: 'Maar angst kan toch een ook reden zijn om ons aan te vallen?'

'Dat zou kunnen, ja, maar laten we nu maar niet meteen van het ergste uitgaan. De kans is het grootst dat ze ons vriendelijk bejegenen. Misschien geven ze ons wel te eten, zou dat niet goed uitkomen?'

Hij deed luchthartig om ons op ons gemak te stellen, maar slaagde daar niet in. We liepen naar de open plek en gingen er voor onze schuilhut staan. Zeppi beefde van angst, en ik was zelf ook nerveus. Moeder concentreerde zich op haar pogingen om Zeppi kalm te houden, en Klaus deed iets eigenaardigs – hij pakte zijn sigarettenpijpje en klemde het tussen zijn tanden. Dit verbaasde me, want zijn sigaretten waren in de rivier verdwenen, maar toen snapte ik waarom. Het was een pose die hij tegenover de indianen wilde innemen, om ze vrees aan te jagen. Hij had geen geweer, dus gebruikte hij dat pijpje om een vervaarlijke indruk te wekken. Ik begreep het zonder een woord te hoeven wisselen, en dat was maar goed ook, want hij leek niet in de stemming om te praten. Hij tuurde in de schaduwen tussen de bomen, probeerde te zien wat nog niet zichtbaar was.

Ik kreeg zelf het gevoel dat we bespied werden. Ze waren vlakbij, maar hielden zich schuil in het groenige duister van de jungle. Ik voelde hun ogen prikken, voelde hoe ze ons gadesloegen terwijl we hier een doelwit vormden voor hun gifpijlen, weerloos maar met een air van onverschrokkenheid, althans een poging daartoe.

'Ik zie er een, denk ik...' zei moeder. 'O nee, het is een boom... Klaus, zijn ze daar, denk je?'

'Ongetwijfeld. Ik vóél ze gewoon. Kalm blijven en afwachten, jongens. Zeppi, hou eens op met dat stompzinnige geluid.'

Zeppi stond diep vanuit zijn keel te kreunen. Hij viel stil.

Ze kwamen pardoes tussen de bomen vandaan. Met zijn vijven waren ze. Klein, naakt en bruin. Twee hadden een blaaspijp in hun hand, de andere drie een boog, maar ze hielden ons niet onder schot. Ze kwamen langzaam op ons toe, zonder hun ogen van ons af te nemen. Ik probeerde agressie te bespeuren, in hun houding of in de manier waarop ze hun wapen vasthielden, maar proefde alleen waakzaamheid. Ze waren op hun hoede, en ik begon te geloven dat Klaus gelijk had – ze hadden nog nooit blanken gezien. We waren iets vreemds en ze wisten niet goed wat ze met ons aan moesten. Dit leek me gunstig en ik voelde mijn angst wegebben terwijl ze dichterbij kwamen. Nog een meter of vier, drie, twee... en toen stonden ze pal voor ons, keken ons diep in de ogen, besnuffelden ons alsof ze met hun neus wilden bepalen wat wij voor wezens waren.

Een van hen stak aarzelend een hand uit en raakte mijn haar aan.

Zijn vingertoppen streken voorzichtig over de lok op mijn voorhoofd, en vervolgens langs mijn wang. Ik kon zijn hand ruiken. Een warme, zweterige lucht, zurig maar niet afstotend. Hij bestudeerde mijn gezicht met schuinstaande ogen die me terug deden denken aan wat ik op school had geleerd over de prehistorische Aziaten die over de Beringstraat waren getrokken, waarna ze in de loop van de eeuwen Noord-, Midden- en Zuid-Amerika hadden bevolkt. Zijn gezicht was volkomen haarloos, maar ik kon zien dat het een volwassen man was, ook al reikte hij slechts tot aan de schouders van Klaus.

Hij bevoelde de stof van mijn hemd, boog zich naar voren en likte aan mijn wang. Het gevoel van zijn vochtige tong ontlokte me bijna een gil, maar ik wist me te bedwingen, bleef roerloos staan en liet het hem opnieuw doen. Hij nam mijn bovenlip tussen zijn vingers, trok hem omhoog en bekeek mijn tanden, tikte met zijn nagel tegen het glazuur. Ik glimlachte naar hem, maar kreeg geen glimlach terug. Ze glimlachten geen van allen. Moeder, Klaus en Zeppi kregen dezelfde behandeling van behoedzame aanrakingen, aaitjes, tikjes en klopjes. Aan de ene kant was het nogal vernederend, maar ze waren geen moment ruw. Een van hen liet zijn hand in moeders jurk glijden en kneep zachtjes, bedachtzaam bijna, in haar borsten. Ze kneep van ontzetting haar ogen dicht, maar gaf geen kik.

Een ander, volgens mij de man die ik in de jungle had gezien, inspecteerde Zeppi's gezicht. Zeppi hield zich kranig, maar ik hoorde zijn adem jagen. Hij hield nog steeds moeders hand vast. De man likte zijn wang met een lange, natte tong, van zijn onderkaak tot aan zijn oor. Ik zag Zeppi naar adem happen, en bad in stilte dat hij het niet op een krijsen ging zetten.

De tong ging opnieuw over zijn wang, weer tot aan zijn oor, en... hij begon te giechelen! Het was een nerveus lachje, zonder vrolijkheid, maar hij kon het niet bedwingen. Ik beet op mijn lip. Zouden de mannen er aanstoot aan nemen? Ze stonden alle vijf naar hem te kijken, en Zeppi keek verward van de een naar de ander, niet in staat het gegiechel te stoppen dat over zijn lippen bleef borrelen. Het ging me door merg en been en ik wilde hem het liefst een mep geven om het te doen ophouden. En toen hield het op. En de mannen bleven hem aanstaren.

En nu deed Zeppi het stomste wat hij ooit had kunnen doen. Hij stak zijn tong naar hen uit en blaatte erbij, *mèèèèhh...* als een plagerig kind. Hij perste het er zo lang mogelijk uit, haalde diep adem en begon opnieuw. Ik keek naar Klaus en zag zijn verbijstering, maar hij deed niets. Toen Zeppi klaar was met zijn geblaat, viel er een stilte. Ik wachtte in spanning op de reactie van de indianen. Alles was tot nu toe goed gegaan. We hadden hun gesnuffel, gepor en gelik weten te verduren, en nu moest Zeppi zich weer eens als een kleuter gedragen en ons allemaal in gevaar brengen.

Een van de mannen stak ook zijn tong uit en blaatte naar hem terug. En de anderen vielen hem bij, zo hard en doordringend als ze konden. Het spuug liep over hun kin. Zeppi hoorde het verbouwereerd aan en barstte zelf ook weer los. De mannen begonnen te lachen, eerst naar elkaar en toen naar Zeppi, die zijn geblaat staakte en uit volle borst met ze mee lachte – de hoge, kirrende lach waar ik me anders zo aan ergerde maar die me nu als muziek in de oren klonk. Hij gierde het uit, en de indianen kwamen ook niet meer bij. Ze wezen naar hem alsof hij het grappigste was dat ze ooit hadden gezien, en lachten alleen maar harder.

Klaus deed alsof hij ook moest lachen, een theatraal gebulder dat niet onechter had kunnen klinken, maar ik begreep zijn bedoeling. Hij zag in dat lachen het middel bij uitstek was om een band te scheppen, te tonen dat wij net zo waren als zij. Moeder snapte het ook en begon een geluid voort te brengen dat het midden hield tussen lachen en gillen. En nu was het mijn beurt. Ik zoog mijn longen vol en wekte een loeiend gegier op. Het klonk zo idioot dat ik van de weeromstuit écht in de lach schoot. Een van de indianen rolde intussen over de grond, lachend en blatend tegelijk, wat zijn kameraden bijzonder geestig leken te vinden.

En toen hield het gelach op, net zo abrupt als het begonnen was.

De indianen gingen bij elkaar staan en we hoorden ze babbelen – een zacht, klaterend geluid, kalmerend bijna. Een van hen keerde zich naar ons om en wees naar de jungle. Twee anderen liepen in die richting weg en de rest stapte demonstratief naar achteren, zodat wij konden volgen en zij zich achter ons aan konden sluiten. 'Kom,' zei Klaus. Hij pakte zijn dokterstas en kwam in beweging.

'Is dat wel verstandig?' vroeg moeder.

'Hebben we een keus?' zei Klaus. 'Ze lijken ons welgezind, kom nu maar.'

'Waar gaan we heen?' wilde Zeppi weten.

'Dat merken we wel als we er aankomen,' zei Klaus. 'Het zou wel eens een lange wandeling kunnen worden, dus zet je beste beentje maar voor, Zeppi. En geen gemekker onderweg, mag ik daar op rekenen?'

'Ja,' zei Zeppi, maar het klonk weinig enthousiast.

In het gezelschap van de indianen leek de jungle minder dreigend. Ze bewogen zich snel en moeiteloos voort, leken aan te voelen waar de vegetatie ondoordringbaar was en liepen nergens vast. Het werd me al snel duidelijk dat ze blindelings de weg kenden, hoewel ik niets zag dat op een gebaand pad leek. Ze hielden er flink de pas in en Zeppi pufte en hijgde, maar eerlijk is eerlijk, hij klaagde geen moment en wilde geen hulp als we ergens overheen moesten klimmen. Ik droop van het zweet en mijn honger werd zo erg dat ik behalve buikpijn ook hoofdpijn kreeg, maar er zat niets anders op dan door te zetten.

Hoe verder we de rivier achter ons lieten, hoe minder dicht het struikgewas werd en we maakten snel voortgang tussen de bomen, die soms wel vijftig meter hoog waren. Er klonk luid gekrijs boven ons, apen vermoedelijk, maar ik zag niets. We liepen onverdroten verder, waar het kon zelfs op een holletje, en ik kreeg steeds meer de indruk dat ze haast hadden. Dat we voort werden gedreven als schapen, door stille maar waakzame herdershonden.

De bodem begon iets op te lopen en ik was de uitputting nabij, net als de anderen en vooral Zeppi, wiens gezicht verwrongen was van ellende. Maar hij hield woord en klaagde geen moment. Ik kreeg met hem te doen en zei: 'Het is niet ver meer,' hoewel ik geen idee had hoe lang we nog te gaan hadden. Maar het kwam verrassend genoeg uit – een paar minuten later hielden we halt op een lage heuvel die uitzag op een open terrein. En daar, een paar honderd meter voor ons, zag ik iets wat me met stomheid sloeg.

Het leek nog het meest op een reusachtig wespennest, maar dan op de grond en niet in een boom. Een immense groenbruine koepel, met van boven een wijde opening waar rook uit kringelde – een aanwijzing dat er mensen in verbleven. Afgezien van die opening deed het aan een iglo denken, maar dan honderden keren groter en gemaakt van bladeren. Erachter liep het terrein verder af naar een bomenrij, en daarachter zag ik een rivier glinsteren. De indianen namen ons aandachtig op terwijl we ons aan het bouwwerk vergaapten.

'Wat is dat?' vroeg moeder.

'Ik neem aan dat het hun dorp is,' zei Klaus.

Zeppi vroeg: 'Als we daar zijn, hoeven we dan niet meer te lopen?'

'Ongetwijfeld, Zeppi. Je hebt je geweldig gehouden, bravo.'

We kwamen weer in beweging, maar nu langzamer, heuvelafwaarts naar het dorp. Links van ons lag een soort tuin. Niet met bloemen maar met vruchtbomen waar een klein soort bananen aan groeide, in dichte trossen. Er liepen naakte vrouwen tussendoor, die de groene trossen van de takken plukten. In het voorbijgaan keek ik zo lang mogelijk naar hun borsten, en zij staarden op hun beurt naar ons. Een klein meisje wees en zette een keel op. Zeppi keek in de richting van haar wijzende vinger, nieuwsgierig naar wat haar zo van streek maakte, niet beseffend dat wij dat deden.

Naarmate we de koepel naderden werd de gelijkenis met een wespennest sterker, door de bultige onregelmatigheid ervan. Het geheel maakte een primitieve indruk, maar het was ontzagwekkend in zijn afmetingen. Toen we er bijna waren, verscheen er opeens een gat in de wand, net groot genoeg om ons door te laten – een ingang die ontstond doordat iemand aan de binnenkant een losse doornstruik wegtrok die dienstdeed als afsluiting. Toen iedereen binnen was, werd de 'deur' meteen weer gesloten.

De mannen die ons hadden meegevoerd begonnen een loeiend geluid te maken, waarschijnlijk om iedereen te laten weten dat ze iets bijzonders bij zich hadden. Ze waren net een voetbalploeg na een doelpunt, sprongen op en neer en maakten een hels kabaal.

Vanbinnen was het alsof we ons in een kolossale lampenkap bevonden, een reusachtige halve bol met bovenin een groot gat. De constructie, waar jaren aan gewerkt moest zijn, bestond uit onderling verbonden palen en takken, overdekt met een vlechtwerk van grote, platte bladeren die beschutting moesten bieden tegen regen. Het was één grote ruimte, die in het midden helemaal open was en waar hier en daar een kookvuurtje brandde. Langs de rand, in de beschutting van het vlechtwerk, stonden tientallen palen in de grond met hangmatten ertussen. Aan de palen zelf waren pijlenkokers opgehangen, en trossen van de banaanachtige vruchten die ik ook buiten had gezien, al waren deze geler en bruiner.

We werden omgeven door tientallen naakte mensen, mannen, vrouwen en kinderen, die ons allemaal aangaapten. Sommige mannen grepen een boog of blaaspijp en kwamen op ons toe rennen, krijgshaftig met hun wapen zwaaiend, maar onze begeleiders namen ons in bescherming. Ze hielden de anderen bij ons vandaan, met veel geschreeuw en soms zelfs een flinke zet.

Het was duidelijk dat niemand ons met een vinger mocht aanraken. De mannen die ons hadden binnengebracht keken dreigend en hooghartig om zich heen. We waren hún buit en dat moest iedereen goed beseffen. Het was bijna grappig om te zien. De vrouwen en kinderen waren ondertussen ook dichterbij gekomen, al bleven ze uit de buurt van het duw-en-trekwerk. Ik kwam ogen tekort voor alle blote vrouwenborsten. De meeste vielen nogal tegen, slap en uitgezakt leken het eerder omgekeerde bierflessen, maar die van de jongere vrouwen en de meisjes waren lekker vlezig en staken parmantig vooruit.

En nu week iedereen opzij om een man door te laten die net zo naakt was als de rest, maar een heel andere uitstraling had, alleen al omdat hij niet zo'n misbaar maakte. Hij had hetzelfde bloempotkapsel en droeg dezelfde oorsieraden als de andere mannen, maar was iets langer, en fors als een worstelaar, terwijl de anderen mager en pezig waren en meer op wielrenners leken. Toen hij voor ons kwam staan, verstomde al het rumoer. Onze begeleiders begonnen tegen hem te praten, vertelden hem waarschijnlijk hoe ze ons gevonden hadden.

Terwijl ze hun verhaal deden, nam hij ons een voor een op, waarna hij op ieder van ons toe stapte voor hetzelfde gesnuffel en gefriemel als we eerder hadden ondergaan. Ditmaal stak niemand zijn tong uit en was er geen gelach. Zeppi stond zo dicht mogelijk tegen moeder aan gedrukt, zijn ogen wijd opengesperd. Moeder oogde zenuwachtig. Klaus juist niet. Hij leek eerder verveeld, maar ik nam aan dat dat een pose was om het opperhoofd te tonen dat hij niet bang voor hem was. Ik besloot Klaus na te volgen. Ik had wel geen sigarettenpijpje, maar zette net als hij mijn handen op mijn heupen en stak mijn borst vooruit.

Het opperhoofd bestudeerde Klaus' gezicht, en plukte voorzichtig het sigarettenpijpje tussen zijn tanden vandaan. Hij bekeek het aandachtig, streek over het gladde ivoor en rook aan het uiteinde voor de sigaretten, waarna hij knikte alsof hij begreep waar het voor diende. Hij stak het uiteinde in zijn linker neusgat en snoof om te zien of hij erdoor kon ademen. Als een ander dit had gedaan, zou het kinderlijk of lachwekkend hebben geleken, maar dit was wel de laatste man om zulke indrukken bij te hebben. Hij liet het pijpje in zijn neusgat zitten. Waarschijnlijk omdat hij geen broekzak had om het in te steken.

Ik keek naar Klaus om te zien of hij kwaad werd nu hem zijn pijpje was afgenomen, maar hij reageerde bedaard en er speelde zelfs een glimlachje om zijn mond, alsof hij zeggen wilde: 'Geen dank, veel plezier ermee.'

Het opperhoofd woelde bij ieder van ons door ons blonde haar, en moeder werd weer in haar borsten geknepen, maar ook nu had dat weer niets beledigends. Hij wilde alleen maar weten of ze een vrouw was onder al dat textiel. Als ze naakt was geweest, zoals de indianenvrouwen, had hij haar vast niet aangeraakt. Zeppi's haar, dat het blondst was van ons vieren, tegen wit aan, kreeg een nieuwe inspectie en ik kon zien dat zijn angst begon om te slaan in sikkeneurigheid.

Toen het opperhoofd zich boog en Zeppi een lik over zijn lelieblanke wang dreigde te geven, deinsde deze achteruit. 'Nee!' beet hij het opperhoofd toe, en hij draaide zich naar moeder. 'Laat hem ophouden!'

'Zeppi, alsjeblieft...'

'Hij stinkt!'

'Zeppi, hou je gemak,' zei Klaus.

'Ik wil het niet meer hebben!'

'Verdwijn je soms liever in een kookpot?'

'Klaus, zeg dat nou niet.'

'Hij moet zich leren gedragen.'

Zeppi hapte naar adem van schrik en gaf geen kik meer. Het opperhoofd had het allemaal onverstoorbaar ondergaan. Hij richtte zich op, liep naar het grootste vuur en ging op de grond zitten. Onze begeleiders volgden hem, en wij liepen uiteraard mee. Toen iedereen zat, kwam een aantal vrouwen ons eten brengen. Eerst die kleine bananendingen, waar we uitgehongerd op aanvielen, en toen geroosterd vlees met de vacht er nog aan. Van villen hadden ze nog nooit gehoord, kennelijk. De vacht was kort en donkergrijs, dus moest het haast wel apenvlees zijn. Het rook heerlijk, maar ik moest er niet aan denken om het te eten. Moeder en Zeppi leken er net zo over te denken, maar de banaantjes waren op en onze magen nog lang niet vol – de zoete smaak had onze eetlust alleen nog maar verder aangewakkerd.

Uiteindelijk pakte Klaus een stuk vlees op. 'Kijk, zo,' zei hij. Hij hield het vast bij de harige kant, zoals de indianen dat ook deden, en begon het uit te happen als een gehalveerde sinaasappel. Zijn voorbeeld gaf de doorslag. Moeder, Zeppi en ik tastten ook toe en zaten binnen de kortste keren te smullen. Wat voor dier het ook geweest was, het vlees was mals en heerlijk van smaak. Ik nam nog een tweede stuk, en een derde, en de anderen aten net zo gretig en smakelijk. De indianen stonden om ons heen, of zaten op hun hurken, en volgden iedere beweging. Zeppi was zo gulzig dat hij met open mond zat te kauwen, een gewoonte die moeder hem al jaren probeerde af te leren, maar ze had niets in de gaten.

Vanwaar ik zat kon ik omhoogkijken tussen de benen van de toekijkende vrouwen. Ze hadden nauwelijks haar, en wat ik zag was weinig interessant, gewoon een soort plooi die doorliep tot aan de grotere plooi aan de achterkant. Ik verlegde mijn aandacht naar hun bovenlichaam, maar het rare was: ik had nu in een paar minuten tijd meer tieten gezien dan in alle vieze boekjes die de ronde deden op school, en het deed me eigenlijk al niets meer. Het waren gewoon vrouwenborsten. En zo verging het me ook met alle mannelijke geslachtsorganen die ik om me heen zag. In de douche na een voetbalwedstrijd had iedere jongen altijd steelse blikken staan werpen om te zien of die van de anderen groter waren dan die van hemzelf, maar hier hingen ze open bloot en dat maakte ze volkomen oninteressant. Het drong meer dan ooit tot me door dat gezichten het belangrijkst waren. Die deden ertoe als je wilde weten met wat voor mensen je te maken had.

Ik zag dat sommige indianen hun gezicht hadden beschilderd, meestal in rechte lijnen met hier en daar een krul, en in slechts twee kleuren, zwart en rood. Sommigen hadden banden van gevlochten grashalmen om hun bovenarm, met veertjes erin gestoken. Anderen hadden een rode modder in hun haar gesmeerd, waardoor het als een kleverige helm op hun hoofd plakte. En iedereen rook naar zweet, maar op een paar rondkruipende peuters na was niemand vuil.

Ik raakte stilaan verzadigd, maar dat weerhield me er niet van door te eten. Het vlees was op, maar er waren nieuwe banaantjes neergelegd, waar ik niet van af kon blijven. Zeppi was klaar en zat om zich heen te kijken naar de indianen. 'Moet je al die piemels zien,' zei hij met een uitgestreken gezicht. Klaus en moeder schoten in de lach, moeder met een schrille uithaal.

Het opperhoofd zat ondertussen stilletjes te praten met de mannen die ons hadden gevonden. Ik sloeg er geen acht op, het was toch niet te volgen, en ik kreeg kramp van het zitten zodat ik ten slotte maar opstond om mijn benen wat te strekken. Ik liep in kringetjes rond, met een stel wijzende en giechelende kinderen achter me aan.

Ik durfde me steeds verder bij Klaus en moeder vandaan te wagen, steeds dieper onder het gebogen dak, waar tientallen hangmatten aan stutten en palen hingen. Tegen de palen stonden bogen en blaaspijpen. Er was geen enkele afscheiding. Geen wand, geen gordijn – niets dat enige privacy zou kunnen bieden. Geen meubels ook, op de hangmatten na. Ik vroeg me af waar ze ons zouden onderbrengen, en of ze ons bij elkaar zouden laten.

In een van de hangmatten lag een man te slapen. Hij wekte mijn nieuwsgierigheid, al begreep ik zelf niet waarom, en ik liep onwillekeurig naar hem toe om hem beter te bekijken. Toen ik naast hem stond, wist ik wat hem anders maakte dan de andere mannen hier. Hij had een baard! En zijn haar was lang, niet recht afgesneden. Hij was naakt en bruin, en zijn haar en baard waren zwart, maar het leed geen twijfel, dit was geen indiaan.

Zijn gezicht glom van het zweet en er ging af en toe een rilling door zijn ledematen, zoals paarden kunnen huiveren om lastige vliegen te verjagen. Ik keek toe hoe hij daar lag te zweten en te schokken, en hoorde hem prevelen in een onbekende taal. Mijn nabijheid moest hem wakker hebben gemaakt, want zijn ogen gingen open, en nadat hij me even slaperig had aangekeken, hapte hij naar adem van verrassing. Hij werkte zich overeind en gaapte me met open mond aan, tot groot vermaak van de toekijkende kinderen.

Hij zei iets tegen me en ik haalde mijn schouders op, ten teken dat ik hem niet verstond. Hij zei weer iets (in het Spaans, meende ik) en ik antwoordde: 'Het spijt me, maar ik spreek uw taal niet.' En toen was hij pas écht verbaasd. Hij viel zowat uit zijn hangmat, vermande zich en schonk me een stralende glimlach.

'Wiens zoon ben jij? Waar kom je vandaan?'

Zijn Duits was uitstekend, al klonk hij een beetje weifelend, alsof hij het lange tijd niet gesproken had. Ik keek om naar de anderen. Moeder en Klaus zaten nog steeds bij het vuur, met het opperhoofd en de volwassen indianen, maar Zeppi was weggedwaald. Toen hij me zag kijken, rende hij naar me toe.

'Mijn god,' zei de bebaarde man toen hij Zeppi aan zag komen, 'je hebt een metgezel... Zijn er nog meer? Alsjeblieft, vertel het me.'

'Ja,' zei ik, 'moeder en Klaus zijn hier ook.'

'Klaus? Klaus wíé? Namen, jongen, geef me namen!'

Onze namen leken me zijn zaak niet, maar hij was zo opgewonden dat ik hem toch maar zijn zin gaf. 'Klaus...' (ik had bijna Linden gezegd) '... Brandt. Hij is onze nieuwe vader.'

'Dus hij daar is je broertje?' Hij bekeek Zeppi met een intense blik die hem een paar passen achteruit deed wijken.

'Wees maar niet bang, hoor. Ik ben ook Duitser, net als jij. Wentzler is de naam. Gerhard Wentzler. Ga je vader maar vragen of hij hier ook even naartoe komt, dan vertel ik jullie alles wat jullie weten moeten over deze plaats. Vooruit maar, goudlokje, hollen!'

'Waarom ziet hij er zo uit?' vroeg Zeppi aan mij.

'Ga Klaus halen,' zei ik, 'dit is belangrijk.'

'Ga hem zelf halen,' zei Zeppi, en hij stak verongelijkt zijn kin in de lucht.

'Opschieten, anders zeg ik de indianen dat ze je op mogen eten.'

Hij keek me onthutst aan. 'Dat meen je niet.'

'Nou en of, en nu wegwezen. Haal Klaus.'

Hij sjokte weg.

'Grote jongen voor zijn leeftijd,' zei Herr Wentzler.

'Zo jong is hij niet meer, hoor. Hij doet gewoon weer kinderachtig. Hij is al twaalf.'

'Aha. Maar als ik vragen mag, hoe zijn jullie hier verzeild geraakt?'

'Ons vliegtuig moest een noodlanding maken op de rivier.'

'De rivier? Allemachtig... het kon niet mooier!'

Wat een rare reactie. Ik begon me af te vragen of hij wel goed bij zijn hoofd was. Zijn ogen leken te dansen van opwinding. Hij werkte zich uit de hangmat en kwam op trillende benen voor me staan. Hij was broodmager en ik kon nu flarden grijs in zijn baard en haar zien. Hij moest veel ouder zijn dan ik in eerste instantie gedacht had. In de veertig misschien wel.

'Daar komen ze aan, daar komen ze aan...' zei hij, langs me heen kijkend.

Moeder, Klaus en Zeppi hadden een tiental indianen in hun kielzog. Ze gingen om Herr Wentzler heen staan, die zijn knokige armen spreidde alsof hij dierbare vrienden begroette, maar niemand leek zin te hebben in een omhelzing. 'Welkom, waarde volksgenoten, hartelijk welkom! Wentzler is de naam. Professor Gerhard Wentzler, universiteit van Heidelberg. Hoe opmerkelijk! Wie had kunnen denken dat ik hier ooit Duitsers zou mogen begroeten!'

Hij beefde over al zijn leden. Ik was bang dat hij om zou vallen.

Klaus zei: 'Dank u zeer, Herr Professor. En wat een verrassing inderdaad. Klaus Brandt, universiteit van Frankfurt. Mijn vrouw Helga, en onze jongens, Erich en Friedrich.'

'Nee!' zei Zeppi.

'Die liever Zeppi wordt genoemd. Zijn er hier nog andere blanken, Herr Professor? Of in de nabije omgeving wellicht? Wij zijn hier beland na een zwaar ongeval.'

'Dat vertelde uw zoon al, ja. Verschrikkelijk, zoiets, maar niet onverwacht in dit geval, althans niet voor de Jajomi.'

'Pardon?'

'Het werd hier sinds enige dagen verwacht. Wanneer vond die noodlanding plaats?'

'Gisteren. Wat is... de Jajomi?'

'Deze mensen hier,' zei hij met een weids gebaar. 'Zij zijn de Jajomi. Dit is pas de tweede maal dat ze met blanken in aanraking komen. Ik ben u als enige voorgegaan.'

'En ze wisten van de noodlanding, zei u? Hebben ze het toestel neer zien komen, bedoelt u dat?'

'Geenszins! Ze spraken er de dag daarvoor al over, en niet in termen van een noodlanding. Ik geloof niet dat ze ooit een vliegtuig hebben gezien, niet van nabij tenminste. Het begrip "luchtvaart" is hen vreemd. Nee, ze wisten dat *jullie* zouden komen.'

Klaus glimlachte naar hem. 'Ik begrijp het,' zei hij minzaam, en ik zag dat hij dezelfde conclusie had getrokken als ik: Herr Wentzler was malende. 'Voelt u zich wel goed, Herr Professor? U oogt ietwat koortsig.'

'Wentzler, m'n beste, gewoon Wentzler. Wat betekent een titel hier? De Jajomi kennen geen titels. Zelfs het opperhoofd, de man naast u, wordt uitsluitend bij zijn eigennaam genoemd, Manokwo. Maar om mijn verhaal af te maken: ze wisten van uw komst. Noroni zag het namelijk in een droom, vier dolfijnen die kort voorbij de bocht van de rivier aan land zouden komen.'

Moeder keek naar Klaus. 'Wat bedoelt hij?' Ze probeerde uit alle macht de aanblik van Wentzlers geslachtsorgaan te mijden, dat onbesneden was, net als bij de indianen.

'Wat ik bedoel, lieve mevrouw,' zei Wentzler, 'is dat u vieren die dolfijnen bent, begrijpt u wel?'

'Eerlijk gezegd niet, nee,' zei Klaus, nog steeds met een glimlach.

'Zoetwaterdolfijnen komen voornamelijk in Brazilië voor, maar in deze contreien worden ze soms ook wel waargenomen. Ze zijn zeer bleek van kleur en worden daarom ook wel witte dolfijnen genoemd. Witte dolfijnen... wordt het u al duidelijker?'

'Wij zijn de witte dolfijnen waar iemand van gedroomd heeft?'

'Als ik het wel heb, vonden ze u precies op de plek uit Noroni's droom, even voorbij de bocht die de rivier in oostelijke richting maakt.'

'Ik weet niets van een bocht in de rivier, maar één ding kan ik u verzekeren: wij zijn geen dolfijnen. Dat kunnen ze zelf toch ook wel zien?' Klaus knikte glimlachend naar de indianen, alsof ze de strekking van zijn woorden konden begrijpen en er misschien kwaad om zouden worden.

'Volgens de Jajomi kunnen dieren soms een mensengedaante aannemen, Herr Brandt. U bent dolfijnen, en als zodanig bent u vereerde gasten. Noroni, de man die uw komst voorspeld heeft, zal vanaf nu groot aanzien genieten, en u zult dan ook merken dat hij graag uw vriend wil zijn. De anderen zullen misschien nog wat bangig en terughoudend zijn, maar hij is u zeer welgezind.' Hij wees naar de indiaan die ik herkende als de man met wie ik oog in oog had gestaan in de jungle. Het lukte me dus al een beetje om onderscheid tussen hen te maken.

Klaus zei: 'Herr Wentzler, u heeft nog geen antwoord op mijn vraag gegeven. Zijn er hier andere blanken in de omgeving? Een missiepost wellicht?'

'Niets, in geen honderden kilometers in de omtrek. Ik kan er maar niet over uit, Herr Brandt. Je hoort wel vaker verhalen over het bovennatuurlijke, maar verwacht nooit iets dergelijks mee te maken. Zelfs ik niet, die hier al zo lang vertoef. Wat een ongelooflijk toeval... hoogst merkwaardig. Vindt u het goed als ik weer ga zitten?'

En met die woorden liet Herr Wentzler zich als een blok in de hangmat vallen. Zijn ademhaling schuurde, hij glom van het zweet en verspreidde een akelige lucht, als vuile was die al tijden op een vochtige hoop lag. Hij liet een mager been over de rand hangen en zette zich af op de grond om een schommelende beweging te maken die hem leek te kalmeren. Zijn ogen vielen toe, er kwam een reutelend geluid over zijn lippen en hij leek bewusteloos te raken.

Klaus boog zich over hem heen en voelde zijn pols. Het was de eerste keer dat ik hem als dokter zag optreden. Hij opende zijn tas, die hij sinds de noodlanding geen moment uit het oog had verloren, en haalde er een stethoscoop uit. Hij plantte het zilveren schijfje op Herr Wentzlers ingevallen borst en luisterde aandachtig, duwde met zijn duim een ooglid omhoog en liet het weer zakken. 'Een flinke koorts, meer kan ik voorlopig niet vaststellen.' Hij opende zijn tas opnieuw en pakte een flesje met witte pillen. 'Erich, ga jij eens op zoek naar drinkwater, als je wilt. Ik wil onze vriend graag weer op zien knappen. Is het niet ongelooflijk, Helga? Een Duitser te treffen die deze stam kent en hun taal schijnt te verstaan. Dat mag je een geluk bij een ongeluk noemen, nietwaar? Water, Erich, als de bliksem!'

Ik rende naar het kampvuur waar we hadden gegeten en vond er een kalebas met water. Er lagen houten kommetjes naast en ik vulde er een, waarmee ik snel weer terugrende. Klaus wist Herr Wentzler met veel gemors en geproest een pil toe te dienen, terwijl de Jajomi gefascineerd toekeken. Alles verliep naar wens, tot een van de indianen achter Klaus' rug een nieuwsgierige greep in de openstaande tas deed. Hij hield zijn blik op Klaus gevestigd, zag dus niet wat hij deed en trok met een gil zijn hand terug. Hij bloedde tussen zijn wijs- en middelvinger, jankte en jammerde en maakte een hels kabaal, waarbij hij vol ontzetting naar de tas wees.

'Dat komt ervan, vriend,' zei Klaus, nog altijd glimlachend. 'Laat het een goede les voor je zijn. Graai nooit blindelings in een tas vol scalpels.'

De Jajomi deinsden massaal achteruit en bleven op eerbiedige afstand staan kijken, niet naar ons maar naar de tas, die hun blijkbaar angst inboezemde. Dat leek me maar goed ook. Klaus was nogal bezitterig waar het zijn tas betrof.

Het duurde niet lang of hun belangstelling verflauwde, en ze liepen alleen of met zijn tweeën weg. De meesten, onder wie het opperhoofd, zochten een hangmat op. Klaarblijkelijk hadden deze indianen dezelfde gewoonte als de Spaanstalige Venezolanen: op het heetst van de dag een dutje doen. Moeder, Zeppi en ik schaarden ons rond Klaus, die uiteenzette hoe hij de situatie beoordeelde.

'Ik had natuurlijk liever een missiepost gevonden, maar ik geloof Herr Wentzler als hij zegt dat die nergens in de wijde omtrek te bekennen is. Laten we hem dus maar als onze missionaris beschouwen. Dankzij zijn vertrouwdheid met deze indianen zullen we ons hier redelijk staande kunnen houden. Voor zolang als het duurt, tenminste, en ik heb goede hoop dat het niet al te lang zal zijn. Met enig geluk, en Herr Wentzlers beheersing van de indianentaal, krijgen we hen vast wel zover dat ze de rivier met ons opgaan, en dan moeten we snel de Orinoco kunnen bereiken. Het ontbreekt ons niet aan geluk, vind ik. Eerst zijn we zo fortuinlijk om veilig uit een zinkend vliegtuig te komen, en na slechts één nacht onder de blote hemel hebben we onderdak en te eten, en niet te vergeten een gids die ons behoeden kan voor misverstanden met deze wilden.'

'Godzijdank,' zei moeder.

'God woont hier niet, Helga. Hij ként deze buurt niet eens.'

Noroni kwam naar ons toe en gebaarde ons mee te komen. We volgden hem naar een plek waar een aantal lege hangmatten hing. Het was duidelijk dat we die van hem mochten gebruiken. 'O, wat heerlijk,' zei moeder. 'Ik ben op van de slaap na vannacht.' Klaus spreidde de dichtstbijzijnde mat voor haar uit, zodat ze erin kon klimmen. 'Slaap lekker, liefste. Maar als ik je raden mag, draai je niet om. Dat zou je tweede onzachte landing in twee dagen worden.' Ze strekte zich uit en zei dat het heel comfortabel lag. Noroni keek vergenoegd toe, hoewel hij haar woorden onmogelijk kon begrijpen, en leidde ons naar de volgende hangmat.

Klaus zei: 'Het ziet ernaar uit dat er maar drie voor ons vieren zijn, jongens, dus jullie zullen deze moeten delen. Ga jij maar eerst, Erich. En vergeet het niet, Zeppi: stil blijven liggen, anders kukelen jullie er allebei uit. Onze vriend Noroni heeft waarschijnlijk zijn hele gezin hun siësta ontzegd om ons deze slaapplaatsen te bieden. Een hele eer, dus gedraag je daarnaar.'

Zeppi ging met zijn hoofd aan het andere uiteinde liggen en wurmde zijn benen naast de mijne. Ik had liever een hangmat voor mezelf gehad, maar het lag wel redelijk. Klaus stapte in de derde hangmat en liet zijn lange benen aan weerszijden omlaag hangen. Noroni hurkte verderop neer met een jongen en een meisje van mijn leeftijd – zijn kinderen, nam ik aan. Ze staarden naar ons, en uit hun blik viel niet op te maken of ze boos waren of juist trots omdat er dolfijnen in hun hangmat lagen. Maar het kon me ook weinig schelen. Ik had een volle maag, en alle vertrouwen in wat Klaus gezegd had over onze kansen om hier weg te komen.

Zeppi had zijn ogen al dicht. Ik sloot de mijne ook.

VIER

Ik ontwaakte met een bons. Zeppi was voor mij wakker geworden en had zich omgedraaid, waardoor we beiden uit de hangmat waren gevallen. Het was een val van nog geen meter, maar hoog genoeg voor een droom waarin ik over de rand van een afgrond werd geduwd en in de diepten van de hel verdween. Ik hijgde van ontzetting.

Zeppi zat naast me en wreef verdwaasd over zijn voorhoofd. 'Idioot,' snauwde ik, maar hij was nog te slaperig om me te horen.

Ik keek naar de hangmat van moeder, die nog lag te slapen, en naar die van Klaus, die verlaten was. De Jajomi waren allemaal op en druk in de weer. Het zonlicht viel onder een schuine hoek door het grote gat, dus moest het al laat in de middag zijn.

'Mijn hoofd doet pijn,' klaagde Zeppi.

'Hoe is dat nou mogelijk?' zei ik sarcastisch, en ik stond op om op zoek te gaan naar Klaus. In een cirkelvormige open ruimte zie je snel genoeg waar iedereen is, en Klaus zat, weinig verrassend, aan de zijde van zijn patiënt. Ik voegde me bij hen.

Herr Wentzler zat met zijn dunne benen over de rand van zijn hangmat, druk in gesprek met Klaus, die in indiaanse stijl zat neergehurkt. Hij draaide zich naar me om. 'Erich, onze vriend hier is een bijzonder man. Stel je voor, een vermaard hoogleraar in de antropologie, die het comfort van zijn ambt verruilt voor een leven als indiaan onder de indianen. Afgesloten van de beschaving en al haar voorzieningen. Zonder kleren of wat dan ook. Zelfs geen aantekenboek!' Hij keek weer naar Herr Wentzler. 'Is dat laatste geen beletsel voor uw onderzoek? Hoe legt u in vredesnaam uw bevindingen vast?'

'Ik ben gezegend met een onfeilbaar geheugen,' zei Herr Wentzler glunderend. 'Alles wat ik de voorbije elf jaar heb meegemaakt bevindt zich hier.' Hij tikte met zijn benige wijsvinger op de zijkant van zijn hoofd. 'Opgeslagen tot in de kleinste details. Als ik weer thuis achter mijn schrijfmachine zit, zal ik me alles met volstrekte klaarheid voor de geest kunnen halen. Er zal niets verloren gaan, dat verzeker ik u.'

'Elf jaar?' zei ik.

'Ik heb de droge seizoenen bijgehouden door telkens een kerf in een boomstam te maken,' legde hij uit. 'Ik kwam hier in '35, dus moet het nu '46 zijn. Klopt, nietwaar?'

'Klopt inderdaad,' zei Klaus. 'En u heeft in al die tijd geen enkel contact met de buitenwereld gehad?'

'Geen enkele vorm van contact, geheel volgens plan. Ik wilde volledig opgaan in de Jajomicultuur, en dan zijn uitstapjes naar de beschaving uit den boze, naar mijn mening. Elke indruk van buiten Jajomiland, zoals ik het maar noem, zou mijn blik hebben vertroebeld. Als modern antropoloog moet men bereid zijn tot grote persoonlijke offers. Men zal al het vertrouwde opzij moeten zetten om één te kunnen worden met het voorwerp van de studie. Om de indianen te leren kennen, zal men als indiaan moeten leven. Niet dat deze opvatting door al mijn collega's wordt gedeeld, hoor. Voor mijn vertrek noemden sommigen me zelfs een fanaticus. Een verwerpelijke aantijging, maar ik kon me er niet druk om maken. Typisch de mening van kamergeleerden die voor hun kennis zijn aangewezen op boeken van échte wetenschappers.'

'Dus u heeft geen idee van wat zich thuis heeft afgespeeld, of elders in de wereld?'

'In het geheel niet. Hoezo, heb ik iets gemist volgens u?'

Ik begon te lachen, maar Klaus maande me met zijn blik tot stilte en zei: 'Eerlijk gezegd wel, Herr Wentzler.'

'Ach, noem mij maar Gerhard. Dit is geen omgeving voor plichtplegingen, dunkt me. Maar vertel eens, van welke ontwikkelingen dien ik op de hoogte te zijn?'

Klaus stak van wal en vertelde hem alles over de oorlog. Hoe de joden er met hulp van de communisten mee waren begonnen, en hoe de Führer zijn best had gedaan om Europa voor eens en altijd van het joodse kwaad te verlossen, en hoe hij daarin gedwarsboomd was door de Amerikanen. 'Als Japan zijn strijd tot Azië had beperkt en zich niet aan Pearl Harbor had gewaagd, zouden de Amerikanen van beide fronten zijn weggebleven. Dan waren ze nooit de Chinezen enerzijds en de joden anderzijds te hulp gekomen en zou het plan van de Führer zijn geslaagd. Dat het gefnuikt werd, was dus eigenlijk de schuld van de Japanners. Daarom deed het mij persoonlijk wel goed toen ze voor hun dwaasheid werden afgestraft met die twee atoombommen. Dat kwam ze wel toe, vond ik.'

'Atoombommen?'

'Mijn beste Wentzler... Gerhard, de wereld is in jouw afwezigheid op zijn kop gezet. Niets is meer zoals het was, geloof me. Er zijn miljoenen doden gevallen, Duitsland zelf is platgebombardeerd en ook de Führer liet het leven. Het vaderland wordt nu bezet door Amerikaanse cowboys en Russische boeren, die elkaar het liefst naar de strot zouden vliegen. Jij verliet een Duitsland waar een glorieuze toekomst wenkte, maar die hoop is nu vervlogen.'

'Is Hitler dood?'

'Hij heeft tot het bittere einde standgehouden. En wie weet, als hij zijn kracht had behouden, niet slechts zijn fysieke kracht maar het vuur van zijn overtuiging, dan hadden we alsnog kunnen zegevieren. Dan hadden we een nieuwe wereldorde kunnen vestigen.'

Herr Wentzler liet zijn blik wegdwalen, met een peinzende rimpel in zijn voorhoofd, en toen hij Klaus weer aankeek, vroeg hij: 'Herr Brandt... of Klaus, als je me toestaat, hoe is het met mijn prachtige geboortestad Dresden? Ik mag toch hopen dat Dresden ongeschonden is gebleven.'

'Helaas, ik moet je melden dat Dresden volledig is verwoest, zonder aanwijsbare reden. Heel de stad ligt erbij alsof er een stoomwals over huisjes van peperkoek is gereden.'

'Nee! Wat een schok is dit...'

'Terwijl jij deze primitieve mensen bestudeerde, werd de beschaving zelve te gronde gericht. De mensheid zal minstens een eeuw nodig hebben om van het laatste decennium te herstellen, waarde vriend.'

Herr Wentzler kreeg een vreemde blik in zijn ogen. 'Dresden...' stamelde hij, 'daar had ik terug willen keren om mijn boek te schrijven.'

Het bleef stil en ik keek over mijn schouder naar moeder. Zeppi stond bij haar hangmat en porde haar in de zij om haar wakker te krijgen. Hij was nooit op zijn gemak als hij haar niet om zich heen had. Hij zou altijd wel een moederskindje blijven, zelfs als volwassene. Ik was blij dat ik anders was dan hij, niet zo afhankelijk van één enkele persoon. Ik wilde zelfs niet afhankelijk zijn van Klaus, hoezeer ik hem ook bewonderde. En dat zou hij ook niet willen. Ik had het gevoel dat hij juist op zoek was naar een gelijke, een vriend die meer was dan een vriend, met wie hij meer kon bespreken dan met zijn vrouw. En die vriend moest ik voor hem zijn, dat werd me duidelijk terwijl ik Zeppi onze slapende moeder zag lastigvallen.

Klaus sprak ondertussen verder. 'Ons probleem, en dan heb ik het over mijn gezin en mij, is dat we zo snel mogelijk terug willen keren naar de beschaafde wereld. Jij zult ongetwijfeld hier willen blijven om je studie voort te zetten, maar je zult begrijpen dat wij naar een leven met warm water en elektriciteit terugverlangen. Is er een kans dat een van je vrienden ons per kano naar de Orinoco kan brengen, of naar de dichtstbijzijnde handelspost?'

'Dat betwijfel ik,' zei Herr Wentzler. 'Ze wagen zich liever niet te ver van huis. Ze zijn er rotsvast van overtuigd dat ze in het paradijs wonen en dat verre reizen slechts onheil kunnen brengen. Ze verplaatsen hun sjabono weliswaar om de paar jaar, maar nooit meer dan een kilometer of tien, en alleen als hun dwergbananentuin is uitgeput, of als de stam zo groot is geworden dat het praktischer is om als twee afzonderlijke groepen verder te gaan. Honderd mensen is zo'n beetje het maximum voor een sjabono. Deze groep heeft zich zes jaar geleden losgemaakt. Ik vergezelde ze om de effecten van zo'n afsplitsing te bestuderen, en ik moet zeggen dat alles wonderwel is verlopen.'

'Wat is een sjabono?'

'Neem me niet kwalijk, ik vergat even dat je hier vreemd bent. Sjabono is de naam voor nederzettingen als deze.'

Hij ging verder met een beschrijving van het leven in de koepel, en hoe hij alles wilde uitwerken in zijn boek over de Jajomi. Het begon me al snel te vervelen, dus slenterde ik weg. Er liepen wat kinderen met me mee, die zwembewegingen maakten met hun armen – een verwijzing, nam ik aan, naar mijn ware natuur als dolfijn. Toen ik zelf ook deed alsof ik zwom, lachten ze om het hardst. Een van hen had een lichtgroene papegaai op zijn hoofd. Ik knikte er bewonderend naar en maakte een aaiend gebaar, waarop hij hem van zijn hoofd plukte en aanreikte. Hij hield de vogel omgekeerd in zijn handen, maar die onderging dat gelaten. Toen ik hem overnam, werkte hij zich overeind, keek nieuwsgierig naar me op en bracht tot vermaak van de kinderen een paar luide krijsen voort, alsof hij zeggen wilde: 'Kijk nou eens, een dolfijn op het droge!'

Ik droeg de papegaai op mijn hand met me mee, en zag nu pas dat er overal huisdieren rondscharrelden, in alle kleuren en maten. Een paar aapjes met een wit gezichtje sprongen gillend in het rond en probeerden voedsel te pikken van de vrouwen die het klaar stonden te maken. Een andere vrouw gaf zelfs een babyaapje de borst, terwijl ze met de andere haar kind zoogde. Ik sloeg het gefascineerd gade, maar dat maakte haar totaal niet verlegen. Ze kon zich die verbazing waarschijnlijk wel voorstellen van een witte dolfijn, en keek onbekommerd naar me terug.

Er liepen ook een paar magere honden rond, die zich niet lieten aanhalen en zelfs naar me grauwden. Waarschijnlijk omdat ze mijn geur niet kenden. Al met al was het bedrijvigheid troef in de sjabono, een bonte mengeling van kleuren, geuren en geluiden.

Een tijdje later werden moeder, Zeppi en ik door Klaus en Herr Wentzler opgehaald. We verlieten de sjabono door hetzelfde gat waardoor we binnen waren gekomen en liepen een pad af naar de rivier, terwijl Herr Wentzler vertelde hoe de Jajomi hun nederzetting bouwden en tuinen aanlegden. Op hoog terrein, om gespaard te blijven voor overstromingen in de regentijd. Bij de rivier aangekomen zag ik een stuk of acht kano's op de oever liggen, gemaakt van uitgeholde boomstammen, en ik vroeg Herr Wentzler: 'Als ze vier dolfijnen op de oever in de bocht verderop verwachtten, waarom zijn ze daar dan niet naartoe gepeddeld in plaats van helemaal door de jungle te komen?'

'Omdat ze eindeloos hadden moeten peddelen om bij die bocht te komen,' zei hij. 'Van hieraf loopt de rivier naar het noorden, maakt een kilometerslange lus en keert weer helemaal terug. Over land is de afstand tussen de sjabono en de bocht waar Noroni van droomde veel korter.'

'Hoe ver is het peddelen naar de Orinoco?' vroeg Klaus.

'Voor zover ik weet is er geen directe verbinding tussen deze rivier en de Orinoco. Om daarin uit te komen zou je door het rivierenstelsel moeten navigeren en je kano meermaals over land naar de volgende stroom moeten dragen. Ik denk niet dat er indianen zijn die dat ooit doen, want dan moeten ze het grondgebied van andere stammen doorkruisen en dat geldt als een ernstige schending. Wie bloedvergieten wil voorkomen, moet op zijn minst een overdaad aan geschenken aanbieden, maar zelfs dat volstaat vaak niet. De eerstvolgende stam in de richting van de Orinoco zijn de Iriri, en die zijn bepaald onvriendelijk tegen indringers, zelfs als die gulle gaven komen brengen. De Jajomi hebben dus niet de minste neiging om buiten het eigen territorium te komen. En waarom zouden ze ook? Ze hebben hier alles wat ze nodig hebben.'

'Maar Herr Wentzler,' zei moeder, 'wij willen hier koste wat het kost weg.'

'Heeft u bezittingen waarmee u de Jajomi zou kunnen paaien? Dan krijgt u ze misschien zover. Maar vervolgens moet u dus ook de Iriri zien te vermurwen, en als gezegd, dat zou wel heel bijzondere geschenken vergen.'

'We hebben niets,' zei moeder met een zucht. En nu zag ik iets wat me verbijsterde: Herr Wentzler schokschouderde. Het kon hem niets schelen! Ik twijfelde meteen weer aan zijn geestelijke vermogens. Of misschien was er iets ergers gaande – misschien wílde hij niet dat we gingen. Misschien wilde hij dat we hem gezelschap bleven houden. Of anders wilde hij voor de Jajomi dat we bleven. Hij zou zich vast wel met hen verbonden voelen na al die jaren, en zij zouden hun dolfijnen vast nog niet kwijt willen.

Klaus had het een bof genoemd dat Wentzler als tolk kon optreden, maar hoe konden we weten wat hij de Jajomi namens ons vertelde? Misschien zei hij wel dat we het hier heerlijk vonden en nooit meer weg wilden. We hadden geen enkele reden om hem te vertrouwen.

Ik keek naar Klaus, de enige wiens mening voor me telde, maar het gesprek leek aan hem voorbij te gaan. Hij stond naar een groepje indianen te kijken, kinderen en volwassenen, die samen in het water speelden. Ik begreep meteen wat hem boeide. Het was vreemd om kinderen zo met grote mensen te zien spelen. Bij ons gebeurde dat alleen als vaders hun kind iets wilden leren, een bal trappen of zo. Maar dit was anders. Ze speelden alsof er totaal geen verschil tussen hen was, als gelijken. Ik realiseerde me dat de Jajomi heel anders waren dan wij. En misschien wel beter, als de volwassenen zo onbevangen met de kinderen konden spelen, lachen en spetteren.

Klaus zag me kijken en wist meteen wat ik dacht. Hij zei: 'Zoiets zie je nooit in een Duits zwembad, hè?' Zo hecht waren we intussen. We voelden elkaar feilloos aan.

'Als de indianen ons niet willen wegbrengen, Klaus,' zei moeder, 'wat moeten we dan?'

'Dan zullen we een kano moeten lenen en zelf op weg gaan,' zei hij op een toon alsof het niets om het lijf had.

'Maar dat zou toch diefstal zijn?'

'En als zíj ons niet op weg hielpen, zou dat neerkomen op vrijheidsberoving. Welke misdaad telt zwaarder? Zij kunnen altijd een nieuwe kano bouwen, maar wij kunnen hier niet altijd blijven.'

Moeder keek vragend naar Wentzler, maar die deed alsof hij niets had gehoord, hoewel hij vlak naast Klaus stond. Hij hield zijn gezicht zo nadrukkelijk in de plooi dat ik me afvroeg of hij zich schaamde voor de Jajomi, omdat die niet wilden doen wat goed was. Of misschien schaamde hij zich voor ons, zijn landgenoten, die iets overwogen te doen wat slecht was. Misschien vond hij het allebei schandelijk en deed hij daarom alsof het hem ontging.

Ik verlegde mijn aandacht weer naar de baders. Het was nog altijd heet en mijn kleren plakten aan mijn lichaam. Ik wilde niets liever dan me uitkleden en zelf ook een duik nemen, maar dan zag iedereen dat ik het IJzeren Kruis droeg, en dat wilde ik voorlopig nog geheimhouden. Het water was bruin en troebel, maar o zo verlokkelijk. Als moeder er niet bij was geweest, zou ik voor de verleiding zijn bezweken.

Het leek onzinnig om mijn kleren aan te houden en op de kant te blijven. De indianen waren poedelnaakt en ze zouden het doodnormaal vinden als ik me uitkleedde en een duik nam. Ik was een dolfijn, immers. Maar ik kón het gewoon niet met moeder erbij. Van Klaus en Zeppi hoefde ik me niets aan te trekken. Ik had Zeppi in geen jaren meer naakt gezien, maar ik wist zeker dat hij mijn voorbeeld meteen zou volgen en ook het water in zou gaan. Zijn gezicht glom van het zweet en hij bekeek de Jajomi met afgunst.

'Waarom neem je niet ook een duik?' zei Klaus, opnieuw mijn gedachten radend.

Ik schudde mijn hoofd en hij zweeg. Hij begreep het. Klaus begreep alles.

Er gebeurde die middag niets opmerkelijks meer. Zeppi was voldoende op zijn gemak om met de kinderen op te trekken, met hun aapjes en papegaaien te spelen en volop van alle aandacht te genieten. Klaus en Herr Wentzler zaten honderduit over allerlei academische onderwerpen te praten, en ik bleef binnen gehoorsafstand om maar zo veel mogelijk op te vangen. Moeder hield een oogje op Zeppi. Het was voor ons allen een bizarre dag geweest, maar toen de avond viel en we weer rond het vuur gingen zitten om met de indianen mee te eten, was het alsof we niet anders gewend waren.

De indianen sloegen ons nauwlettend gade, waarschijnlijk om te zien of we iets dolfijnachtigs deden. Het leek me sneu om ze teleur te stellen en ik pijnigde mijn hersens om me wetenswaardigheden over dolfijnen te herinneren. Veel kwam er niet boven, behalve dat het geen vissen waren maar zoogdieren die lucht ademden, en dat ze communiceerden met piepende en klikkende geluidjes. Dat laatste deed me terugdenken aan een filmpje dat ik ooit in het bioscoopjournaal had gezien, over afgerichte dolfijnen die op afroep naar de kant kwamen en op hun staart dansten om visjes te verdienen.

Ik herinnerde me de geluidjes die ze daarbij hadden gemaakt, en vroeg me af of zoetwaterdolfijnen dezelfde klank voortbrachten. Destijds had ik moeder dagenlang tot wanhoop gedreven door die geluidjes onophoudelijk na te doen, en ik besloot te proberen of ik het nog kon, als beloning voor de gastvrijheid van de Jajomi.

Ik opende mijn mond, kneep mijn keel samen en wist met veel moeite een benauwd piepje voort te brengen. Het tweede lukte al beter, en toen had ik de slag weer te pakken. Ik piepte en klikte er zo ingespannen op los, dat ik het effect pas merkte toen ik buiten adem raakte en moest ophouden.

Ze zaten me allemaal aan te gapen, elke Jajomi, jong en oud, met ogen die groot waren van verbazing. Of misschien was het angst, dat viel niet uit te maken.

'Erich toch!' zei moeder. 'Zoiets verwacht ik van Zeppi, maar niet van jou.'

Zeppi vatte dit op als een uitdaging en begon me onmiddellijk na te doen, al wist hij waarschijnlijk niet eens dat het dolfijnentaal moest voorstellen. De Jajomi verroerden geen vin, staarden ons alleen maar ademloos aan. Zeppi vond het prachtig, die aandachttrekker, en wist van geen ophouden. Eerlijk gezegd deed hij het ook beter dan ik, met dat hoge stemmetje van hem. Hij liep rood aan en ging door tot hij zowat stikte.

'Heel goed hoor, jongens,' zei Wentzler. 'Bijzonder knap. Jullie willen hen sterken in hun bijgeloof, nietwaar? Nu moeten ze helemáál denken dat jullie dolfijnen zijn. Nou, zelf heb ik nog nooit een dolfijn gehoord, maar aan hun gezichten te zien was jullie imitatie heel treffend. Dat was toch de bedoeling, hè?'

'Natuurlijk,' zei ik.

'En wat wil je ermee bereiken, als ik vragen mag?'

Ik haalde mijn schouders op. 'Niets bijzonders. Ik wilde gewoon wat vermaak bieden.'

Hij schudde zijn hoofd alsof ik een fout antwoord op een strikvraag had gegeven. 'Als ik je raden mag, Erich, bevestig nóóit iemands bijgeloof als je daar geen dringende reden toe hebt. Als je hen nu ooit nog wilt laten inzien dat jullie maar gewone mensen zijn, dan zal dat zo goed als onmogelijk blijken. Je hebt zojuist hun laatste twijfels weggenomen, mochten ze die al hebben gehad. Van nu af aan zijn jullie écht witte dolfijnen voor ze.'

'Is dat zo erg?' vroeg Klaus.

'Dat weet je maar nooit. De Jajomi zijn ernstige, van ironie gespeende mensen die hun mythologie zonder het minste korreltje zout nemen. Ze weten nu zeker dat er vier witte dolfijnen bij hun kampvuur zitten, die hun voedsel delen, en hun sjabono. En ze zullen zich meer dan ooit afvragen met welk doel jullie hier zijn, waarom jullie Noroni's droom zijn binnengegaan om jullie komst aan te kondigen. Geloof me, op dit eigenste moment zitten ze zich af te vragen wat jullie van hen willen. Het zal niet lang meer duren of ze vragen mij ernaar, en dan zal ik een antwoord klaar moeten hebben. Als ik zeg dat jullie gewoon maar mensen zijn, zoals ik, dan zouden ze wel eens erg boos kunnen worden. En erg agressief. Ik zeg dat niet met zekerheid, maar uitsluiten kan ik het ook niet. Dus alsjeblieft, als jullie nog eens een grapje willen uithalen, leg het dan eerst aan mij voor. Speelsheid en onwetendheid, dat kan een kwalijke of zelfs rampzalige combinatie zijn. Bedenk: dit is niet jullie wereld, dus het is zaak om je er behoedzaam in te gedragen.'

'Ze zijn gewoon stom,' zei Zeppi. En Wentzler keek hem woedend aan.

'Niets is stommer dan wat jij daar zegt. Je hebt geen idee met wat voor mensen je te maken hebt. Zij geloven in heel andere dingen dan jij. Als ik hun vertelde dat de god der blanken ooit zijn zoon naar de aarde zond en niemand strafte toen hij werd vermoord, dan zouden ze hem een verachtelijke god vinden. De Jajomi geloven in wraak, niet in vergeving. Het zijn krijgers van de eerste orde. Wie hun belangen schaadt, hun gebied betreedt of tegen hun taboes in gaat, hoeft niet op genade te rekenen.'

'Maar Herr Wentzler,' zei moeder, 'wat doet het ertoe wat deze mensen geloven?'

'Neem van mij aan, lieve mevrouw, dat hun wereldbeeld nu van groot belang is voor u. De christelijke wereld zou in hun ogen de omgekeerde wereld zijn, waar zwakkelingen en lafaards het voor het zeggen hebben. Een visie die hen met woede zou vervullen. Wee de missionaris die dwaas genoeg is om zich hier te wagen. Die wordt prompt afgeslacht. De Jajomi houden er weliswaar geen persoonlijke god op na, tot wie ze gebeden zouden kunnen richten, maar hun wereld staat wel degelijk in het teken van een spiritueel principe, een geest die alles stuurt en bepaalt. En de kleur van die geest is bloedrood. Ze zien het leven als een eindeloze cyclus van misdaad en vergelding, van wraak en weerwraak. Heel hun bestaan draait om het doden van hun vijanden, om het voortzetten van hun vetes met andere stammen. Dat is wat ze doen en wie ze zijn. Vrouwen baren kinderen opdat de jongens zullen opgroeien tot krijgers, en de meisjes tot vrouwen die nieuwe generaties krijgers voortbrengen, enzovoort, tot in de eeuwigheid.'

Hij zweeg. Zijn gezicht was rood aangelopen.

'Wat barbaars,' zei moeder.

'Hoezo barbaars?' snauwde de professor. 'Heb ik vandaag niet van uw man gehoord dat de beschaafde wereld zich bijna dood heeft gevochten? Miljoenen slachtoffers. En stond dat alles niet in het teken van Hitlers ideaal, een wereld zonder joden?'

Ik mengde me in het gesprek. 'Dat betekent dat de Jajomi het met de Führer eens zouden zijn, nietwaar? Hij trok ten strijde tegen de vijanden van zijn volk, en dat is precies wat zij ook doen.'

Wentzler liet dit even bezinken en zei: 'Ja, je hebt gelijk. De omvang van de slachting zou hun verstand te boven gaan, maar ze zouden het in wezen met hem eens zijn.'

Zeppi, die dit alles teweeg had gebracht, zat allang niet meer op te letten, en moeder was het zichtbaar oneens met de vergelijking tussen de dappere stormtroepers van het Vaderland en deze primitieve wilden. Maar Klaus en ik begrepen het. Ik stelde me God voor, de katholieke Almachtige van moeder, die naakt en ontzagwekkend uit de hemel neerdaalde, besmeerd met rode en zwarte oorlogsverf en dorstend naar het bloed van hen die zijn zoon aan het kruis hadden genageld. Met een machtige hand verpletterde Hij ze als mieren, die moordenaars, als straf voor wat ze zijn vlees en bloed hadden aangedaan. Maar goed, zo was het dus niet gegaan, hè? En dat was precies de reden waarom ik nooit in God had kunnen geloven, zelfs niet op moeders halfslachtige manier. De Jajomi hadden groot gelijk – zo'n god stelde niks voor. Dan was het beter om in het doden van je vijanden te geloven, om dát als god te zien. Maar aan de andere kant, als dood en vernietiging het hoogste was, wat had alles wat leefde dan voor waarde?

De Jajomi zaten ononderbroken naar ons te staren, wachtend tot Zeppi en ik weer verdergingen met onze dolfijnengeluiden.

'Ik zeg het met tegenzin,' zei Wentzler, 'maar volgens mij lopen jullie grote risico's.'

'Leg eens uit,' zei Klaus.

'Zie je mijn huid, hoe donker die is? Dat komt niet alleen maar door de zon. Ik heb van nature een donkere teint. En mijn haar mag sinds kort grijze vleugen hebben, toen ik hier kwam was het gitzwart. Voor de Jajomi zijn dat redenen te over om mij niet met jullie gelijk te stellen. Jullie zijn dolfijnen in mensengedaante, ik ben alleen maar een mens. En dan nog een inferieur mens. Ik ben slechts een buitenstaander die ze een plekje in hun sjabono gunnen omdat ik me o zo nederig heb aangediend en nooit iets aanstootgevends heb gedaan. Ik word geduld, meer niet. Op een vrouw maak ik geen kans, want daar ben ik veel te minderwaardig voor. Ik kan immers niet jagen, omdat ik slechte ogen heb en kort na mijn komst mijn enige bril verloor, en bovendien neem ik geen deel aan hun krijgscultuur. Dus ben ik evenveel waard als de aapjes die hier rondscharrelen. Ze bezien me met vertedering, maar niet met respect.'

Hij keek ons met enige gêne aan, maar sprak verder. 'Dit is draaglijk voor me, omdat ik hier niet ben gekomen om een van hen te worden. Ik wil hen slechts bestuderen, en dat zal de Jajomi op hun beurt een zorg zijn. Ze kunnen zich er niet eens iets bij voorstellen, want voor hen bestaat alleen het leven hier in dit oerwoud. Dus zo kunnen alle partijen zich in de situatie vinden, omdat ik nauwelijks iets voor hen voorstel. Maar hoe anders is het met jullie gesteld! Die bleke huid, dat blonde haar, het is allemaal ongekend voor hen. Ze zijn ervan overtuigd dat jullie werkelijk witte dolfijnen zijn, en nu is het dus de vraag wat ze met jullie voorhebben. Ik heb eerlijk gezegd geen flauw idee. Noroni's droom heeft jullie het aanzien gegeven van afgezanten van gene zijde, en dat lijkt me een voordeel. Maar als jullie dat beeld verstoren, als jullie iets doen waaruit blijkt dat je toch alleen maar mensen bent, dan zal dat een enorme teleurstelling zijn en worden ze misschien wel heel vijandig. Neem die waarschuwing ter harte, alsjeblieft, en gedraag je zoals het hoort.'

'Maar dat is nu juist het punt,' zei Klaus. 'Hoe moeten we ons gedragen als zij ons voor dolfijnen met armen en benen aanzien? Wat verwachten ze in vredesnaam van ons?'

Wentzler haalde zijn schouders op.

Moeder keek ontredderd. 'Dit is uitzichtloos,' zei ze met bevende stem. 'Eerst zegt u dat ze hun territorium niet willen verlaten om ons terug te brengen naar de bewoonde wereld. En nu hoor ik dat we aan een krankzinnig bijgeloof moeten beantwoorden. Hoe kunnen we daar ooit in slagen?'

'Lieve mevrouw, ik ben hier ook slechts te gast. Ik heb geen toverstokje waarmee ik u daarheen kan zenden waar u wilt zijn. Ik kan u slechts aanraden de feiten onder ogen te zien.'

Moeder keek hem vuil aan. Volgens mij verfoeide ze hem omdat hij het níét erg vond om hier te zijn, en ook omdat hij nog steeds geen moeite deed om zijn naaktheid voor haar te verhullen. Dat laatste vond ze vast nog erger.

Klaus zei: 'Maar hoe zit het met jou, Gerhard? Er zal een moment komen waarop je vindt dat je hier genoeg hebt gezien, en dan zul je naar huis willen om je boek te schrijven, waar ik overigens een gesigneerd exemplaar van verwacht, maar dit terzijde.'

Wentzler lachte. 'Als die tijd komt, waarde vriend, kan ik slechts hopen op hulp van boven. Mijn situatie is niet minder precair dan die van jullie, en de afloop is net zo onzeker.'

Klaus leunde naar voren. Een aantal Jajomi volgde zijn voorbeeld. Ze luisterden aandachtig, al konden ze er geen woord van begrijpen. 'Ik heb een voorstel,' zei hij, 'en wel het volgende. Je vertoeft nu elf jaar onder deze mensen, en dat lijkt me lang genoeg om alles te hebben vastgesteld wat je aan de weet wilde komen. Laten we wel zijn, Gerhard, het is een indianenstam die je bestudeert, niet de Italiaanse renaissance. Volgens mij vind je het allang tijd om te vertrekken en thuis met schrijven te beginnen. Dus stel ik voor dat wij dolfijnen je hier weg helpen komen.'

'Je conclusies zijn wel voorbarig,' zei Wentzler met een glimlach. 'Wat maakt je er zo zeker van dat ik mijn studies heb afgerond?'

'Omdat ik me het tegendeel onmogelijk kan voorstellen,' zei Klaus, ook glimlachend. 'Bovendien wijs ik je op de koorts waar ik je een pil voor heb gegeven. Als je mijn medische hulp op prijs stelt, lijkt dat me een goede reden om welwillend tegenover mijn plan te staan.'

'En wat is dat voor plan, als ik vragen mag?'

'Het plan dat jij en ik samen zullen smeden, waarde vriend.'

Wentzlers glimlach verdween. 'Mijn beste Klaus, ik ben je zeker dankbaar voor dat pilletje, waar ik inderdaad door ben opgeknapt. Wat was het, kinine? Ik schrijf mijn periodieke koortsaanvallen zelf toe aan een malaria-infectie die ik ooit eerder heb opgelopen. De geneeskrachtige kruiden van de Jajomi hebben me nooit mogen baten, dus het moet om een ziektekiem gaan van buiten hun leefgebied. En ik heb gelukkig nooit iemand aangestoken, wat ook op malaria wijst, want dat is niet besmettelijk. Maar goed, als ik me weer zwak en rillerig ga voelen, hoef ik alleen maar naar je fraaie dokterstas te lopen en zo'n pil te pakken. Daarvan zul je me niet weerhouden, want als arts ben je verplicht me bij te staan. Daartoe heb je immers je hippocratische eed afgelegd. Zo is het toch, dokter?'

'Misschien, maar misschien ook niet. Ik ben in ieder geval wel de enige die over het gebruik van mijn medicijnenvoorraad beslist. Daarover geen misverstand, Gerhard. Maar vertel eens, spreek jij Portugees?'

'Nee.' Hij keek Klaus verbaasd aan.

'Want mijn medicijnen komen uit Brazilië en hebben dus etiketten in het Portugees. Ik heb vele pillen in die tas, en ze zien er allemaal eender uit. Zonder mijn hulp weet je niet welk middel heilzaam voor je is en welk je fataal zou worden.'

Wentzler schoot weer in de lach, heel even maar, en leek vervolgens een beetje in te zakken, alsof zijn lichaam ineenkromp binnen zijn vel. Zelfs zijn penis leek opeens kleiner.

'De Jajomi denken dat hij leeft,' zei hij met een knikje naar de dokterstas die naast Klaus op de grond stond, als een waakzame zwarte hond.

'Mijn tas? Hoe komen ze op dat idee?'

'Ze vertelden me dat Waneri, de man links van je, met die argwanende blik in zijn ogen, er een greep in deed en toen gebeten werd. Hij gelooft heilig dat het een beest is met vlijmscherpe tanden.'

'Hij zal zich verwond hebben aan een losliggende scalpel.'

'Ongetwijfeld, maar dat is niet wat hij en de anderen geloven. Voor de Jajomi is het een boosaardig wezen dat alleen jou gehoorzaamt. En je hebt er een magische controle over, want je hoefde niets te zeggen om het naar Waneri te laten bijten. Je keek er niet eens naar. Dus da's geen geringe toverkracht die men je toedicht, mijn beste dokter Brandt. Doe er je voordeel mee, maar vergeet niet dat ik het je niet had hoeven vertellen. Ik had deze nuttige informatie kunnen achterhouden, dus gelieve mijn openhartigheid op waarde te schatten. Hoe je ook over me denken mag, ik heb je op de hoogte gesteld omdat ik ook een blanke ben, en een Duitser bovendien. Ik stoor me dan ook aan de suggestie van jou en je vrouw, dat ik onder één hoedje zou spelen met de Jajomi.'

'Dat heeft toch niemand gezegd?'

'Nee, maar het is wel gesuggereerd,' zei Wentzler afgemeten.

'Ik probeer je er alleen maar van te doordringen,' zei Klaus, 'dat we een gemeenschappelijk belang hebben. We willen hier allemaal weg, en dat zou een reden voor eendracht moeten zijn. Mijn gezin en ik kunnen jouw expertise goed gebruiken, en jij zou geholpen zijn met de steun van vier dolfijnmensen voor wie deze indianen behoorlijk wat ontzag en misschien zelfs enige angst voelen. Ik zou menen dat er sprake is van wederzijds voordeel, vind jij ook niet?'

'Misschien.' Wentzler was nog steeds bozig.

Het begon donker te worden in de sjabono. De kookvuurtjes brandden als gele bloemen in het schemerduister. Het ene moment viel er nog wat daglicht door het gat in het dak, dat uitzicht bood op een paar wolken waarvan de westelijke rand een gouden bies had, maar de avond viel snel en het gat veranderde in een schijf van zwart fluweel waarin de sterren flonkerden als diamanten. De aanblik gaf me rillingen.

Toen het eten op was, verliet de ene Jajomi na de andere het kampvuur. Ze dwaalden zachtjes pratend weg, zochten hun hangmatten op en leken eindelijk hun interesse voor ons te verliezen. Er daalde een diepe rust neer over de sjabono. Al wat ik zag waren menselijke gestalten die roerloos in een hangmat lagen of hooguit nog wat schommelden. Klaus en moeder klommen ook weer in hun hangmat, en Zeppi en ik vonden de onze. Ik liet hem ditmaal voorgaan en ging toen voorzichtig naast hem liggen.

Vlak bij ons lag Noroni met zijn zoon en dochter op de grond. Ik voelde me wel een beetje opgelaten omdat ik hun slaapplaats in beslag nam, maar ze leken niet ongemakkelijk te liggen. Noroni snurkte zachtjes. Hij scheen geen vrouw te hebben, alleen die twee kinderen. De jongen sliep al, maar het meisje was nog wakker. In het donker was het moeilijk te zeggen hoe oud ze was, en overdag had ik haar weinig aandacht geschonken en alleen, zoals bij iedere vrouw, naar haar tietjes gekeken. Ik kon me niet herinneren of die van haar lekker waren geweest, daarvoor had ik er te veel gezien, en het was nu te donker voor een nieuwe beoordeling. Ze lag met haar gezicht naar me toe en ik wist haast wel zeker dat ze me lag te bekijken. Ik hield me zo roerloos mogelijk, want Zeppi lag te woelen en ik wilde de mat niet nog meer laten schommelen. Ze lag nog steeds naar me te kijken toen ik mijn oogleden zwaar voelde worden. Ergens verderop huilde een baby, en viel stil. Waarschijnlijk omdat hij zo'n lekkere sappige tiet in zijn mond kreeg gedrukt.

Ik deed mijn ogen dicht en probeerde alles buiten te sluiten. Ik kon muggen horen zoemen, maar leek er geen last van te hebben, en ik begreep nu waarom de Jajomi hun vuurtjes zo dicht bij hun hangmatten stookten. De rook voelde als strelende vingertjes die over mijn gezicht gleden en steels mijn neusgaten binnendrongen, op zoek naar een doorgang naar mijn hersens. Daar zouden ze heimelijk mijn gedachten aftasten om uit te vinden wat er in me omging, of misschien probeerden ze mijn geest wel te beïnvloeden door zachtjes mijn grijze massa te kneden, tot ik niet meer wist of mijn gedachten aan mijn normale bewustzijn ontsproten of aan een dieper, lichtloos gedeelte van mijn geest. Zou dat kunnen? Zouden er in het centrum van mijn hersenen duistere gedachten op ontdekking liggen te wachten?

Ik prentte mezelf in dat ik me aanstelde. Dat de rook me op zulke rare ideeën bracht. Ik bewoog me even en voelde het IJzeren Kruis langs mijn ribben glijden en weer tot rust komen, hard en scherp aan de randen, maar ook warm en koesterend. En toen zakte ik eindelijk weg.

VIJF

Ik had het gevoel dat professor Wentzler jaloers op ons was, omdat de Jajomi meer belangstelling voor ons hadden dan voor hem, maar Klaus had een andere verklaring voor zijn afstandelijke houding.

'Die man bestudeert ons,' zei hij. 'Hij slaat ons gade om te zien wat er tussen ons en de indianen gebeurt. Hij wil weten of deze ontmoeting van beschaafde en primitieve mensen tot aanbidding leidt, tot bloedvergieten of beide.'

'Ze zullen ons nooit kwaad doen. Ze denken dat we dolfijnen zijn.'

'Wat zou dat, Erich? Wie weet, misschien zijn dolfijnen wel hun lievelingskostje.'

We verbleven nu vier dagen in de sjabono en ik droeg alleen nog mijn sandalen en mijn korte broek, net als Klaus, die net zo begon te bruinen als ik. Op een gegeven moment ontdekte ik een kleine ss-tatoeage met zijn bloedgroep, aan de binnenkant van zijn bovenarm. Hij zag me kijken en zei: 'Dat is een aandenken dat me behoorlijk in de problemen zou brengen als de joden het ontdekten.'

'Hoezo?'

'Het bewijst dat ik lid was van de Waffen-ss, en niemand sprong ruwer met de joden om dan wij. Wij hadden de taak om ze bijeen te drijven en op te pakken voor hun transport. Die gedwongen verhuizingen zullen ze ons nooit vergeven. Zo haatdragend zijn ze wel.'

We zaten in de ochtendzon op de rivieroever en keken naar het troebele water dat traag voorbijstroomde. Soms dacht ik een kaaiman te zien, maar het bleek telkens een drijvende boomstam. Wentzler had ons verteld dat er hier geen kaaimannen voorkwamen, en dat dat een van de redenen was waarom de Jajomi dit als hun leefgebied hadden uitgekozen.

'Waarom wilden de joden niet verhuizen?'

'Omdat wij ze naar plaatsen brachten waar ze niet wilden wonen. Ze wilden alleen maar terug naar Palestina om daar weer bij elkaar te kruipen zoals in het Oude Testament. Een hersenschim, natuurlijk. Geen greintje realiteitszin, die lui. Dus we moesten ze wel dwingen, en dat beviel ze allerminst. God, wat mis ik mijn sigaretten.'

'En je pijpje.'

'Dat mag Herr Manokwo houden, hoor. Wat heb ik aan dat pijpje zonder sigaretten? Heb je trouwens gezien wat hij ermee gedaan heeft? De idioot heeft een gat laten boren in zijn neustussenschot, en daar heeft-ie het ding doorheen gestoken. Je hebt geen idee hoe pijnlijk dat geweest moet zijn. Een mens heeft talloze aangezichtszenuwen, die extreem gevoelig zijn. Wat een barbaren. Ze leven echt nog in het stenen tijdperk.'

We keken naar het bruine water. De afstand tot de andere oever was minstens honderd meter, en ook daar was niets dan vegetatie, een ondoordringbare jungle. Er vloog een vlucht groen-met-gele papegaaien voorbij. Ik had me voorgenomen er een te vangen en af te richten, maar toen Zeppi zei dat hij er ook een wilde, had ik ervan afgezien. Stomme na-aper.

'Je moeder is hier doodongelukkig, Erich.'

'Ja, dat heb ik ook gemerkt, hoewel ze zich alleen met Zeppi bezighoudt. Wat hij natuurlijk heerlijk vindt, die aandachttrekker.'

'Kom kom, niet zo lelijk over je broer, al doet hij soms een beetje kinderachtig.'

'Een béétje? Een moederskindje is het. Ze betuttelt hem ook te veel. Ze laat hem niet eens zijn hemd uittrekken. Ik weet dat hij ook in zijn blote bast wil rondlopen, maar dat mag niet van haar.'

'Helga zal Zeppi pas op eigen benen laten staan als ze zich weer wat gelukkiger voelt, en dat zal pas gebeuren als we hier weg zijn. Je mag haar niet kwalijk nemen dat ze helemaal in haar jongste zoon opgaat. Dat doet ze om zich voor al het andere af te sluiten. Maar ik geef toe: erg gezond is het niet. Voor geen van beiden.'

Dit was een volwassen gesprek. Klaus vond me verstandig en evenwichtig genoeg om op zo'n manier over mijn moeder te praten. Het maakte onze band des te sterker. Hij wilde me dingen laten begrijpen. Historische dingen over het joodse vraagstuk, maar ook persoonlijke dingen, zoals het verdriet van moeder. Dit was hun wittebroodstijd, maar ik zag ze nauwelijks samen. De vraag drong zich op: zouden ze het al gedaan hebben? En zo ja, hoe dan? Een bed was hier nergens te bekennen. Zouden ze zich in het struikgewas hebben teruggetrokken, zoals de Jajomi deden?

Die ochtend nog had ik meerdere stelletjes tussen de bomen zien verdwijnen, en het liet zich raden wat ze van plan waren. Ik vroeg me af hoe indianen het met elkaar deden. Volgens mij kon het alleen staand, geleund tegen een boomstam of zo, want als het droog was, zou de grond te hard zijn en overdekt met puntige twijgjes, en na regen was het veel te modderig. Ik nam me voor om binnenkort zo'n stelletje te volgen. Vroeg in de ochtend leek hun favoriete tijd te zijn. Alweer een verschil met beschaafde mensen, die het alleen maar 's nachts deden, in de beslotenheid van hun slaapkamer.

Ik dacht veel aan Awomé, de dochter van Noroni. Ze was heel knap voor een indiaanse, met de witste tanden die ik ooit had gezien, grote bruine ogen en tieten die helemaal mijn smaak waren, niet te groot en niet te klein, precies goed, en altijd zichtbaar. Maar wat me als eerste aan haar was opgevallen waren drie kleine stokjes die door gaatjes in haar gezicht staken. Twee aan weerszijden van haar mond en eentje vlak onder haar onderlip. Toen ik ze voor het eerst zag, had ik me afgevraagd of het geen pijn deed, drie van die stokjes door je vel, maar toen was mijn blik omlaag gegleden en had ik er niet langer bij stilgestaan.

Ze had blijkbaar in de gaten hoe vaak ik keek, want zelf schonk ze me voortdurend haar hagelwitte glimlach. Ze had ondertussen nieuwe hangmatten gevlochten voor zichzelf, haar vader en haar broer – van de plantenvezels die de vrouwen voor alles en nog wat gebruikten. Die drie nieuwe matten hingen naast die van ons, dus wist ik haar ook 's nachts heel dicht in de buurt. Als Noroni met de andere mannen uit jagen ging, voegde ze zich bij de vrouwen die dan doorlopend over God mocht weten wat zaten te kletsen, maar waarschijnlijk het meest over ons, de witte dolfijnen.

'Ze verwijt mij nu dat we hier beland zijn,' ging Klaus verder over moeder. 'Mijn eigen schuld, omdat ik zo dom was te vertellen dat we ook per stoomboot naar de Zamex-installatie hadden kunnen reizen. Dan waren we daar nu allang geweest, en had ik gehavende arbeiders opgelapt terwijl zij in onze bungalow de maaltijd had bereid. Ik kan het haar niet kwalijk nemen dat ze boos is.'

'Maar jij kon toch ook niet weten dat het vliegtuig zou neerstorten?'

'Nee, maar dat deed het wel, en hier zitten we nu. Zeer tot ongenoegen van je moeder.'

'Dan moeten we hier weg,' zei ik.

Klaus pakte een steentje en gooide het in de rivier. Het verdween met een plop onder water en de rimpelingen werden vrijwel meteen uitgewist door de stroming. Drie seconden later kon je al niet eens meer zien dat Klaus een steentje had gegooid.

'Dat moeten we inderdaad, maar hoe? Wentzler heeft ons genoegzaam duidelijk gemaakt dat hij nauwelijks invloed op deze mensen heeft. Je weet wat hij gezegd heeft: hij zal het zelf nog moeilijk genoeg krijgen als hij hier weg wil om dat boek te gaan schrijven.'

Er drong zich opeens een gedachte aan me op die mijn adem deed stokken. 'Hij wíl hier helemaal niet weg,' zei ik. 'Daarom kan het hem niet schelen dat ze niemand door het gebied van de Iriri naar de Orinoco willen brengen.'

'Hoe kom je op die gedachte?'

'Het is zomaar een gevoel, maar wel een sterk gevoel. Ik durf te wedden dat hij een misdadiger is, een moordenaar waarschijnlijk, die hier alleen maar zit om uit handen van de politie te blijven. Want wat valt er nou te bestuderen aan de Jajomi? Ze eten, jagen, slapen en...'

'Planten zich voort. Tja, ik ben met je eens dat het een leeg bestaan is, maar er zijn nu eenmaal mensen die zich oprecht interesseren voor zulke primitieve culturen. En Wentzler vindt ze niet eens zo primitief. Gisteren werd hij nog kwaad toen ik zei dat die indianen totaal van ons verschillen. "De Jajomi zijn net als jij en ik," zei hij, "alleen kunnen zij nog geen metaal bewerken." Wat moet je met zulke onzin? Net als wij! Een paar dagen eerder hield hij nog een vertoog over hoe anders ze wel niet waren. Het is een vat vol tegenstrijdigheden, die man.'

'Hij spreekt zichzelf tegen omdat hij geen echte antropoloog is. Het is een moordenaar die op de loop is voor de politie!'

'Denk je dat werkelijk?'

'Ik durf te wedden dat ik gelijk heb.'

'Wedden? Wat zou je kunnen inzetten, Erich? Je hebt alleen je IJzeren Kruis, en ik stel me zo voor dat je dáár geen afstand van wilt doen.'

'Het is niet míjn IJzeren Kruis maar dat van vader. Ik, eh... bewaar het alleen maar voor hem.' Ik begreep zelf niet waarom ik dit zei. Vader had het mij immers gegeven, en een paar maanden later was hij dood. Toen ik enkele dagen eerder mijn hemd had uitgetrokken omdat de hitte me te veel werd, had ik het groene lint ingekort met een schaar uit de tas van Klaus, en nu droeg ik het ereteken om mijn hals. De Jajomi vonden het prachtig. Sommigen hielden me zelfs staande om er even aan te voelen. De rest van het lint zat opgerold in de zak van mijn korte broek. Ik was van plan het aan Awomé te geven, zoals de soldaten van de Amerikaanse bezettingsmacht vaak nylons of chocolade gaven aan Duitse vrouwen, met de bedoeling dat ze hun kleren uittrokken en lief voor ze waren. Het wachten was op een geschikt moment om haar ermee te verblijden, zodat ze me mee de jungle in zou nemen voor een rechtopstaand potje vrijen.

'Ik zou die theorie maar voor me houden, Erich. We moeten voorlopig bij Wentzler in de gunst blijven. Hij kan nog heel belangrijk voor ons zijn.'

'Oké, maar ik verander niet van gedachten over hem.'

'Dat vraagt ook niemand.' Hij gooide weer een steentje in het water. 'Moordenaar of niet, als hij me aan een sigaret kon helpen, zou ik een eed op zijn onschuld zweren.'

Dit was natuurlijk maar een grapje van hem.

Later die dag liep ik onder het dakgat van de sjabono toen moeder me riep. 'Erich! Erich, kom eens hier!' Zeppi stond naast haar, en ik begreep al wat er komen ging.

Ik liep naar hen toe. Moeder zette geen stap buiten de sjabono, behalve om haar behoefte te doen. En dat deed ze altijd in het struikgewas, ook de grote boodschap, want ze wilde geen gebruik maken van de voorziening die de Jajomi daarvoor hadden, hoewel dat best een goede vinding was. Iedereen poepte een eindje stroomafwaarts in de rivier, waar er een boom met een lange rechte stam in het water was gevallen. Ze liepen simpelweg het water in, gingen op hun hurken op de boomstam zitten en lieten hun boodschap achter zich in het water plonzen, zodat die door de stroom werd meegevoerd. Aan de stam zaten nog takken om je aan vast te houden, zodat je niet achterover kon tuimelen.

Wat piesen betreft: dat mocht je doen waar het je uitkwam, zolang het maar niet op een van de uitgesleten looppaden was die kriskras over het terrein tussen de sjabono, de bananentuin en de rivier liepen. Maar moeder deed het dus diep in de struiken, waar niemand haar kon zien, zoals het volgens haar hoorde. Ik had een gesprek opgevangen waarin Klaus haar tot enige aanpassing probeerde te bewegen. 'Je moet soms huilen met de wolven in het bos,' had hij gezegd, maar ze was niet voor rede vatbaar geweest en bleef in het bos dus heel iets anders doen dan huilen.

'Erich, Zeppi moet een grote boodschap.'

'Dan gaat-ie toch?'

'Hij wil dat jij met hem meegaat.'

'Ik ben al zo vaak met hem mee geweest. Hij weet nu echt wel waar die boom is.'

'Hij wil jou in de buurt hebben, dus sputter nu maar niet tegen. Ik heb het al zwaar genoeg zonder ongehoorzaamheid van jou, jongeman. Je hebt je plichten als oudere broer.'

'Om hem als een peuter op de pot te zetten?'

Ze gaf me een felle klap op mijn wang. 'Hoe durf je hem te kleineren!'

'Dat doe ik helemaal... zo bedoel ik het niet... Hij is gewoon oud genoeg om zelf te gaan.'

Ik voelde tranen prikken. Het was jaren geleden dat moeder me geslagen had, en dan nog alleen op mijn zitvlak als ik kattenkwaad had uitgehaald. Dit was anders, maar ik wilde haar niet laten merken hoezeer het me van streek maakte, en ik geneerde me voor de Jajomi die het ook hadden gezien en nieuwsgierig toekeken.

'Kom mee,' zei ik tegen Zeppi, en ik draaide me om.

Hij volgde me de sjabono uit, en liep zo dicht achter me dat hij voortdurend op de hakken van mijn sandalen trapte. 'Hou daarmee op! Kom naast me lopen, idioot!'

'Als je me uitscheldt, zeg ik het tegen moeder.'

'Je doet maar. Dit is de laatste keer dat ik je naar de boom breng, begrepen? Waarom moet je toch altijd zo kinderachtig doen? Twaalf jaar oud en dan kun je nog steeds niet in je eentje poepen? Belachelijk is het.'

'Moeder zei...'

'Moeder zei wát? Kom op, voor de draad ermee.'

'Ze zei dat ik niets mocht doen wat die vieze mensen ook deden.'

'Die vieze mensen? Bedoelt ze daar de Jajomi mee?'

'Weet ik niet.' Hij klonk zo bedremmeld dat ik met hem te doen kreeg.

'Luister, Zeppi, je zit heus niet met onzichtbare draadjes aan moeder vast. Je hoeft niet de godganse dag bij haar in de buurt te blijven. Doe als ik, kom eens wat vaker de sjabono uit, ga zwemmen. En trek in godsnaam dat hemd uit. Je loopt te puffen in dat ding, en het stinkt naar zweet. Je verspreidt echt een vreselijke lijflucht... en moeder ook.'

Zijn mond viel open. Aanmerkingen op moeder waren ondenkbaar geweest toen vader nog leefde, en die regel hadden we uit eerbied voor hem gehandhaafd.

Ik zei: 'Zij zou ook eens moeten gaan zwemmen. De indiaanse vrouwen doen dat ook, en die ruiken helemaal niet vies.'

'Je zei eerst van wel.'

'Nou, nu niet meer.'

Toen we bij de boom kwamen, werd die net door een Jajomivrouw gebruikt. Toen ze klaar was en langs de stam naar de kant waadde, stapte Zeppi de boom op. Hij was bang om door het water te lopen en kroop op handen en voeten over de stam. Een deerniswekkend gezicht. Toen hij halverwege was, wurmde hij zijn korte broek naar beneden en ging behoedzaam op zijn hurken zitten. Hij hield zich aan een tak vast alsof hij in levensgevaar verkeerde. Toen hij klaar was, riep hij: 'Niet kijken!' Ik wendde me af.

Ik staarde de jungle in en vroeg me af hoe ik me nu eigenlijk zelf voelde, op mijn gemak of gespannen. Mijn dagelijkse zwembeurt was een weldaad, omdat het me schoon hield, maar ik zwom niet met de Jajomi maar een eindje verderop, dus zo vertrouwd was ik nu ook weer niet. Ik was ervan overtuigd dat moeder er ook van zou opknappen als ze haar jurk uittrok en even ging poedelen, maar ik wist dat ze dat nooit zou doen. Ze was bang voor waterslangen, zei ze, maar volgens mij was ze nog veel banger om zich naakt aan de Jajomi te vertonen. De vorige dag had ik haar nog tegen Klaus horen zeggen hoe stuitend ze het vond dat Wentzler in zijn blootje bleef lopen nu er een blanke vrouw in de sjabono vertoefde. Klaus had gezegd dat dat Wentzlers goeie recht was, maar daar was ze het beslist mee oneens. Ik vond dat ze overdreef met die angst voor naaktheid. Zelf was ik van plan om na mijn volgende zwembeurt mijn korte broek uit te laten.

Mijn hemd en onderbroek droeg ik al niet meer. Op een dag had ik ze in mijn hangmat laten liggen, en een uur later had ik een Jajomivrouw zien lopen die mijn hemd om haar middel had geknoopt. Een jongen die Kwaitsa heette droeg mijn onderbroek nu op zijn hoofd. Hij zag eruit als een schooljongen die een melige grap uithaalde, maar de Jajomi schenen het prachtig te vinden. Kwaitsa was ongeveer even oud en net zo groot als ik, en hij was de broer van Awomé, wat een voorname reden was om hem die onderbroek te gunnen.

Wentzler had ons al gewaarschuwd dat alles wat we niet vasthielden of aan ons lijf droegen, binnen een paar minuten gemeenschappelijk bezit zou zijn – Klaus' demonische dokterstas uitgezonderd. Mijn hemd en onderbroek was ik dus voorgoed kwijt, maar dat deerde me niet. Binnenkort gaf ik mijn korte broek ook prijs en kon ik lekker in mijn blootje lopen. Als je zo'n korte broek niet grondig wast met zeeppoeder, gaan de pijpen op den duur de binnenkant van je dijen schuren. En het sloeg sowieso nergens op om kleren te dragen tussen deze mensen. Moeder dacht er anders over, maar dat moest zij weten.

Ik hoorde een plons en draaide me om. Zeppi was van de boomstam gevallen. Hij kon zwemmen, dus ik maakte me geen zorgen, en hij was maar een paar meter van de kant. Hij werkte zich overeind, vond grond onder zijn voeten en waadde naar de oever. Zijn vieze hemd plakte aan zijn lijf, en terwijl ik keek hoe hij naar me toe ploeterde, zag ik iets wat ik al vele malen had gezien sinds onze komst hier – maar nog nooit met zoveel verbijstering. Ik zag tietjes! Mijn broer had tietjes! Ze tekenden zich duidelijk af onder de natte stof die als een tweede huid aan zijn bovenlichaam kleefde. Zeppi had tieten. Klein, maar onmiskenbaar. En nu ik hem kletsnat en beschaamd naar de kant zag komen, begreep ik eindelijk waarom hij ondanks de hitte steeds zijn hemd had aangehouden. Hij wilde niet dat iemand ze zag!

Ik wist niet meer hoe ik het had. Was mijn broer dan een meisje? Nee, dat kon niet, want toen hij nog klein was geweest had ik vaak genoeg zijn piemeltje gezien, en die vallen er niet zomaar af om plaats te maken voor een gleufje. Maar het waren echte tietjes die ik daar zag. En hij zag kennelijk dat ik het zag, want hij kruiste ondanks de bloedhitte zijn armen voor zijn borst, alsof hij het koud had. Hij stond inmiddels op de kant en keek me bedremmeld aan. En ik keek minstens zo bedremmeld terug, wist niet wat ik zeggen moest. Uiteindelijk liep hij weg, terug naar de sjabono. Ik riep hem na: 'Hé, trek je hemd uit! Dan droog je sneller!' Maar hij negeerde me.

Toen ik hem naar binnen had zien gaan, besloot ik een eindje langs de rivier te lopen om van mijn verbazing te bekomen. Waarom had ik het nooit eerder gezien? Waren ze net pas opgekomen? Dat zou natuurlijk kunnen – hij was twaalf, bijna dertien, de leeftijd waarop meisjes doorgaans borsten en schaamhaar krijgen. Alleen... hij wás geen meisje! Toch was het ook geen vet dat ik had gezien, want Zeppi was absoluut niet mollig. Het waren geen dikkejongenstieten. Het waren meisjestieten. Hoe kón dat nou?

Ik kwam bij de plek waar de Jajomi zich in het water vermaakten. Ze zagen me aankomen en riepen mijn naam. 'Eri! Eri!' Wentzler had me uitgelegd dat ze woorden wel met een harde klank konden beginnen, maar niet konden eindigen. In hun namen meden ze zelfs alle harde medeklinkers, dus was ik Eri voor ze. Klaus was Klau, Helga was Hella en Zeppi was... Zeppi. Voor de Jajomi een heel normale naam. Ze plonsden met zijn tienen rond, en ik zag Kwaitsa er ook tussen. Hij viel op door mijn onderbroek, die hij nog steeds op zijn hoofd droeg, totdat een van zijn vrienden het ding wegtrok en een spelletje pak-de-onderbroek begon. Awomé was er ook, zag ik, en dat gaf de doorslag – van nu af aan zwom ik niet meer in mijn eentje.

Ik trok mijn korte broek uit, stond naakt op de kant (op mijn IJzeren Kruis na) en zag haar kijken. Ik ben redelijk atletisch van bouw, was altijd een van de besten geweest met gymnastiek, en voor wat er tussen mijn benen hing hoefde ik me ook niet te schamen – dat wist ik al van de douches op school. Joachim Kirst had verreweg de grootste gehad van ons allemaal, maar als hij ermee stond te pronken, riepen we altijd dat je met zo'n ding alleen een olifant kon neuken. Dan was de lol er meteen weer af voor die snoever. Ik kreeg nooit opmerkingen over mijn grootte, maar door mijn besnijdenis was de douche toch een bron van verlegenheid. Er was altijd wel iemand die vroeg waarom ik een jodenpik had. En als ik dan uitlegde dat mijn oom de dokter dat had aanbevolen vanwege de hygiëne, kwam onveranderlijk de vraag wat die smeerlappen van joden dan wel van hygiëne af wisten. In Jajomiland waren er gelukkig geen joden, dus hier zou ik dat probleem niet hebben.

Awomé deed alsof ze wegkeek, maar ik zag dat ze me vanuit haar ooghoeken bleef bespieden. Ik waadde het water in, waar Kwaitsa's hoofddeksel nog steeds met veel gejoel heen en weer werd gegooid, en nam een duik in mijn beste dolfijnenstijl. Op school had ik in de zwemploeg gezeten, dus ik kende alle slagen. De Jajomi waren gek genoeg helemaal geen goede zwemmers. Heel raar voor een stam die aan een rivier woonde en gebruikmaakte van kano's, die toch regelmatig moesten omslaan, maar ze zeggen dat de zeelui uit de tijd van de zeilschepen ook niet konden zwemmen. De Jajomi wisten zich drijvende te houden en daar hield het zo'n beetje mee op. Van de schoolslag hadden ze nog nooit gehoord, laat staan van de vlinderslag of de borstcrawl, dus ik maakte veel indruk door snelle rondjes om hen heen te zwemmen.

Na een poosje dook ik onder, zwom naar Awomé toe en dook vlak naast haar op, waarbij ik briesend mijn adem uitblies, zoals een dolfijn dat doet door zijn spuitgat. Ze lachte en zei iets met mijn naam erin. Dat woordje Eri had me nog nooit zo aangenaam in de oren geklonken. Nu ik zo dicht bij haar was, haar stralend witte glimlach zag, en haar borstjes die ze volgens mij met opzet op het water liet deinen, en ook nog eens hoorde hoe ze mijn naam zei, was er geen houden meer aan – ik werd verliefd. Ik méén het. Het was meer dan alleen maar geilheid, want die voelde ik allang voor haar. Ik werd gewoon op slag verliefd.

Bruin en lieflijk stond ze naast me, werkelijk onweerstaanbaar, en ik voelde me alsof ik in mijn eigen bloed zwom, dat als vloeibare elektriciteit om me heen gonsde. Ik werd duizelig van verlangen naar haar. Zo'n intens gevoel had ik nog nooit gehad.

Maar toen zag ik wat er op de oever gebeurde. Een van de oudere mannen stond met mijn korte broek in zijn handen. Ik wist wat dat betekende: als hij hem mooi vond, zoals Kwaitsa mijn onderbroek mooi had gevonden, dan was hij nu van hem. En dat kon ik niet laten gebeuren. Die korte broek zelf kon me niet schelen, maar in de zak zat nog het groene lint dat ik Awomé wilde geven. Ik wendde me van haar af en zwom naar de kant.

Ik liep met lange passen het droge op, probeerde niet boos te klinken, maar riep wel 'Hé!'.

De man draaide zich om. Ik liep op hem toe en stak mijn hand uit naar de korte broek, maar ik kon al aan zijn gezicht zien dat hij hem niet meer terug wilde geven. Andere Jajomi liepen al met mijn hemd en mijn onderbroek rond, dus hij vond dat hij er het volste recht op had.

'Je mag hem hebben hoor,' zei ik, 'maar ik wil eerst nog even de zakken leeghalen.' Hij keek me boos aan, en de kleine moedervlek op zijn slaap leek diepzwart te worden. Ik glimlachte breed, maar dat haalde niets uit, hij was niet van zins de broek nog af te geven. Is dat een manier om een gast te behandelen? dacht ik verontwaardigd. Een dolfijn nog wel? Maar als jij vindt dat je onbeleefd mag doen, dan mag ik het ook. Ik pakte de broek beet en trok eraan. Maar hij wilde niet loslaten. Ik dwong mezelf tot een brede glimlach en gaf een ruk. Maar hij wilde nog steeds niet loslaten. De anderen kwamen intussen het water uit om te zien wat zich hier afspeelde. Een ruzie om een dolfijnenbroek, daar wilden ze natuurlijk niets van missen.

Ik gaf opnieuw een ruk, en nu siste de man als een slang. Zijn greep was vast en ik zag zijn armspieren bollen. De anderen kwamen om ons heen staan, maar ik was nog steeds niet van plan me gewonnen te geven. Eerst dat lint terug, dan mocht hij met die broek doen wat hij wilde. Het was een krachtmeting geworden. Er moest een winnaar komen, en een verliezer. Een andere uitkomst leek niet langer acceptabel. Ik moest iets doen om mijn recht op de broek te laten gelden, maar stond voor een zware opgave. De man was sterker dan ik, zoveel was zeker, en als het op vechten uitdraaide, maakte ik weinig kans. Maar wie niet sterk was, kon altijd nog proberen slim te zijn.

'Neem me niet kwalijk,' zei ik, terwijl ik over zijn schouder keek en knikte alsof er iemand achter hem stond, 'maar de conducteur wil je kaartje even zien.'

Toen hij omkeek, zette ik mijn rechtervoet achter zijn been en gaf hem een zet. Hij tuimelde achterover en liet de broek los om zijn val te kunnen breken. Mijn list ontlokte kreetjes van bewondering aan de omstanders, maar de man veerde meteen weer op, lenig als een tijger en blazend van woede. Ik glimlachte nog maar eens, haalde het lint tevoorschijn alsof ik een goocheltruc afrondde, en reikte hem de broek aan. 'Kijk, nu mag je hem hebben,' zei ik. 'Veel plezier ermee.' Hij maakte geen aanstalten om hem aan te pakken, was veel te boos, dus duwde ik de broek tegen zijn borst zodat hij er in een afwerend gebaar zijn handen naartoe bracht. Zodra hij hem aanraakte, liet ik los. Nu was het zijn broek. Maar hij keek er niet eens naar, staarde alleen maar woedend naar mij.

Als ik hem aan zou blijven kijken, liep het alsnog uit de hand, dus wendde ik me af en speurde de omstanders af naar Awomé. Ik stapte op haar toe en hield het lint voor haar op. Ze bedacht zich geen moment en griste het uit mijn hand, zo snel dat ik me ietwat beledigd voelde, maar in haar geval schreef ik het maar toe aan de cultuurverschillen tussen ons. Wentzler had verteld dat wij de Jajomi ernstig konden krenken met handelingen die we zelf doodgewoon vonden, en omgekeerd, dus legde ik haar reactie maar uit als blijdschap om mijn prachtige geschenk.

Het lint was ongeveer een meter lang en ze bond het om haar middel, precies waar ik mijn armen wenste. De aanblik werd verstoord door een geluidje achter me en ik draaide me met een ruk om, beducht voor een aanval van de man. Maar hij had alleen maar de broek op de grond gesmeten en beende nu weg. Dus draaide ik me weer naar Awomé, maar die liep weg met haar vriendinnen en ik moest mezelf wederom voorhouden dat Jajomimanieren anders waren dan Duitse manieren. Wat ondankbaarheid leek, was alleen maar een andere cultuur. Ze was in elk geval zeer met het lint ingenomen, dat leed geen twijfel, en al met al was ik de man die mijn broek had willen pakken dankbaar. Zonder hem had ik het lint nu waarschijnlijk nóg niet aan Awomé gegeven. Daar stond echter tegenover dat ik een vijand had gemaakt. Ook daar hoefde ik niet aan te twijfelen. Maar gedane zaken nemen geen keer, en ik besloot het incident maar uit mijn hoofd te zetten.

Dat lukte wonderwel, want mijn gedachten werden meteen weer in beslag genomen door de ontdekking die ik eerder had gedaan. Dat mijn broer tieten had.

Toen ik de sjabono binnenkwam, zat Zeppi weer op zijn vaste plekje naast moeder, die ik met open mond naar mij zag kijken. Ik begreep niet meteen waarom, want ik was al vergeten dat ik nu naakt was. We keken elkaar aan. Zij zag ongetwijfeld een blanke wilde. Ik zag een vrouw uit een krankzinnigengesticht, met piekerig, vet haar dat vol klitten zat, een jurk die grauw zag van het vuil en het zweet, en ogen die uitpuilden van ontzetting. En dat over zoiets onbenulligs als mijn ongekleedheid. Het maakte me meewarig. Maar ik realiseerde me meteen dat ik het gisteren nog niet zou hebben gedurfd om in mijn blootje voor mijn moeder te verschijnen. Ik had een ingrijpende verandering ondergaan.

'Ga je aankleden!' beet ze me toe.

'Ik heb geen kleren meer.'

'Dan ga je ze maar zoeken. Kleed je aan, en wel meteen!'

Ze had moeite om haar zelfbeheersing te bewaren en het niet op een krijsen te zetten. Het was alsof we weer thuis waren en ze me dronken over het tuinpad zag waggelen, terwijl heel de buurt toekeek.

'Mijn kleren zijn nu in het bezit van anderen, moeder.'

Dit was geen leugen. Mijn korte broek was vast al door een andere Jajomi ingepikt, die zich er waarschijnlijk op een bespottelijke manier mee zou tooien.

'Haal alles terug en trek het aan!'

Haar stem klonk rauw van boosheid. Het was haar bittere ernst, en daar zou ik anders behoorlijk van geschrokken zijn. Maar het ging over zoiets onbeduidends dat ik me voornam mijn poot stijf te houden. Dat had ik net ook tegenover een vervaarlijke indiaan gedaan, dus zou ik me nu niet door mijn moeder laten kisten. Ik was nu een naaktloper, net als de Jajomi, die er in dit klimaat niet om maalden dat hun lichaam voor iedereen zichtbaar was. Moeder was zo dom om daar nog steeds een punt van te maken, en het zou dom zijn om een dom bevel op te volgen. Dus dat was ik niet van plan.

Moeder leek beheerst te worden door een fatsoensdemon, waar ze waarschijnlijk als kind door was beslopen toen ze naar de kerk ging met haar vader, een vrome christen die mij waarschijnlijk zou hebben neergeschoten als hij me naakt en schaamteloos voor mijn moeder had zien staan. Voor die demon, die kleine Duitse kwelgeest die dichte boordenknoopjes eiste, en psalmen op zondag, was hier gewoon geen plaats. Het was moeders zaak als ze hem niet wilde uitbannen en onderworpen wilde blijven aan zijn benepenheid, maar ik had er niets meer mee te maken.

'Erich, doe wat ik zeg.'

'Nee.'

'Ga nu onmiddellijk de kleren zoeken die Klaus voor je gekocht heeft, trek ze aan en waag het niet om ze nog uit te doen.'

Ik werd er droevig van. Moeder, de lieve moeder die altijd zo goed voor ons gezorgd had en die zich zo kranig had gehouden na de dood van haar man, leek van de aardbodem verdwenen en vervangen door de krankzinnige vrouw die ik hier voor me zag, afstotend en streng als een schoolzuster met haar op haar bovenlip, die alleen gezag had binnen haar benauwde en naar ontsmettingsmiddel stinkende behandelkamer. Dit was mijn moeder niet meer. Dit was een totaal andere vrouw, ontmaskerd doordat ik naakt voor haar was komen staan. Ze zag mijn bedroefdheid kennelijk, maar verwarde die met schaamte, want ze kreeg een triomfantelijk lachje op haar gezicht.

'Juist, schaam je maar diep, jongeman. Vergeet nooit wie je bent en waar je vandaan komt. En ga nu onmiddellijk je kleren aandoen.'

Ik wilde haar uitleggen dat ze zich druk maakte om niets, dat ze geen waarde meer moest hechten aan de spullen die we hadden meegenomen van de andere kant van de wereld, omdat die hier geen enkel doel dienden. Ze hield vast aan gewoonten die hier betekenisloos waren. Ze leefde nog in de koffers die nu op de bodem van de rivier lagen. Maar voor haar was ik het die in de modder van de barbarij was weggezakt.

Ik keek om me heen of ik Klaus zag, de enige die haar misschien tot rede kon brengen, maar hij was nergens te bekennen. Sinds ons gesprek van vanochtend op de rivieroever had ik hem nergens meer gezien.

'Vooruit, doe wat ik zeg.'

Zeppi stond in de schaduw achter haar, geschrokken door haar felheid.

Ik zei: 'Moeder, ik heb vandaag iets vreemds ontdekt.'

'Alles is hier vreemd. Dat maakt het des te belangrijker dat we onszelf blijven en niet in... in inboorlingen veranderen.'

'Nee, dat bedoel ik niet. Het gaat om Zeppi...'

'Om Zeppi?'

'Ja, moeder. Zeppi heeft... hij heeft borsten. Ik heb ze gezien.'

Ze keek verwilderd over haar schouder naar Zeppi. 'Heb jij óók je hemd uitgetrokken?'

Hij schudde heftig zijn hoofd. 'Nee, nee! Ik heb het de hele tijd aangehouden.'

'Ik zag het toen hij in het water was gevallen,' zei ik. 'Zijn hemd was nat en kleefde aan zijn lijf, en toen zag ik het. Hoe kan dat nou?'

Ze draaide zich weer naar mij. Haar gezicht was lijkbleek onder alle vuil en het roet van de kookvuurtjes. 'Hoe kan wát? Er is niets aan de hand. Níéts, hoor je me?'

'Maar Zeppi is een jongen. Hij kan toch geen...'

'Klets geen onzin! Ik wil er niets meer over horen!'

Nu was ze nog veel erger van streek. Mijn naaktheid deed er niet meer toe nu ze wist dat ik Zeppi's tietjes had gezien. Ze wist er zelf ook van, dat was wel duidelijk, en ze was er erg ongerust over. Welke moeder zou dat niet zijn? Ik wist niet meer wat ik zeggen moest. Ze zat met schichtige ogen de sjabono rond te kijken, waardoor ze er nog krankzinniger uitzag.

'Erich, zwijg hierover tegen Klaus. En die man, Wentzler, mag er ook niets van weten. Hou het geheim, al was het maar voor Zeppi, hoor je me? Beloof je me dat je zwijgt?'

'Ja.'

'Op je erewoord?'

'Op mijn erewoord.'

Ze liet haar blik over mijn lichaam dwalen, en keek weer haastig van me weg. 'Waarom doe je me dit aan, Erich?'

'Het is veel koeler en gemakkelijker, moeder. En gezonder waarschijnlijk ook.'

'Ik ken je niet meer terug, jongen. Je bent totaal veranderd.'

Dat laatste was waar, maar ik wist dat het haar nog erger van streek zou maken als ik haar gelijk gaf, dus zei ik maar niets. Ze liet haar schouders hangen, leek ineen te krimpen zoals ze daar in haar hangmat zat. Haar ogen staarden naar haar sandalen. Ik had de mijne ook nog aan, hield ze zelfs aan bij het zwemmen, en ik realiseerde me nu opeens waarom. Ik hield ze aan omdat moeder me als kind altijd voor kapotte flessen had gewaarschuwd als we naar het strand gingen. Maar hier waren natuurlijk geen glasscherven, dus zou ik voortaan zonder sandalen gaan zwemmen. En ook op het droge zou ik ze zo lang mogelijk uit laten, om eelt te kweken, tot ik net zulke voeten had als de Jajomi. Maar ik zou ze wel om mijn nek binden, zodat niemand ze kon inpikken zolang ik nog geen indianenvoeten had. En dat zou wel even duren, want ik was nog lang geen indiaan – ik had er net genoeg van weg om moeder overstuur te maken.

'Waar is Klaus toch?' vroeg ze. 'Waarom is hij niet hier?'

Ik keek naar zijn hangmat. De zwarte dokterstas was weg.

'Zal ik hem gaan zoeken?'

'Ja... ja, doe dat maar voor me. Ik ben zelf te moe.'

Ze liet zich achterover in de hangmat zakken en ging wezenloos naar het dak van gevlochten bladeren liggen staren. Zeppi's ogen flitsten heen en weer tussen haar en mij. Ik vroeg me af hoe lang ze hem al ingeprent had zijn tietjes geheim te houden. Al te lang kon het nog niet zijn, want de vorige zomer had ik hem nog zonder zijn pyjamajasje gezien, omdat het zo heet was. Met blote bovenlijven hadden we urenlang naar het gesjirp van de krekels liggen luisteren, dat door het open slaapkamerraam kwam. Nee, dit was betrekkelijk nieuw. Hij moest in tranen naar haar toe zijn gegaan. 'Moeder, kijk nou eens, wat is er met me aan de hand?' Arme Zeppi. Hoe moest het nu verder met hem?

Moeder sloot haar ogen. Ik wenkte Zeppi en hij volgde me naar buiten om op zoek te gaan naar Klaus. We liepen eerst naar de bananentuin, maar daar was hij niet. Ook bij de rivier troffen we hem niet. Ik telde de kano's om te zien of hij er misschien een gestolen had en zonder ons vertrokken was, maar ze lagen er alle acht en ik schaamde me dood voor mijn lelijke gedachte. Maar waar kon hij toch uithangen?

Al zoekende kwamen we Wentzler tegen, die opkeek van mijn naaktheid. 'Zo zo, jongeman, ik zie dat je je naar de omstandigheden hebt gevoegd. Heel wijs. Zal de rest van de familie je voorbeeld volgen?'

'Dat betwijfel ik, Herr Wentzler. Heeft u trouwens Klaus gezien? Moeder wil hem spreken.'

'Jazeker, ik heb je vader net uitgebreid gesproken. Als je dit pad hier afloopt, kun je hem niet missen. Zeg, goudlokje,' zei hij tegen Zeppi, 'heb jij ook geen zin om die zweetkleren uit te trekken en de bries op je huid te voelen?'

'Ja,' zei Zeppi. Een reactie die ik niet verwacht had, en de professor ook niet.

'Nou,' zei Wentzler, 'trek uit dan. Je zult zien hoe prettig dat voelt. En je broer kan je vertellen dat het in een mum van tijd went om naakt tussen andere naakte mensen te verkeren. Nietwaar, Erich?'

'Dat klopt ja,' zei ik, benieuwd of Zeppi gehoor zou geven aan zijn eigen verlangen.

'Het kan niet,' zei hij timide, en ik wist wat dat betekenen moest: hij wilde het moeder niet aandoen. Wentzler schudde vol onbegrip zijn hoofd. 'Nou, die kant op,' zei hij, nogmaals het pad aanwijzend, en hij liep verder.

'Ik zou heus wel willen,' zei Zeppi tegen mij, 'maar het mag niet van moeder.'

'Ik weet het, Zeppi. Maar ik vind het wel achterlijk, want je zou je veel lekkerder voelen. Is het omdat je die... je weet wel? Wil je daarom niet tegen haar in gaan?'

'Ik weet niet... Waarom heb ik ze, Erich? Dit gebeurt toch alleen bij vrouwen?'

'We zouden het Klaus moeten vragen. Die is immers dokter.'

'Maar dat wil moeder niet hebben.'

'Luister, Zeppi, er is iets raars met je aan de hand. Ik weet niet of het onschuldig is of gevaarlijk, maar ik kan je wél zeggen dat moeder dat ook niet weet. Omdat ze zich er geen raad mee weet, wil ze het geheimhouden, maar voor jou is dat heel slecht, alleen al omdat je het veel te warm hebt met die kleren aan. Ik vind dat ze heel dwaas en egoïstisch doet, dus we zullen het Klaus moeten vragen. Hij heeft kennis van zaken, dus hij kan het je uitleggen. Kun je me volgen?'

'Natuurlijk! Ik ben niet stom, hoor! Jij denkt altijd maar dat je de enige bent die alles begrijpt.'

Dat was de oude Zeppi weer, opvliegend en obstinaat. Maar ik had hem liever zo dan als het makke lam dat moeder van hem gemaakt had. Ik sloeg mijn arm om zijn schouders, iets wat ik heel lang niet gedaan had, en trok hem even troostend tegen me aan.

'Kom op, we gaan Klaus opzoeken.'

Hij liep gewillig mee en pakte zelfs mijn hand, wat hij in geen jaren had gedaan. We volgden het pad dat tussen de bomen door heuvelopwaarts kronkelde, in de richting van de plek waar we voor het eerst de sjabono hadden zien liggen. De vegetatie werd allengs dunner en na een poosje zagen we Klaus met zijn rug tegen een boomstam zitten, met alleen zijn onderbroek en sandalen aan. Hij had zijn dokterstas bij zich, vertrouwde kennelijk niet op Wentzlers bewering dat de Jajomi er als de dood voor waren. En gelijk had hij. Op een dag zou een van hen zijn angst kunnen overwinnen en de tas kunnen stelen, scherpe tanden of niet.

Hij zag ons ook en zwaaide. Mijn naaktheid leek hem niet te deren, want hij knikte me toe en zei: 'Een praktisch besluit van een praktische geest, zie ik.'

'Het voelt veel prettiger zo.'

'Kan ik me voorstellen. Ik probeer er zelf ook de moed voor te vergaren.'

'Gewoon doen,' zei ik. 'Het is echt een verademing.'

'Dat geloof ik graag, maar wat zal je moeder ervan zeggen? Volgens mij behoort het nudisme niet tot haar favoriete leefwijzen.'

'Op mij is ze inderdaad boos, maar ik weiger mijn kleren nog aan te trekken. Dat is een gepasseerd station. Alles is nu anders.'

Hij keek me aan alsof hij me volledig begreep, en dat terwijl het me zelf nog niet helemaal duidelijk was. 'Je hebt het recht om zelf te beslissen, Erich. Misschien denkt Helga er op den duur ook wel anders over. En jij, Zeppi, wat zou jij liever willen?'

'Ik wil ook zwemmen, net als Erich,' zei hij, 'maar dat mag niet van moeder.'

'Waarom niet? Wat is er nu tegen een uurtje zwemmen?'

'Het gaat niet om het zwemmen,' zei ik, en Klaus keek me vragend aan, wachtend op meer. 'Laat het hem maar zien,' zei ik tegen Zeppi.

Hij trok langzaam, talmend bij ieder knoopje, zijn vuile hemd uit. En daar waren ze. Een stuk groter dan ze onder de natte stof hadden geleken. Wat een mooie tepels, dacht ik, en ik voelde mezelf blozen. Klaus daarentegen trok wit weg. Niet de reactie die ik van hem verwacht had. Het bleef doodstil. Zeppi stond te hunkeren naar een paar geruststellende woorden, dat het niets bijzonders was en weer weg zou gaan, maar Klaus staarde alleen maar naar zijn prachtige gladde borstjes.

'Ongebruikelijk,' bracht hij ten slotte uit. Zijn stem klonk hees, afgesnoerd. 'Hoogst ongebruikelijk...' Hij deed zijn best om ontspannen te lijken, wat niet echt lukte, maar toen hij nog even zwijgend had zitten kijken, haalde hij diep adem en zijn houding veranderde als bij toverslag. Van het ene moment op het andere werd hij een echte dokter, alsof hij in een witte jas in zijn spreekkamer zat en precies wist wat hem te doen stond. 'Kom eens hier,' zei hij tegen Zeppi, die een paar aarzelende stapjes deed en voor hem ging staan. Klaus hief een hand op en begon hem aandachtig en zakelijk te betasten. 'Op zichzelf geen afwijkingen,' zei hij, 'inwendig noch uitwendig. Vertel eens, Zeppi, waar heb je dit moois vandaan?'

'Ik weet niet,' zei Zeppi. 'Ze zijn zomaar opgekomen, en toen ik het moeder liet zien, zei ze dat ik het aan niemand mocht vertellen... Als ze niet weggaan, lacht iedereen me uit!'

'Niemand zal je uitlachen, Zeppi, daar ben je veel te aantrekkelijk voor. Maar ik denk wel dat je hier tussen de indianen beter af bent met deze... fraaie rondingen. In de stad zou het misschien een bron van verlegenheid kunnen vormen, maar voor de Jajomi zijn wij toch al vreemd. Zij zullen er niet eens van opkijken, denk ik zo.'

'Maar als we hier weggaan, wat moet ik dan?'

'Ik zou er voorlopig maar niet van uitgaan dat we hier snel vertrekken, Zeppi. Dat zit er niet echt in, vrees ik. Dus als je je kleren uit wilt trekken om je net zo plezierig te voelen als Erich, ga vooral je gang. In het begin voel je je misschien wat opgelaten, maar dat zal vast niet lang duren.'

'En moeder dan?' zei ik.

'Laat jullie moeder maar aan mij over. Zeppi, dit klinkt misschien wat raar, maar het is van belang om... ik wil graag weten of alles tussen je benen ook in orde is. Mag ik daar ook even naar kijken?' Toen hij Zeppi zag twijfelen, stond hij op en trok zijn eigen onderbroek uit. Hij had een behoorlijk grote pik, en zijn ballen hingen laag van de warmte, net als de mijne. Zijn haar was er blond en krullend, een fractie donkerder dan op zijn hoofd.

'Ziezo,' zei hij, 'dat voelt inderdaad een stuk aangenamer, Zeppi. En het is wel zo praktisch in dit klimaat. Ik kan het je beslist aanraden, wees maar niet verlegen.'

Zeppi knoopte behoedzaam zijn korte broek open, liet hem vallen en trok zijn onderbroek omlaag. Hoewel ik hem vroeger vaak genoeg naakt had gezien, verraste het me toch een beetje dat hij daarbeneden nog steeds een jongen was. Maar het was wel een kleintje. Het deed denken aan die rare kleine piemeltjes van standbeelden. Een heel klein zakje ook, en hij was volkomen haarloos. Zijn huid was marmerwit, op zijn onderarmen en benen na, die gebruind waren door de zon. Hij maakte een onwezenlijke indruk zoals hij daar stond, jongen noch meisje, en nerveus van Klaus naar mij keek, met ogen die ons smeekten hem geen monster te noemen.

'Je ziet er heel mooi uit, Zeppi,' zei ik stompzinnig. Ik had geen idee wat ik anders moest zeggen.

'Een schoolvoorbeeld,' zei Klaus. Zeppi keek hem vragend aan, en hij sprak verder. 'Je bent bepaald niet de eerste die dit doormaakt, Zeppi. Dit werd al in de oudheid beschreven, kan ik je zeggen. Het is buitengewoon zeldzaam, dat zeker, maar verre van onbekend. Het wetenschappelijke woord ervoor is hermafroditisme. Je hebt zowel mannelijke als vrouwelijke geslachtskenmerken. Dit komt in de hele natuur voor, maar niemand weet precies waarom. Sporadisch komt een jongen in de puberteit, en merkt dan opeens dat hij ook een meisje is. Dat is wat jou overkomen is, Zeppi. Heel zeldzaam, nogmaals, maar uitvoerig beschreven in de medische literatuur.'

'Maar ik wil dit niet,' zei Zeppi. 'Kun jij niet zorgen dat het verdwijnt?'

Klaus zweeg even, en zei: 'Ik ben bang van niet. In sommige landen werkt men weliswaar aan behandelmethoden, maar dat is allemaal nog in een heel pril, experimenteel stadium. Bij het uitbreken van de oorlog was er in Berlijn een dokter Müller die iemand zoals jij onder behandeling had, maar ik heb niet kunnen volgen hoe dat verliep. In Amerika wordt op dit terrein ook interessant werk verricht, maar het gaat om chirurgische ingrepen die buitengewoon ingewikkeld zijn, eigenlijk een geheel nieuwe discipline. Het onderwerp had wel altijd mijn belangstelling, maar ik had nooit... Het spijt me, Zeppi, ik kan niets voor je doen. Ik kan je slechts aanbevelen om je toestand te aanvaarden en er vrede mee te hebben.'

'Hoe kan ik hier nu vrede mee hebben?'

'Als dat op dit moment te veel is gevraagd, probeer er dan in te berusten,' zei Klaus. 'Verdriet is een zinloze emotie, Zeppi. Vooral als het om zaken gaat waar niets aan te doen valt. Misschien kun je je optrekken aan het feit dat je heel bijzonder bent. Waar je ook gaat of staat, je zult altijd tot een uiterst exclusieve minderheid behoren. Is dat geen inspirerende gedachte?'

'Nee. Ik wil niet in de minderheid zijn...'

Er biggelden nu dikke tranen over zijn engelengezicht, en hij begon zo woest te snikken dat zijn lichaam ervan schokte. Zijn piemeltje wipte op en neer. Ik kreeg het zelf ook te kwaad nu ik wist dat mijn broer in een kerker zat waar niemand hem uit bevrijden kon, zelfs geen knappe chirurg als Klaus. Het was een vreselijke wetenschap, en het was duidelijk dat Klaus hem alleen maar probeerde te troosten en zelf ook niet in zijn woorden geloofde. Hoe kon hij ooit vrede vinden als hij man noch vrouw was? Die prachtige tietjes maakten dat hij nooit iemand ontmoeten zou die net zo was als hij.

Ik wilde hem voorhouden dat hij nog altijd beter af was dan iemand met een bochel, of zonder benen, of een blinde, maar ik kreeg het niet over mijn lippen, omdat ik wist dat hij toch niet viel te troosten. Je kon niets zeggen dat hem op zou beuren, niet zonder te liegen.

Klaus sprak weer verder. 'Wat jullie moeder betreft: ik snap wel waarom ze van streek is, maar dat zou toch niet nodig hoeven te zijn, dus ik ga wel met haar praten, oké? Wachten jullie maar even met teruggaan, dan heb ik tijd om haar op andere gedachten te brengen. Het is onzin dat ze zich hier... zorgen om maakt.'

Volgens mij had hij 'dat ze zich hier voor schaamt' willen zeggen, maar had hij dat nog net kunnen inslikken.

'Wacht dus maar even hier, dan zie ik jullie straks weer in de sjabono.'

Hij liep het pad af zonder om te kijken, met zijn dokterstas in zijn hand. Maar zijn onderbroek had hij laten liggen – een teken dat hij wel degelijk uit zijn doen was door wat hij had gezien. Misschien wel net zo erg als moeder toen Zeppi zich aan haar had getoond. Maar hij was tenminste verstandig en probeerde er het beste van te maken in plaats van het te verhullen.

'Kan hij er echt niets aan doen?' vroeg Zeppi aan mij.

'Nee, Zeppi, helaas niet.'

Hij slikte met moeite zijn tranen weg. 'Vind je me nu nog wel aardig, Erich?'

Dat bracht míj bijna aan het huilen. 'Natuurlijk! Je bent mijn broer en ik hou heel veel van je. En dat blijf ik doen, wat er ook gebeurt.'

'Gelukkig maar,' zei hij, omlaag kijkend naar zijn tieten en zijn kleine piemeltje.

Toen we weer over het pad liepen, terug naar de sjabono, daalde er opeens een wolk van helblauwe vlinders over ons neer. Het waren er zoveel dat je het ruisen van hun vleugels kon horen. Ze vlogen met tientallen tegen ons aan en woelden over onze huid, de lichtste aanraking die je je ooit zou kunnen voorstellen. Volgens mij probeerden ze ons zweet te drinken. Alsof je werd aangevallen door een zwerm donsveertjes.

We bleven stokstijf staan. 'Wat zijn ze prachtig, hè?' fluisterde ik.

Na een minuut of wat trok de helblauwe wolk zich weer terug en ging op in het groen rondom ons. Ik wist dat ik ze nooit zou vergeten. Hoe oud ik ook werd, de vlinders zouden me altijd bijblijven.

Toen we de sjabono binnenkwamen, zag ik tot mijn teleurstelling dat Klaus zijn korte broek weer aanhad. Het eerste wat hij zei was: 'Hebben jullie misschien mijn onderbroek meegenomen?'

'Nee.'

Moeder zat in haar hangmat en keek woedend naar Zeppi en vooral naar mij. Ze gaf mij er ongetwijfeld de schuld van dat Zeppi nu ook naakt was, en ze verweet me vast ook dat ik zo ongehoorzaam was geweest om Klaus over Zeppi te vertellen.

De Jajomi hadden in een mum van tijd door dat een van de witte dolfijnen nog veel vreemder was dan de andere drie. Ze staarden naar Zeppi, roezemoesden druk met elkaar en gebaarden naar hun eigen borst en kruis.

'Hoe kan ik jou nog mijn zoon noemen?' zei moeder. Ik dacht eerst dat ze tegen Zeppi sprak, om een voor de hand liggende reden, maar ze bleek het tegen mij te hebben. 'Je hebt me verraden.' Ze zei het als een filmactrice, op een gezwollen, dramatische toon die een golf van plaatsvervangende schaamte door me heen deed gaan. De Jajomi kwamen steeds dichter om ons heen staan. 'Zie je wat je gedaan hebt?' zei moeder. 'Nu zullen ze hem geen moment meer met rust laten! Je bloedeigen broertje, Erich, hoe kón je?'

'Helga, alsjeblieft,' zei Klaus. Hij knielde bij haar neer en legde troostend een hand op haar knie. 'Gedane zaken nemen geen keer, en...'

Ze sloeg woedend zijn hand weg. 'Raak me niet aan! Eerst laat je me urenlang aan mijn lot over tussen die... die vieze wilden, en nu probeer je me wijs te maken dat er niets aan de hand is? Schaam je wat!'

'Helga...'

'Nee!'

Ik had haar nog nooit van mijn leven zo kwaad gezien. Zelfs toen ze het nieuws van vaders dood had vernomen, had ze langdurig gehuild, maar niet zo gekrijst als nu. Ze was net zo kwaad op Klaus als op mij, wat niet eerlijk was. Hij kon er niks aan doen dat ik hem over Zeppi had verteld. Ik had met hem te doen, en moeders geschreeuw trok alleen nog maar meer Jajomi aan.

Klaus leek zich geen raad te weten met de situatie. Misschien was moeder al eerder zo tegen hem uitgevaren, maar dan minder luidruchtig, en was dat de reden waarom hij er in zijn eentje op uit was getrokken. Dat had hij waarschijnlijk beter niet kunnen doen, want ze waren nog maar kort getrouwd, dus hoorde hij bij haar te zitten, haar hand vast te houden en te zeggen dat het allemaal wel goed zou komen, of wat het ook is dat echtgenoten horen te zeggen. Ik had medelijden met moeder, maar ik wilde ook dat ze ophield met tieren.

Wentzler dook bij ons op, en bij het zien van zijn magere naakte lichaam kneep moeder haar ogen stijf dicht en draaide demonstratief haar hoofd weg.

'Is er iets?' vroeg Wentzler, maar niemand gaf antwoord. En toen zag hij dat Zeppi naakt was. 'Ah, een verstandig besluit...' En tóén zag hij hoe Zeppi eruitzag. 'Maar... wat heeft dát te betekenen...?' zei hij, op zijn eigen borst wijzend, zoals de Jajomi ook hadden gedaan. 'Ik weet niet wat... Klaus?'

'Leg ik later wel uit,' zei Klaus, die meer oog had voor moeder. 'Kun je maken dat ze weggaan, alsjeblieft?'

'Tja, dat zou ik kunnen vragen, maar ik betwijfel of ze er gehoor aan geven. Ze zijn natuurlijk ook gefascineerd door wat ze... door je jongste zoon. Hoogst opmerkelijk. Een geval van hermafroditisme, is het niet? Heb ik nog nooit met eigen ogen gezien. Foto's ja, in medische handboeken, maar nooit in het echt!'

Hij stond Zeppi op te nemen als een echte professor, een en al academische interesse, en de vernedering werd Zeppi te erg. Hij begon te sniffen en te huilen.

'Hou daarmee op!' beet ik Wentzler toe, en hij keek me geschrokken aan.

'O, eh... tja, ik had misschien wel wat ingetogener mogen reageren.'

Het opperhoofd, Manokwo, werkte zich door de menigte heen en liet zich door zijn onderdanen vertellen wat er aan de hand was. Zeppi staarde naar de grond en probeerde zich net als moeder voor alles af te sluiten. Manokwo hurkte voor hem neer, betastte zijn tietjes en kneep er zachtjes in, waarna hij zijn piemeltje en zakje op dezelfde manier inspecteerde. Zeppi stond te trillen op zijn benen, maar gaf geen krimp. Vervolgens bekeek het opperhoofd ook míjn piemel. Het wekte blijkbaar zijn interesse dat Zeppi en ik besneden waren. Dit was de anderen nog niet opgevallen, want ik had eerst tussen hen rondgezwommen, en daarna waren ze afgeleid door mijn ruzie met de man die mijn broek wilde inpikken.

Maar nu ontging het niemand meer, en ik was opeens net zo'n bezienswaardigheid als Zeppi. Toen Manokwo gebaarde dat hij ook de pik van Klaus wilde zien, liet deze gewillig zijn korte broek zakken. Moeder, die net even stiekem haar ogen had geopend om te zien wat er gaande was, kreunde van ontzetting en kneep ze direct weer dicht.

Manokwo zei iets tegen Wentzler, die het voor ons vertaalde. 'Hij wil weten waarom Erich en Zeppi verminkte penissen hebben, en waarom Zeppi zowel een meisje is als een jongen.'

'Wat moeten we hem vertellen?' vroeg Klaus.

'Geen idee. Een vertoog over genetische afwijkingen zou niet aan hen besteed zijn. Sterker nog: het zou de indruk wekken dat jullie iets proberen te verdoezelen. Als ze iets niet begrijpen, worden ze vaak bijzonder achterdochtig.'

Klaus verzonk in gepeins. Ik kreeg het gevoel dat het hem allemaal boven het hoofd begon te groeien, wat me nogal tegenviel. Maar hij moest moeder natuurlijk ook nog in de gaten houden, dus misschien was het wel begrijpelijk.

Uiteindelijk verbrak ik de stilte maar zelf. 'Zeg hem,' zei ik tegen Wentzler, 'dat dit speciale dolfijnenpenissen zijn, en dat Zeppi de meest bijzondere dolfijn van allemaal is, man én vrouw, en dat we hem daarom ook... aanbidden of zoiets. Ze mogen niet denken dat hem iets mankeert. Ze moeten juist tegen hem opkijken. Vooruit, zeg het hem!'

Wentzler keek me gebelgd aan. 'Niet zo bazig, jongeman. Van mijn studenten eiste ik respect, dus van jou zéker.'

Ik was eerst even beduusd, wilde hem vervolgens een kaakslag geven, die magere vogelverschrikker, maar besloot verstandig te zijn. ‘Neem me niet kwalijk, Herr Professor, ik ben een beetje overstuur.’

Hij snoof nog even minachtend en richtte zich tot Manokwo, die aandachtig luisterde en knikte. De stam luisterde mee en er kwam al snel een opgewonden gefluister op gang. Andere Jajomi begonnen Zeppi nu ook te betasten. ‘Niets van aantrekken,’ zei ik tegen hem. ‘Het is een teken van ontzag. Ze beschouwen je als de hoogste van ons vieren, omdat je niet alleen mens en dolfijn bent maar ook man en vrouw.’ Maar het leek hem weinig te helpen. Hij rilde bij iedere aanraking, en de aanrakingen gingen heel lang door.

Het was een vreemde gewaarwording dat ik zelf het heft in handen had moeten nemen omdat Klaus in gebreke bleef. Ik voelde me opeens veel groter, en hij leek juist kleiner.

De menigte loste zich op en de Jajomi gingen weer verder met waar ze mee bezig waren geweest. Ze leken snel aan wonderen te wennen, maar dat kon je misschien ook verwachten van mensen die geen wetenschap gewend waren. Toen er alleen nog een groepje kinderen bij ons stond, keek ik weer naar moeder. Ze had haar ogen weer geopend nu de indianen weg waren. Wentzler was er ook nog en leek benieuwd naar wat er nu ging gebeuren. Volgens mij waren we dat allemaal. Het was alsof niemand een stap kon doen voordat moeder had gesproken.

‘Je haalt me hier nu onmiddellijk weg,’ zei ze ten slotte. Het was niet duidelijk tegen wie ze het had, dus niemand reageerde. Een van de honden zat achter een aapje aan, dat zich in veiligheid dacht te brengen door op moeders schoot te springen. Maar ze slaakte een gil en schokte met heel haar lichaam. Het aapje maakte dat het wegkwam, met de hond weer achter zich aan.

Klaus zei: ‘We zullen geduld moeten hebben, Helga. Je weet toch dat we geen middelen hebben om te ontsnappen?’

‘Dan regel je maar iets,’ zei ze zonder hem, of wie dan ook, aan te kijken.

‘Zo eenvoudig is dat niet, Frau Brandt,’ zei Wentzler. ‘Er zijn hier geen instanties om je beklag bij te doen. En er valt de Jajomi ook weinig te verwijten, dunkt me, al heb ik de indruk dat u graag iemand de schuld zou geven.'

'Ik verwijt het jou,' zei moeder, 'en jou, en jou.' Zeppi was de enige die ze niet aanwees, en ik zag hem een zucht van verlichting slaken. Hij was kennelijk bang dat hij alles veroorzaakt had met zijn tietjes. Ik voelde me plotseling doodmoe. Nog geen halfuur terug waren Zeppi en ik door pure schoonheid omgeven in de vorm van grote blauwe vlinders, en nu was er niets dan lelijkheid. Het bedrukte me. De situatie leek uitzichtloos.

Wentzler keek naar Klaus, maar die maakte nog steeds geen aanstalten om in actie te komen, dus ging hij zelf maar op moeders aantijging in. 'Mijn beste Frau Brandt, u zult zich moeten aanpassen aan de nieuwe omstandigheden. Ik weet dat u er niet voor gekozen heeft om hier te zijn, maar u bent er niettemin, en voorlopig zult u hier wel blijven ook. En gelooft u mij, u zou slechter af kunnen zijn. U heeft hier te eten, en onderdak, en mensen om u heen. Dat is zo slecht nog niet, lieve mevrouw.' Geen enkele reactie van moeder, maar hij sprak verder, zij het minder belerend, met een smekende ondertoon zelfs. 'Ik kan me voorstellen dat u het gebrek aan zedigheid als schokkend ervaart, maar dit is een natuurvolk. Het zijn Adams en Eva's, mevrouw, in hun eigen Hof van Eden. Hoe u ook over ze denkt, zondig zijn ze niet, en ik raad u zelfs van harte aan om uw zoons het gemak van hun naaktheid te gunnen. En waarom probeert u het zelf niet, Frau Brandt? Het bevreemdt de Jajomi dat u zich zelfs niet ontkleedt voor een bad in de rivier.'

Hij wachtte op antwoord, maar moeder bleef zwijgen, dus ging hij maar weer verder. 'De Jajomi begrijpen daar niets van. Het zijn propere mensen die zich twee- tot driemaal per dag baden, en ik moet u zeggen, Frau Brandt: men neemt er aanstoot aan dat u... verre van fris ruikt. Er worden opmerkingen over gemaakt, en u begint zelfs het voorwerp van spot te worden. Vergeef me dat ik persoonlijk moet worden, maar ik zeg u dat ze een opzet vermoeden. Er wordt gefluisterd dat u zich niet wast omdat u... uw man niet begeert en hem op afstand wilt houden. Ik weet ook wel dat dit een misvatting is, maar ons idee van zedigheid is de Jajomi vreemd. Dit is een cultuur van de huid, niet van kleding, en als u zich niet aanpast, dan zal dat gevolgen hebben voor uw gezondheid én voor het aanzien van uw gezin en uzelf.'

Ze reageerde nog steeds niet en hij richtte zich verder tot Klaus. 'Onderschat de ernst hiervan niet, waarde vriend. Jullie zijn dolfijnen, geen mensen, en gedrag dat de Jajomi als minderwaardig ervaren, kan jullie duur komen te staan. Bovennatuurlijke wezens moeten door een waas van mysterie worden omgeven om respect af te dwingen. Je zoon hier met zijn... ongewone uiterlijk is vandaag drastisch in aanzien gestegen, maar je vrouw boet meer en meer aan status in. Ze loopt het gevaar dat ze haar niet langer als dolfijn beschouwen maar als een gewone vrouw, en dan ook nog eens een vieze vrouw. Dat kan haar tot een ongewenste gast maken. Gastvrijheid wordt hier niet zomaar verleend, maar in de verwachting van een tegenprestatie. Wie bij de Jajomi wil verblijven, zal daar iets tegenover moeten stellen, en jullie enige tegenprestatie is je grandeur als dolfijn. Neem die illusie weg, en wie weet wat er gebeurt.'

Klaus overdacht het even, en zei: 'Dus mijn vrouw brengt ons allen in gevaar, is dat wat je zeggen wilt?'

'Dat is precies wat ik zeggen wil.'

'Waarmee heb jij hun gastvrijheid verdiend, Gerhard?'

'Ik kwam hier met geschenken. Machetes, kleurige kralen, linten, de gebruikelijke snuisterijen.'

'En dat volstond voor een verblijf van elf jaar?'

'Klaarblijkelijk.'

'Dat is dan erg billijk van ze. En Helga kan die billijkheid doen omslaan door zich niet te baden?'

'Ik moet je vragen je rechten als echtgenoot te doen gelden en je vrouw te dwingen een bad te nemen, in het belang van je hele gezin.'

Ze spraken over moeder alsof ze er niet bij was, en eigenlijk wás ze dat ook niet. Ze staarde met opeengeklemde lippen naar de grond en het gesprek leek totaal langs haar heen te gaan. Als iemand me een week eerder gezegd had dat mijn moeder zich zo gedragen kon, zou ik hem niet hebben geloofd. Dit was mijn moeder niet meer, maar heel iemand anders, een woedende vrouw die leek te denken dat ze in een kooi zat opgesloten.

Klaus liet Wentzlers advies op zich inwerken, en ik zag de overtuiging in zijn ogen groeien. 'Jongens,' zei hij uiteindelijk, 'jullie moeten misschien even helpen.' Hij wendde zich tot moeder. 'Helga, jij gaat nu met mij mee naar de rivier voor een verfrissend bad, waar je hard aan toe bent. Dit is geen verzoek maar een bevel, in het belang van jouzelf en ons allemaal. Hoor je me?'

Ze knipperde niet eens met haar ogen. Klaus slaakte een zucht en zei: 'Tja, dan zal ik je moeten dwingen, voor je eigen bestwil. Verzet je maar niet, want het zál gebeuren. En je wilt zelf toch ook geen scène, hier voor al die mensen die je zo veracht? Sta op en kom met me mee, Helga. Gedraag je met waardigheid.'

Ze bleef in het niets zitten staren. 'Zoals je wilt,' zei Klaus, en hij tilde haar in één vloeiende beweging uit de hangmat. Ze hing als een levensgrote ledenpop in zijn armen, bood geen verzet, maar werkte ook niet mee. Hij liep naar het gat in de wand van de sjabono, en ik holde voor hem uit om de doornstruik weg te trekken, gevolgd door Zeppi en Wentzler.

Klaus droeg haar in zijn armen naar de rivier. Er liep een horde Jajomi achter ons aan. Volgens mij waren ze niet zozeer nieuwsgierig naar hoe moeder er naakt uitzag, maar wilden ze met eigen ogen zien dat ze eindelijk een bad nam. Zelf verlangde ik er wel naar om haar zonder kleren te zien. Niet omdat ik perverse gevoelens voor haar koesterde, maar gewoon omdat ik ieder ander al naakt had gezien. Het was nu haar beurt.

Ik hoopte dat een bad haar zoveel goed zou doen dat ze weer zichzelf werd. Het leek me een gunstig teken dat ze niet tegenspartelde – diep vanbinnen wist ze zelf waarschijnlijk ook wel dat het tijd was om haar valse schaamte op te geven. Klaus was weer helemaal terug in mijn achting. Hij deed wat gedaan moest worden, en hij leek wel een filmheld zoals hij met haar in zijn armen liep.

Op de oever aangekomen zette hij haar niet neer, maar liep gewoon door, de rivier in. Pas toen het water tot aan zijn middel stond, liet hij haar zakken. De koelte leek haar uit haar verdwazing te halen, want ze sloeg haar armen om zijn nek. En zo bleef ze voor hem staan, alsof ze hem omhelsde, terwijl hij de knoopjes aan de voorkant van haar jurk openmaakte. De Jajomi stonden samengedromd op de oever, keken sprakeloos toe terwijl Klaus de jurk over haar schouders trok en weg liet drijven op de stroming. Hij maakte haar bustehouder los, die niet wit meer was maar vuilgrijs, en bukte zich om onder water haar onderbroek uit te trekken.

Toen ook haar ondergoed wegdreef, trok Klaus zijn eigen korte broek uit, hief hem als een trofee in de lucht en zwiepte hem zo ver weg als hij kon. Ik was blij dat ik alle kleren stroomafwaarts zag drijven. Als de Jajomi ze te pakken hadden gekregen, zouden ze zich er alleen maar belachelijk mee hebben gemaakt, zoals Kwaitsa met mijn onderbroek. Het was beter als ze zichzelf bleven, naakt met hooguit wat oorversieringen en zwarte en rode verf. Zo hoorden ze eruit te zien, en nu moeder eindelijk ook naakt was, konden we ons aan hen aanpassen. Voor zolang als dat nodig was.

Klaus liet zich onder water zakken en dook weer op met kletsnatte haren, waarna hij moeder aanspoorde hetzelfde te doen. Haar mooie blonde haar zag er ondertussen uit als stro en het kon niet anders of haar hoofdhuid jeukte doorlopend. Met enige aandrang van Klaus verdween ze helemaal onder water, kwam omhoog, en ging weer onder, tot viermaal toe. Toen bleef ze hijgend staan, met haar haar als een gordijn voor haar gezicht. Ze streek het met twee handen uit haar ogen en ik zag voor het eerst sinds mijn dagen als zuigeling haar borsten. Ze waren verrassend mooi, met grote lichtbruine tepelhoven, heel anders dan de donkere tepels van de indianenvrouwen. Naast me hoorde ik Wentzler zijn adem inzuigen.

Klaus leidde haar weer naar het droge. Toen het water tot onder haar navel zakte, aarzelde ze even, maar liep toch verder en een paar tellen later zagen we haar hele lichaam. Ik had niet verwacht dat ze zo'n grote bos schaamhaar zou hebben. Het was een fractie donkerder dan haar hoofdhaar, net als bij Klaus. Ze waren net broer en zus zoals ze het droge op kwamen lopen. De Jajomimannen begonnen druk te fluisteren en maakten opgetogen geluidjes die me met trots vervulden – ze vonden mijn moeder blijkbaar een mooie vrouw.

Ik vroeg: 'Wat zeggen ze, Herr Wentzler?'

'Ik weet niet of je dat wel weten wilt.'

'Het zijn toch onschuldige natuurmensen? Toe, vertel het me.'

'Vooruit dan maar. Ze zijn, eh... zeer onder de indruk van je moeders schaamhaar.'

'Werkelijk?' Maar ik had het kunnen weten. De Jajomivrouwen waren daar zo goed als haarloos, en die bos van moeder overtrof vrijwel alles wat ik in vieze boekjes had gezien. 'Laat ik je dan ook maar uitleggen wat dit betekent,' zei Wentzler. 'Voor Jajomi is vrouwelijk schaamhaar een teken van sterke geslachtsdrift. Ze kennen tal van scabreuze verhalen over bronstige oerwouddieren die een mensengestalte aannemen, en de vrouwen in die verhalen hebben altijd overvloedig schaamhaar. Ik ben dan ook bang dat dit tot problemen gaat leiden.'

'Waarom? Het versterkt toch hun idee dat wij dolfijnen zijn? U was bang dat ze moeder misschien als een gewoon mens gingen beschouwen, en die kans wordt hierdoor weer kleiner.'

'Je moet weten, Erich, dat het de mannen zijn die elkaar deze verhalen vertellen, en dat doen ze vooral om elkaar op te winden. Die in vrouwen veranderde dieren hebben een... onbeteugelbare wellust. De Jajomi zullen nu verwachten, of op zijn minst fantaseren, dat je moeder er geen genoeg van kan krijgen en dat niets haar te dol is. Vandaar mijn vrees. Ze zijn er gelukkig van doordrongen dat je moeder een man heeft. De harige vrouwen in de verhalen zijn meestal alleen. Maar... er zijn ook verhalen waarin de man van zo'n dier-vrouw wordt gedood, zodat de Jajomi haar met zijn allen kunnen... Tja, je begrijpt me waarschijnlijk wel.'

'Waarom vertellen ze elkaar zulke viezigheid?'

'Waarom geven blanken hun geld uit aan pornografie, en aan bordeelbezoek? Dit is kennelijk iets wat alle mannen, waar ook ter wereld, gemeen hebben. Het is spijtig dat ze geen nobeler eigenschappen delen, maar het is niet anders.'

Moeder en Klaus baanden zich een weg door de toegestroomde menigte en liepen terug naar de sjabono. Het water glom nog op hun huid, als waren het echte witte dolfijnen.

'Ik besef dat dit uiterst delicaat is, Erich, maar ik moet je iets vragen waar je eigenlijk nog te jong voor bent.'

'Zeg het maar.'

'Je moet je vader en moeder ertoe aanzetten om... de liefde te bedrijven. En wel zo vaak mogelijk. En ze moeten ervoor zorgen dat de Jajomi het merken. Ze zouden zich 's ochtends vroeg op enige afstand van de sjabono in de jungle moeten terugtrekken, zoals de Jajomi dat zelf ook doen. Dit is heel belangrijk, Erich. Als de mannen het vermoeden krijgen dat je moeder in seksueel opzicht wordt verwaarloosd, dan zullen ze niet aarzelen om je vader terzijde te schuiven en zijn huwelijkse plichten op zich te nemen. Met enige schroom wellicht, omdat ze niet precies weten hoe het moet met een dolfijn, maar nu ze haar schaamhaar hebben gezien, staan ze te popelen, neem dat van mij aan.'

'Misschien kunt u hun dit beter zeggen, Herr Professor. U bent de expert.'

'Nee, beste jongen. Het zal je niet ontgaan zijn dat Frau Brandt me niet mag. Al wat ik opper, zal ze negeren of verwerpen.'

'Praat dan onder vier ogen met Klaus. Van u zal hij het sneller aannemen dan van mij, want wat weet ik nu van dit soort dingen?'

'Zeg hem maar dat ik je geïnformeerd heb.'

'Als het echt zo belangrijk is, denk ik dat u het hem veel beter zelf kunt zeggen.'

Hij zweeg om me duidelijk te maken dat aandringen geen zin had. Op Zeppi en ons beiden na was iedereen moeder en Klaus naar de sjabono gevolgd. 'Enfin,' zei Wentzler met een dromerige blik. 'Dit is een ongehoord heftige dag voor hen geweest. Voor de

Jajomi, bedoel ik. Eerst verbluft onze Zeppi hen met zijn unieke gestalte, en dan verandert je moeder in luttele minuten van steen des aanstoots in een sekssymbool zonder weerga. Volgens hun bizarre normen, haast ik me toe te voegen. Toen ze haar uit de rivier zagen komen, moeten ze zich gevoeld hebben zoals Duitsers zich zouden voelen als ze opeens hun favoriete filmster zagen, een Hedy Lamarr of zo, met een wulpse fonkeling in haar ogen.'

Wat een ironie. Door te doen wat iedereen wilde had moeder zichzelf in groot gevaar gebracht, en dat alleen maar omdat ze zo'n grote bos schaamhaar had. Ergens had het iets lachwekkends, maar ik voelde me allesbehalve vrolijk.

ZES

Na het afleggen van onze kleren kwam er een verandering over ieder van ons. Ik was als eerste naakt gaan lopen en moeder als allerlaatste, dus was het logisch dat ik eerder gewend was dan de rest en dat moeder zich er pas als laatste mee zou verzoenen, ook al omdat het in haar geval geen vrijwillige stap was geweest. Maar ze deed er wel érg lang over. Na een week voelde ze zich nog steeds niet op haar gemak zonder haar Europese bedekking. Ze maakte intussen wel gebruik van de boom in de rivier, en ook baden deed ze elke dag, maar dat alles alleen als Klaus met haar meeging.

Zeppi was er misschien nog wel het meest bij gebaat, juist door zijn vreemde lichaamsbouw. De Jajomi vonden hem fascinerend, en wel zozeer dat ze hem overal volgden en onophoudelijk aan zijn tietjes wilden zitten. Eerst vond hij dat verschrikkelijk, maar het wende, zeker toen hij doorkreeg dat de nieuwsgierigheid alleen maar uit bewondering voortkwam. Iemand gaf hem zelfs een aapje als zijn persoonlijke huisdier. Hij noemde het Mitzi.

Nu moeder zich eindelijk normaal gedroeg, kon ik me op mijn eigen behoeften richten. Aan zoekvliegtuigen en reddingsploegen dacht ik allang niet meer, ook al omdat de hemel al die tijd leeg was gebleven, en ik vroeg me niet eens meer af wanneer we weg zouden gaan van deze plek bij de rivier die de Jajomi als de hunne beschouwden. Het had geen enkele zin om daarover te piekeren. Na het uittrekken van mijn kleren was dat inzicht de tweede stap in mijn aanpassing, die me bevrijdde van alle spanning en onrust, zodat ik vrijelijk aan andere zaken kon denken. Zoals Awomé.

Het moest haar toch wel duidelijk zijn dat ik iets voor haar voelde, al was het maar omdat ik haar dat groene lint had gegeven, dat ze nog steeds om haar slanke middel droeg en waarvan ze de uiteinden over haar verrukkelijke achterste liet hangen. In het begin had ik alleen oog gehad voor haar tieten, maar nu het lint haar als het ware in tweeën verdeelde, trok de onderste helft steeds meer mijn aandacht. Ze sliep in een hangmat die krap twee meter van de mijne hing – een kwelling, elke nacht weer.

Maar hoe moest het verder? Binnen de sjabono kenden de Jajomi geen enkele privacy, dus moesten ze de jungle in als ze het met elkaar wilden doen. Doorgaans vroeg in de ochtend, zoals Wentzler me verteld had en ik zelf ook had gezien. Moest ik Awomé ook maar eens naar buiten volgen terwijl in de sjabono de ochtendvuurtjes werden aangelegd? Moest ik haar gewoon maar eens achternagaan als er nog nevelflarden van de koele nachtlucht in de vegetatie hingen?

Op een ochtend waagde ik het erop, maar deed er veel te lang over. Toen ik haar zag, was ze alweer op de terugweg van de toiletboom in de rivier. Er was niemand anders in de buurt, dus bleef ik aan de kant van het pad staan, in de hoop dat ze halt zou houden voor een praatje. Ik sprak weliswaar geen woord Jajomi, maar iedereen weet dat de taal der liefde universeel is. Ik had al wat zinnetjes ingestudeerd die ik uit films kende ('Liefje, wat ben je toch mooi, mijn hart klopt alleen voor jou' – dat soort onzin), zodat ik daar niet als een halvegare met mijn mond vol tanden zou staan. En daar kwam ze. Haar borsten deinden zachtjes, haar dijen wreven langs elkaar onder haar bijna onzichtbare spleetje, en nu wilde ik haar meer dan ooit, zo erg dat het pijn deed.

Met elke stap die ze deed vervaagden mijn zinnetjes, alles maakte plaats voor het beeld van haar en mij, verstrengeld in het struikgewas. En verdomd, ze bleef staan! Maar haar ogen zochten niet de mijne, zoals ik had gehoopt. In plaats daarvan keek ze naar mijn kruis, en toen ik haar blik volgde, zag ik mijn pik omhoog staan als een seinpaal. Ze mompelde iets, begon hartelijk te lachen en liep weer door, en ik stond alsnog voor gek. Alle moeite voor niks, al hoefde ik niet meer te twijfelen of mijn gevoelens haar wel duidelijk waren.

Hoe pakten de Jajomi het aan als ze een vrouw wilden veroveren? Ik besloot het onze deskundige landgenoot te gaan vragen.

'Herr Wentzler, ik heb een vraag.'

Hij lag met geloken ogen in zijn hangmat, zwetend in de middaghitte.

'Laat horen, Erich.'

'Hoe krijgen de mannen hier... op wat voor manier kom je hier als man, eh... u begrijpt me wel.'

'Ik begrijp je allerminst. Wees eens wat duidelijker.'

'Hoe kom ik aan een... meisje?'

'Door het eerstvolgende vliegtuig naar Caracas te nemen. Ik heb me laten vertellen dat de meisjes daar uiterst gewillig zijn, met name die uit de lagere standen.'

'Heel grappig, professor, maar ik bedoel hier bij de Jajomi. Hoe moet je het aanpakken als je de taal niet spreekt?'

Zijn hoofd rolde opzij en hij keek me landerig aan. 'De taalbarrière is wel je minste zorg, jongeman. Ik bespeur een typisch Europese misvatting bij je. Je lijkt te denken dat de naaktheid van deze mensen op een losse moraal wijst, op de neiging om naar hartenlust en met wie dan ook gemeenschap te hebben, overal en op elke denkbare wijze, zonder oog voor de gevolgen. Maar de Jajomi zijn zeker niet promiscuër dan de Europeanen. Hun seksleven wordt onverbiddelijk bepaald door hun sociale status, die op zijn beurt afhangt van hun familierelaties. Met wie je het als meisje doet, hangt af van wie je vader is en wie je broers zijn. Ben je werkelijk op vrouwengezelschap uit?'

'Ja.'

'Dan raad ik je aan om veelvuldig met Frau Hand en haar vijf dochters te verkeren.'

'Alweer heel grappig, professor. Maar ik had eigenlijk iemand anders op het oog.' Het leek me waarschijnlijk dat Wentzler zelf al elf jaar lang van Frau Hand afhankelijk was. Maar ik was twintig jaar jonger dan hij en zag er een stuk beter uit. Wat goed genoeg voor hem was, volstond zeker niet voor mij. 'Er is hier één bepaald meisje van wie ik zeker weet dat ze me aardig vindt, professor. Ze glimlacht altijd naar me en heeft zelfs een geschenk van me aangenomen. Maar ik heb de indruk dat ze ergens op wacht, dat ik een of ander formeel gebaar hoor te maken. Heeft u enig idee wat dat zou kunnen zijn?'

'Luister goed, Erich, dan doe ik een poging om je tegen jezelf in bescherming te nemen. Alle meisjes en jonge vrouwen zijn hier beschermelingen van hun vader, ooms en broers. Ze zullen best wel eens verkikkerd raken op een jongen, maar daar duiken ze dan niet meteen de bosjes mee in, althans niet als ze weten wat goed voor hen is.'

'Waarom niet?'

'Omdat hun toekomst als wederhelft allang is vastgelegd. Soms al jaren van tevoren. Mannen onderhandelen met andere mannen over het recht op samenleving, huwelijk zo je wilt, met de jongedame van hun dromen. In sporadische gevallen zal de jongedame in kwestie ook haar mening mogen geven, maar als haar beschermers vinden dat er sprake is van een goede partij, zullen ze haar wensen achteloos terzijde schuiven.'

'Hoe kan hij nu een goede partij zijn als ze niet van hem houdt?'

'Een goede partij voor de familie, Erich. En wat goed is voor de familie is goed voor de stam, en weegt dus heel wat zwaarder dan wat zij misschien aan romantische gevoelens heeft. De voorkeur van een meisje zal soms ook worden meegewogen, maar dan en slechts dan als die voorkeur niet strijdig is met het belang van de Jajomi als geheel. Kan de aspirant-echtgenoot goed jagen en zal hij zijn schoonfamilie rijkelijk van vis en apenvlees voorzien? Is hij een goed krijger die de familie en de sjabono als geheel tegen aanvallers kan beschermen? Is hij plezierig gezelschap rond het kookvuur? Vertelt hij grappige verhalen en zal hij goed met zijn schoonvader en zwagers overweg kunnen? Is hij, kortom, een aanwinst?'

Hij moest ondertussen mijn ontgoocheling hebben gezien,

maar dat weerhield hem er niet van verder te praten. 'Dit alles in overweging nemende, mag je ervan uitgaan dat jij hooguit kans maakt bij een afgeleefde weduwe wier familie zich allang heeft afgesplitst om elders een nieuwe sjabono te beginnen. Een oud mormel voor wie toch geen belangstelling meer is, daar zou jij je misschien op kunnen richten. Tja, je kijkt me onthutst aan, maar geloof me, zo is het leven hier ingericht. Jeugdliefdes spelen geen rol. Meisjes worden soms al als zuigeling toegezegd aan een man bij wie de familie om de een of andere reden in het krijt staat. Als jonge vrouw wordt ze dan de bruid van iemand die haar vader of grootvader had kunnen zijn. Hoogst onromantisch, maar zo gaat het hier.'

'Maar nu heeft u het dus over huwelijken, begrijp ik.'

'Ah, wacht even, het is jou alleen maar om een potje van dattum te doen?'

'Nou, eh, nee... wel meer dan dat.'

'Meer dan dat wil zeggen een huwelijk, Erich. En jij bent volmaakt ongeschikt om binnen deze stam een huwelijk aan te gaan. Dat zegt uiteraard niets over jou als persoon, dus ik hoop dat je het je niet aantrekt.'

'Natuurlijk niet.'

'Kijk, je weet niet hoe je een pijl en boog of zabatana moet gebruiken, en als krijger ben je, laten we zeggen... nog nooit op de proef gesteld.'

'Niet weten hoe ik een wát moet gebruiken?'

'Een zabatana, een blaaspijp. Tot welke familie je ook toe zou treden, je zou hen uitsluitend tot last zijn.'

'Maar ik zei u al dat het me niet om een huwelijk gaat.'

'En ik heb je al uitgelegd dat het daar toch op neer zou komen.'

Ik kon het gewoon niet geloven en besloot dat hij het allemaal uit afgunst zei. Hij was gewoon jaloers omdat ik nog jong was en omdat Awomé op me viel. Dat zou hij hier zelf wel nooit hebben meegemaakt, die vogelverschrikker.

'Herr Professor?'

'Ja?'

'Zou u haar broer kunnen vragen of hij me met pijl en boog en met de zabatana wil leren schieten?'

'Haar broer? Over welke "haar" hebben we het, Erich?'

'Awomé. Haar broer is Kwaitsa, die mijn onderbroek als hoofdversiering gebruikt.'

'Begrijp ik nu dat je alsnog je kansen als huwelijkskandidaat wilt vergroten?'

'Nee, ik wil gewoon leren jagen. Lijkt me leuk, en zo draag ik gelijk wat bij aan de voedselvoorraad.'

'Waarom zou je? Dat heb ik ook nog nooit gedaan, hoor.'

Ik wilde niet vragen waarom niet, omdat hij dat als een verwijt kon opvatten, maar wat ik niet kon bedwingen was: 'Dan moeten ze u wel heel erg aardig vinden.'

'Ik geef ze verhalen, Erich. Dáár houden ze van. Ik heb ze alle sprookjes van Hans Christian Andersen en de gebroeders Grimm verteld, sommige al tientallen malen. Hans en Grietje, Roodkapje, het Lelijke Eendje, ze kunnen er geen genoeg van krijgen.'

'Nou, zie je wel, dat geeft ú ze in ruil voor hun gastvrijheid. Wij geven ze niks, en het zal ze uiteindelijk gaan vervelen om een stel dolfijnen te gast te hebben die alleen hun eten maar opeten en niks teruggeven.'

Hij knikte, ten teken dat ik een punt had, maar zei: 'Er is gewoon geen aanleiding om als dolfijn met ze op jacht te gaan. Jullie zijn bovennatuurlijke wezens. Ze vinden het normaal om jullie te moeten verzorgen.'

'Maar ik verveel me. En wat gebeurt er als ze ons op een dag niet meer als dolfijnen zien? Dan zijn we alleen nog maar uitvreters en is het gedaan met de gastvrijheid. Nee, we kunnen maar beter leren hoe we een tegenprestatie kunnen leveren.'

Hij overdacht het even in stilte.

'Ga hem maar halen dan,' zei hij ten slotte.

Kwaitsa lag te slapen in zijn hangmat en ik schudde hem wakker. Het leek hem niet te deren dat ik zijn siësta verstoorde, en hij begreep dat ik hem mee wilde hebben. We liepen naar Wentzlers hangmat, en na enig heen en weer gepraat zei Wentzler: 'Hij is akkoord. Ga maar met hem mee, maar pas goed op voor de pijlpunten. Die zijn in curare gedoopt, het kleinste krasje en je sterft een gruwelijke dood.'

'Dank u zeer, Herr Wentzler.'

'Ik ben verzot op aap. Schiet maar een jonkie voor me, die zijn heerlijk mals en sappig.'

'Doe ik.'

Hij lachte alsof ik iets kostelijks had gezegd.

Een tocht door het oerwoud met Kwaitsa bleek een stille aangelegenheid. Toen we ons in het donker onder de bomen begaven, zette hij zijn wijsvinger tegen zijn lippen en deed 'ssst', zoals een Europeaan dat ook zou hebben gedaan. We trokken steeds verder het duister in, Kwaitsa voorop. Zo nu en dan keek hij over zijn schouder en wierp dan een nijdige blik op mijn sandalen, die kennelijk een lawaai maakten dat mij niet opviel. Als ik een echte jager wilde worden, moest ik nu eindelijk eens mijn voetzolen gaan harden.

Kwaitsa bewoog zich volmaakt geruisloos. Al wat ik hoorde was het gekrijs van vogels en het zoemen van miljoenen insecten. Hij droeg een boog, pijlen en een blaaspijp, maar raakte er nooit mee verstrikt in de takken boven hem. Na een tijdje werden de bomen steeds rechter en hoger, en het struikgewas steeds dunner.

Dieper en dieper drongen we in de jungle door, steeds verder bij de rivier vandaan, en de lucht onder het bladerdak werd dik en vochtig. Op een kleine open plek bleef hij opeens staan, legde zijn boog en pijlen neer en pakte een aantal blaaspijltjes uit de koker die hij aan een koord om zijn nek droeg. Sommige pijltjes waren schoon, maar bij andere was de punt in een zwarte substantie gedrenkt. Hij stopte een niet-giftig pijltje in zijn blaaspijp, die wel drie meter lang was en volmaakt recht. Aan het achtereind van het pijltje was een soort vogeldons bevestigd, waardoor het precies in de pijp paste. Kwaitsa zette het lange ding aan zijn lippen, mikte op een punt ergens aan de overkant van de open plek, zoog zijn longen vol lucht en blies. Het pijltje vloog er zo snel uit dat ik het niet eens zag, en hij moest naar de overkant lopen om het me aan te wijzen. Het stak in een mij onbekende, bruingele vrucht die aan een tak hing. Hij trok het eruit, kwam weer terug en reikte mij de zabatana en het pijltje aan.

Ik laadde het pijltje zoals ik hem had zien doen, tilde de blaaspijp op en mikte op dezelfde vrucht. De zabatana was veel zwaarder dan ik verwacht had, en het kostte me grote moeite om het uiteinde stil te houden. Toen ik eindelijk gericht had, ademde ik diep in en blies. En waar het pijltje ook terechtkwam, in de vrucht zag ik het niet terug. Kwaitsa hield zijn hand tegen zijn mond en lachte geluidloos, maar met grote vrolijkheid. Hij liep naar de plek waar hij het pijltje met zijn geoefende ogen had zien neerkomen – in een boomstam, schuin boven de vrucht op ruim een meter afstand. Ik voelde mijn wangen gloeien. Leren schieten zou een stuk lastiger worden dan ik had gedacht.

Ik mocht het nog een keer of tien overdoen, en bij de voorlaatste en laatste keer wist ik warempel de vrucht te raken, zij het niet zo mooi in het midden als Kwaitsa. Ik had onderhand door waar hem de kneep zat – je moest er rekening mee houden dat de baan van het pijltje een hoek maakte met je zichtlijn naar het doel. Als je dat verschil kon corrigeren, was je al een eind op de goede weg. Toen Kwaitsa begreep dat ik het door begon te krijgen, stopte hij het pijltje weer in zijn koker en trokken we verder.

Een halfuur later gebaarde hij dat ik doodstil moest zijn. Hij nam een van de giftige pijltjes en stopte het in zijn zabatana. O zo langzaam hief hij de pijp op, tot die bijna loodrecht omhoog naar het bladerdak wees. Ik kon niet zien waar hij op mikte, nam aan dat het een vogel met perfecte schutkleuren was, of een andere boombewoner. Ik hoorde het *pfffft* van de pijp, maar had geen idee waar het pijltje heen vloog. Kwaitsa kreeg een grijns op zijn gezicht en bleef zwijgend omhoogkijken, alsof hij het pijltje nog steeds volgde op zijn baan naar het onzichtbare doel. Maar hij moest hebben gemist, want er verstreek ruim een minuut en er gebeurde helemaal niets. Geen enkel geluid ook. Alleen Kwaitsa die omhoog bleef staan turen.

En toen pas viel de aap. Ik hoorde hem tussen de takken door bonken, stapte net op tijd naar achteren en daar plofte hij voor me neer, een behoorlijk exemplaar van bijna een meter lengte, met een wollige vacht. Zijn mond bewoog nog, maar voor de rest was hij al verlamd. Zijn oogjes zakten langzaam dicht, en het leven was geweken. Het pijltje stak precies tussen zijn schouderbladen, waar hij het niet weg had kunnen trekken, al zou dat hem weinig hebben gebaat, want de curare zat al in zijn bloedstroom. Kwaitsa verwijderde het pijltje, stak het weer in zijn koker en wierp de aap over zijn schouder. Zonder een woord te zeggen liep hij verder.

Ik had geen idee meer waar we ons bevonden. De vegetatie leek overal hetzelfde, maar Kwaitsa bleef me zonder aarzeling voorgaan, en opeens waren we terug bij de rivier, al was de sjabono nergens te bekennen. Hij legde de aap neer, en de zabatana waarmee hij het beest gedood had, pakte zijn boog en zette er een pijl op. Deze pijl was anders dan de andere drie – hij had geen enkelvoudige punt, maar was opengespleten in een stuk of vijf uiteenwijkende punten, als tanden van een vork. Kwaitsa waadde er de rivier mee in, tuurde omzichtig in het water, mikte, en schoot.

De pijl kwam direct weer bovendrijven, met een vis aan zijn tanden, die hij van de pijl trok en naar mij gooide. Ik ving hem op en legde hem naast de aap neer, waar hij nog even met zijn staart flapte en stil bleef liggen. Toen ik me oprichtte, zag ik Kwaitsa alweer een nieuw schot lossen. Zo ging het door tot we vier vissen hadden. De laatste was een stuk groter dan de voorgaande drie en bleef spartelen toen ik hem bij de rest van de buit had gelegd.

Kwaitsa leek tevreden met de vangst en wenkte me naar zich toe. Hij zette de getande pijl weer op zijn boog en hield die voor me op. Ik nam hem over en wachtte op een vis die dicht genoeg in de buurt zou komen om een schot te wagen. Het duurde niet lang of ik zag een zilvergrijze, net als de eerste drie, spande de boog en liet de pijl los, die tot mijn verrassing van baan veranderde zodra hij het water raakte. Hij ging ruimschoots over de vis heen, die kalm verder zwom. Ik keek hem onthutst na, maar herinnerde me de natuurkundeles van Herr Loche op school, over de breking van lichtstralen in water. Met dat gegeven in gedachten probeerde ik het nog eens, rekening houdend met de brekingshoek. Het kwam op eenzelfde soort correctie aan als met de zabatana. Ik kwam tweemaal dicht bij een vis in de buurt, maar raakte er geen. Mijn gepruts ging Kwaitsa vervelen en hij nam me de pijl en boog af.

Ondertussen moest het al laat in de middag zijn, maar de zon stond nog hoog genoeg om schaduwen aan onze voeten te werpen en Kwaitsa wilde zich verkoelen. Hij wierp zich met een grote plons voorover de rivier in, en ik volgde zijn voorbeeld. Het water was heerlijk en we begonnen met elkaar te dollen, spatten elkaar nat en gingen een speelse worsteling aan om elkaar onder water te duwen. Kwaitsa was verbluffend sterk voor iemand die zo mager was, en hij won telkens weer, tot ik mijn toevlucht nam tot het trucje dat ik ook had uitgehaald bij de man die mijn korte broek wilde. Ik nam hem te grazen met een simpele beenworp, en om zijn ergernis te verhullen waadde hij dieper het water in en begon er joelend op en neer te springen.

Ik moest ondertussen nodig piesen en richtte een ferme straal op het water rond mijn knieën. 'Als ik ze dan niet schieten kan, vergiftig ik ze wel!' riep ik naar Kwaitsa. 'Dan komen ze vanzelf wel bovendrijven!'

Toen hij zag wat ik deed, kwam hij onmiddellijk naar me toe, schreeuwend en met zijn armen zwaaiend. Ik vroeg me af wat die opwinding te betekenen had, maar bleef doorklateren. Alleen dat geluid al luchtte heerlijk op. Toen hij me bereikte, begon hij met zijn beide handen als een razende door mijn straal te slaan! Wat was dát voor raar spelletje? Of was het soms verboden om in de rivier te piesen? En waarom dan, als ze er wel in poepten? Hoe dan ook, afknijpen heb ik nooit gekund, dus ik liet mezelf helemaal leeglopen.

Na de laatste druppel hield Kwaitsa pas op met schreeuwen,

maar zijn gezicht bleef boos. Hij liep het droge op, raapte zijn wapens bijeen en wees gebiedend op de aap en de vissen. Die moest ik kennelijk dragen. Het leek me geen onredelijke verdeling, dus volgde ik hem zwaarbeladen de jungle in.

De schaduwen lengden al toen we de sjabono bereikten. Zodra we het gat door waren, stak Kwaitsa zijn borst vooruit en liep pralend en pocherig verder, met mij als zijn knecht achter zich aan. Ik kwakte alles neer bij het vuur van Noroni's familie en liep meteen door naar moeder. Het deed me deugd dat Zeppi nu eens niet aan haar voeten zat. Hij werd eindelijk zelfstandiger.

'Wat heb je de hele dag gedaan, Erich?'

'Op jacht geweest met Kwaitsa. Eén aap en vier vissen.'

'Heb jij die gevangen?'

'Nee, hij. Hij leert me met pijl en boog en met de blaaspijp schieten.'

'Heb je Zeppi ergens gezien?'

'Nee.'

Sinds een tijdje keken we elkaar strak in de ogen als we met elkaar spraken. Een gewoonte waarmee moeder was begonnen en die ik meteen van haar had overgenomen, in het besef dat ik haar er een groot plezier mee deed. Zo kon ze het feit vergeten dat we beiden naakt waren, iets wat thuis in Duitsland ondenkbaar was geweest.

'Hij is al uren weg. En Klaus, heb je Klaus gezien? Jullie laten me allemaal zomaar aan mijn lot over, de hele dag, zonder dat ik met iemand kan praten.'

'Nou, ik ben hier nu. Zal ik vertellen wat ik allemaal met Kwaitsa heb beleefd?'

Ze stak afwerend een hand op, die met de trouwring. 'Wat kan mij dat indianengedoe schelen. Ga liever Zeppi voor me zoeken, en Klaus, zoek Klaus en zeg dat hij me dit niet meer aan moet doen. Urenlang helemaal in mijn eentje, heb je enig idee hoe slopend dat is, Erich?'

'Nee, moeder.'

'Het moet echt ophouden. Van nu af wil ik minstens één van jullie om me heen hebben. Ik wil hier niet meer verkommeren terwijl jullie je gang maar gaan. Jullie mijden me gewoon, en dat verdien ik niet!'

'Goed, moeder, ik zal ze meteen gaan zoeken.'

'Nee, Erich... Erich! Kom terug!'

Ik deed alsof ik haar niet hoorde en liep door naar het gat, trok de doornstruik weg en stapte naar buiten. Na een poosje zag ik Zeppi met zijn aapje in het gras zitten. Hij voerde het stukjes banaan en drukte het als een baby tegen zijn tietjes. Het zou me niet verbaasd hebben als het was gaan zuigen. 'Zeppi, heb jij Klaus gezien?'

'Die zit daar.' Hij knikte in de richting van de bananentuin.

Ik zei: 'Moeder is van streek omdat er niemand bij haar blijft.'

'Maar ze zit daar ook alleen maar,' zei Zeppi. 'Ze praat de hele tijd over vroeger, over toen we nog klein waren. En als ik dan zeg dat ik het me niet herinner, wordt ze boos en zegt ze dat ik jok, dat ik dat zeg om haar te pesten. Waarom zegt ze dat tegen me? Waarom dóét ze niet eens wat?'

Ik had geen antwoord voor hem.

'Hoe gaat het met Mitzi? Heb je haar al kunstjes geleerd?'

'Nee, ze wil alleen maar spelen en eten.'

'Ga maar niet alleen terug naar de sjabono. Moeder heeft een vreselijke bui.'

'Die heeft ze aldoor!' Zijn haar moest zo langzamerhand nodig geknipt worden. Hij leek nu eerder een meisje dan een jongen. Het was niet eens meer half-om-half. Over een maand of wat zou hij voor twee derde een meisje zijn. Maar dat zei ik maar niet tegen hem.

Ik liep naar de bananenbomen. De Jajomivrouwen die er stonden te plukken, keken niet op of om toen ik langsliep – een bewijs dat we meer en meer bij het huishouden van de stam begonnen te horen. Zeppi was nog steeds een bezienswaardigheid met zijn tietjes, maar de rest van ons trok nog maar nauwelijks de aandacht. Ik had op mijn beurt ook geen aandacht voor de vrouwen, omdat ik Awomé niet tussen hen zag. Klaus zag ik ook niet, maar Zeppi had wel in deze richting geknikt, dus liep ik verder.

Ik vond hem een paar minuten later, druk in gesprek met de professor. Ze zaten op hun hurken, als een paar grote naakte apen, zo dicht opeen dat het leek alsof ze elkaar vlooiden. Klaus, die zich al die tijd niet had kunnen scheren, had inmiddels een zware stoppelbaard. Ik vroeg me af of moeder het niet vond schuren als hij haar zoende, en realiseerde me vervolgens dat ik ze niet meer had zien zoenen sinds de huwelijksinzegening. Die borstelige stoppels gaven Klaus iets van een piraat. Toen ze me zagen naderen, hielden ze op met praten.

'Moeder vraagt zich af waar je bent,' zei ik tegen Klaus.

'Moest je me van haar opsporen?'

'Ja.'

'En, wat heb jij vandaag gedaan?'

'Die vraag kan ík beantwoorden,' zei Wentzler gnuivend. 'Hij is op jacht geweest.'

Klaus trok zijn wenkbrauwen op. 'Werkelijk? En heb je iets gevangen?'

'Nee, maar Kwaitsa wel. U krijgt vanavond een apenboutje, professor, lekker jong en mals.'

'Uitstekend!'

'En vis. Eén grote en drie kleintjes.' En daardoor schoot me iets te binnen. 'Herr Wentzler, is het tegen de Jajomiwet om in de rivier te piesen? Dat deed ik vanmiddag en Kwaitsa raakte in alle staten. Hij probeerde me te laten stoppen.'

Hij keek me fronsend aan. 'Heb je in de rivier gepiest?'

'Ja, waarom niet? Iedereen poept er toch ook in? En het was ver van de sjabono, hoor.'

'Nee, nee, dat heeft er niets mee te maken. Heb je wel eens van candiru's gehoord?'

'Nee, wat zijn dat?'

'De candiru is een piepklein lid van de meervalfamilie. Het tandenstokervisje wordt hij ook wel genoemd, zo dun en klein is hij. Candiru's leven in de kieuwholten en cloaca's van grotere vissen.'

'Wat is een cloaca?'

'De holte in een vissenbuik waarin de uitscheidingsstoffen terechtkomen alvorens ze weglekken in het water. De candiru wordt aangetrokken door de geur van urinezuur. Als je onder het zwemmen je plas laat lopen en er zijn candiru's in de buurt, dan zullen ze je urinestroom in zwemmen en die helemaal naar binnen volgen, tot in je pisbuis. Naar verluidt kunnen ze dit kunststukje zelfs uithalen als je van bovenaf op het water piest. Dan zwemt zo'n beestje door de straal naar boven, en eenmaal binnen zet het stekels uit om zich te verankeren, met een verstopte urineweg als gevolg. De pijn schijnt iedere beschrijving te tarten, en daar komt de uremische vergiftiging nog bovenop, doordat de blaas is geblokkeerd. Zonder ingrijpen leidt die langzaam maar onherroepelijk tot de dood. De enige remedie schijnt het amputeren van de penis te zijn.'

'Au,' zei Klaus met een gepijnigde uitdrukking. 'Voel je al iets tintelen, Erich?'

'Nee...' zei ik ademloos. 'Kunnen ze dat écht, professor?'

Wentzler haalde zijn schouders op. Ik ben er nooit getuige van geweest, ken alleen de verhalen erover. Het lijkt me eerlijk gezegd sterk dat ze door een straal omhoog zouden kunnen zwemmen. Dat zou vergelijkbaar zijn met een zalm die tegen de Niagarawaterval opzwemt. Maar plassen terwijl je zwemt, da's natuurlijk wat anders. Ik neem aan dat jij staand een plas deed?' Ik knikte. 'Nou, wees Kwaitsa in elk geval maar dankbaar voor zijn goede zorgen. Hij heeft het beste met je voor, zoveel is zeker.'

Klaus zei: 'Dit had je me wel eens eerder mogen vertellen, Gerhard. Ik pis altíjd onder het zwemmen. Moet ik mezelf nu gelukkig prijzen omdat ik nooit de aandacht van zo'n rotvisje heb getrokken?'

'Tja, om eerlijk te zijn heb ik geen idee of de candiru in deze streek voorkomt. Van de piranha weet ik dat ook niet, dus heb ik je er evenmin voor gewaarschuwd om met een wondje te gaan zwemmen. Zoals je waarschijnlijk wel weet, vallen piranha's alles aan wat naar bloed ruikt. Binnen enkele minuten hebben ze al het vlees van je botten gevreten.'

'Liever dat dan creperen met zo'n mormeltje in je pisbuis. Wat jij, Erich?'

'Wat je zegt.' Ik moest de neiging bedwingen om mijn handen beschermend om mijn piemel te vouwen.

'Zullen we het hem al vertellen?' vroeg Wentzler.

'Ik zou niet weten waarom niet,' zei Klaus.

'Mij iets vertellen? Wat?'

'Hoe we hier gaan vertrekken.' Hij keek geamuseerd naar mijn gelaatsuitdrukking.

'Vertrekken? Naar huis?'

'Naar de Orinoco in ieder geval, en dan zullen we daar wel opgepikt worden.'

'Maar de Orinoco kan toch alleen via het grondgebied van die andere stam worden bereikt?'

'Klopt. De Iriri en Jajomi zijn doodsvijanden, sinds mensenheugenis. En om van hier in het rivierstelsel van de Orinoco te komen, zou je je kano inderdaad over hun grond moeten dragen, waarbij je niet ver zou komen. Ze zijn de bloeddorstigste stam van heel Amazonas en we zouden onmiddellijk worden afgeslacht. Zelfs de Jajomi zijn bang voor hen, al zullen ze dat nooit toegeven.'

'Ik snap het niet. Dan komen we toch nooit in dat andere rivierstelsel?'

'Daar komen we wel, want Moeder Natuur gaat ons een handje helpen.'

Hij glimlachte zijn tanden bloot.

'Wat moet ik me daarbij voorstellen?'

'De regentijd,' zei Wentzler.

'De regentijd?'

'Over iets van een maand gaat die beginnen. Hevige slagregens, zoals je ze nog nooit gezien hebt, elke dag weer en maandenlang. De indianen verfoeien die periode. De grond is één en al modder, de hitte wordt ondraaglijk door de hoge vochtigheid, er komt een veelvoud van insecten en slangen trekken van de grond de bomen in, waar ze heel agressief worden en zomaar bijten als je voorbijloopt. De regentijd is hét bewijs voor de wreedheid van de natuur.'

'Ik kan het nog steeds niet volgen.'

Wentzler pakte een stokje en tekende ermee in het zand. 'Kijk, dit is het rivierstelsel van de Jajomi, en het stelsel van de Iriri loopt hier. Het is maar een ruwe schets, uiteraard. Ik betwijfel of het gebied ooit goed in kaart is gebracht.' Hij prikte op de plaats waar de twee stroomschema's het dichtst bij elkaar lagen. 'Kijk, daar moet de oversteek gemaakt worden.'

'Dus daar zullen we worden afgeslacht,' zei ik, nog steeds vol onbegrip.

'Misschien toch niet, Erich. Want de regentijd volgt een patroon dat ons wel eens goed van pas zou kunnen komen. Elke vijf tot zeven jaar is de regenval nog heviger dan anders. Een ware stortvloed, onophoudelijk, waarbij de grond zo verzadigd raakt dat hij ten slotte geen water meer opneemt. Dus gaan de rivieren overstromen. De hele regio lijkt dan één groot meer, doorspikkeld met boomkruinen en hier en daar een heuveltop. Zelfs de sjabono komt wekenlang blank te staan. Een beroerde tijd voor iedereen, die pas ophoudt als de regen stopt, waarna ze op zoek zullen gaan naar hoger gelegen terrein om daar een nieuwe sjabono op te trekken. Pas als die staat, neemt het leven weer zijn gewone loop.'

'Ter zake, Gerhard,' spoorde Klaus hem aan.

'Je hebt gelijk. Welnu, in die extra natte regentijd zullen de beide rivierstelsels in elkaar overvloeien. Dit stuk grond komt dan onder water te staan, zodat we geen kano hoeven te dragen. We varen doodleuk van het ene stelsel naar het andere, zonder last te hebben van de Iriri, die mistroostig in hun hutten zitten en op drogere tijden wachten. Daarna varen we gewoon stroomafwaarts tot we de Orinoco bereiken.'

'Maar... hoe lang duurt het nog tot die volgende extreme regenperiode?'

Hij veegde zijn tekening uit met het stokje. 'Zoals ik al zei, treedt het fenomeen elke vijf tot zeven jaar op. En het is nu zeven jaar sinds de laatste overstromingen, dus we mogen ervan uitgaan dat het aanstonds weer zover is. Over iets van een maand gaat het regenen.'

Ik keek naar Klaus, die breed glimlachte. 'Dat stelt alles in een heel ander licht, nietwaar, Erich?'

'Nou!'

'Vanavond vertel ik het Helga. Ik stel me zo voor dat dat wonderen zal doen voor haar humeur. Het zal je niet ontgaan zijn dat Jajomiland haar in geen enkel opzicht bevalt.'

'Dat kun je wel zeggen. Ik ken haar nauwelijks meer terug. Ze is zichzelf niet meer.'

'Da's waar, en daarom moet dit ook gaan lukken. Nu maar hopen dat ze moed kan putten uit het vooruitzicht, en dat ze nog even vol kan houden.'

'Dat hoop ik ook. Ze moet weer de oude worden.' Ik voelde tranen prikken. Wentzler en Klaus deden alsof ze het beven van mijn stem niet hoorden.

Klaus sprak verder. 'Nu is het wel zo, Erich, dat jij een voorname rol hebt in het geheel. Sterker nog: zonder jouw medewerking zie ik het allemaal niet van de grond komen.'

Ik vermande me onmiddellijk. 'Waar moet ik voor zorgen dan?'

'De kano's,' zei Wentzler. 'We zullen er twee nodig hebben, één is niet genoeg voor ons vijven. Wat denk je zelf, Erich, hoe komen we aan twee kano's?'

'Stelen?'

'Diefstal geldt ook hier als misdaad. De Jajomi bouwen uitstekende kano's, maar daar gaat wel heel veel werk in zitten. In hun cultuur worden kano's dan ook als uiterst kostbare voorwerpen beschouwd. Je weet inmiddels dat ze weinig gevoel hebben voor eigendom, maar er zijn drie dingen die een Jajomi als zijn hoogstpersoonlijke bezit beschouwt. Zijn wapens, zijn vrouw en zijn kano, als hij die heeft. Steek daar ook maar een vinger naar uit, en je hebt de poppen aan het dansen.'

'Maar hoe komen we anders aan kano's?'

'Het antwoord op die vraag lijkt me duidelijk, Erich. Denk eens goed na.'

'Zelf maken?'

Ze schoten beiden in de lach, en het was natuurlijk ook onzin. Ik voelde mezelf blozen.

'Probeer het nog eens,' zei Klaus.

Ik dacht hard na. 'Moeten we ze... kopen?'

'Juist! Maar de logische vraag is dan: met wat?'

'Geen idee. Niemand van ons heeft nog iets.'

'Jij wel,' zei Wentzler.

'Ik?'

'Jazeker. Het hangt om je nek.'

Mijn hand ging werktuiglijk naar het IJzeren Kruis van mijn vader.

'O.'

'Er is hier een Jajomi die het niet zo op jou heeft, Erich, maar je onderscheiding vindt hij prachtig. Deze man bezit een kano, en die zou hij maar al te graag ruilen voor jouw IJzeren Kruis.'

'Welke Jajomi is dat dan?'

'Zijn naam is Tagerri. Hij is de man aan wie Awomé is toegezegd. Volgens mij bevalt het hem maar matig zoals jullie naar elkaar kijken en glimlachen. Ik heb je het systeem van gearrangeerde huwelijken uitgelegd. Jij vormt een bedreiging voor dat systeem, althans voor zijn toekomstige huwelijk, en dat zal hij onder geen beding dulden. Gelukkig voor jou is het geen bloeddorstig man, al hebben jullie al wel een schermutseling gehad.'

'Werkelijk? Hoe ziet hij er dan uit?'

'Hij heeft een moedervlek op zijn slaap, een blauw stukje huid.'

Dat was de man die mijn korte broek had willen inpikken! Ik was diep geschokt. 'Maar die vent is al oud, minstens dertig! Hoe kan hij nou met Awomé trouwen?'

'Omdat hij Noroni al jaren geleden voor haar betaald heeft. Kun je raden waarmee?'

'Met een kano?'

'Tagerri is de beste kanobouwer van de hele stam. Hij zou jou maar wat graag een kano geven om je te zien ophoepelen, maar dat kan hij natuurlijk niet hardop zeggen, want in Jajomiland is het ondenkbaar dat je iemand zomaar iets geeft. Er moet iets tegenover staan. Hij zal je zijn kano moeten verkopen, anders loopt zijn aanzien binnen de stam gevaar. Vanochtend heeft hij me heimelijk gevraagd of ik als tussenpersoon wilde optreden. Dat zette me aan het denken en bracht me op het idee van een vertrek tijdens de zevenjaarsvloed, dus we mogen hem wel dankbaar zijn. Hij wil jouw IJzeren Kruis als betaling.'

'En u vindt dat ik het hem moet geven?'

'Voor twee kano's, niet voor één. Hij moet je zijn eigen kano geven en er ook nog een bouwen. Hoe belangrijk is die onderscheiding voor je? Klaus vertelde me dat Hitler hem je vader persoonlijk heeft opgespeld, en dat is natuurlijk niet niks. Zou je er afstand van kunnen doen?'

'Ik... ja, om hier weg te komen wel. Voor moeder.'

'Geweldig! Je ziet, Klaus, zelfs een jongeling als Erich begrijpt de noodzaak van compromissen in dit leven. Mijn complimenten voor je evenwichtigheid, Erich. Het moet een hoge prijs voor je zijn, maar er staat dan ook veel op het spel, nietwaar?'

'Ja.'

'Je moeder zal je dankbaar zijn, en wij zijn dat natuurlijk ook.'

'Je zult jezelf dankbaar zijn,' voegde Klaus eraan toe.

'Ik vertel het Tagerri vanmiddag nog,' zei Wentzler. 'Een goede kano bouw je niet een-twee-drie, en als de regen komt, moeten ze alle twee klaar zijn. Pas goed op dat Kruis, Erich, en verlies het niet. Het is ons vrijgeleide.'

Wentzler en Klaus namen het plan nog eens in detail door, wogen bij elk onderdeel de kansen af en werden steeds enthousiaster. Ik dacht ondertussen aan Awomé, die opeens onbereikbaar was geworden. De man met de moedervlek zou haar krijgen. Hij zou het met haar doen. Tegen haar zin, dat leed geen twijfel, want ze vond hem natuurlijk veel te oud. Het was niet eerlijk, niet tegenover haar en niet tegenover mij. En dan kreeg hij ook nog eens mijn IJzeren Kruis. Onverdraaglijk was het. Maar ik moest er het belang van onze ontsnapping tegenoverstellen. Zeker voor moeder. Als we hier bleven, ging ze dood van ellende, of ze werd knettergek. Ze móést terug naar de beschaving, tegen elke prijs.

Die avond wenkte Wentzler me naar zich toe en hij meldde me dat Tagerri akkoord was. Hij zou morgen al een geschikte boom uitzoeken om een kano van te maken.

'Het gaat lukken, Erich, dat weet ik zeker,' zei hij opgetogen.

Ik vroeg: 'Waarom wilt u opeens naar huis, professor? U bent hier al zo lang.'

'Die vraag heb ik mezelf ook gesteld, en het antwoord is heel eenvoudig. Als jullie hier niet beland waren, zou de gedachte niet zijn opgekomen. Maar jullie zijn hier nu wél, blanke mensen met wie ik ook nog eens Duits kan spreken. Dat heeft een diepe heimwee in me losgemaakt. Ik heb meer dan genoeg kennis vergaard voor mijn boek, maar dat kan ik hier in het oerwoud niet schrijven, dus de tijd is gekomen om afscheid te nemen. Ik zou me tegen het lot keren als ik bleef, en dat is altijd onverstandig.'

Ik liep naar moeders hangmat. Klaus vertelde haar over het plan. Zeppi stond erbij en luisterde aandachtig. Toen Klaus was uitgepraat, zei Zeppi: 'Kan ik Mitzi wel meenemen? Ik wil haar niet achterlaten.' Zijn aapje hing letterlijk om zijn hals en leek echt van hem te houden.

'Natuurlijk kan dat. En jij, Helga, wat vind jij van Gerhards plan?'

Moeder zei niets. Aan haar gezicht viel nauwelijks iets af te lezen in het schemerlicht. We konden niet anders dan wachten, en uiteindelijk zei ze: 'Is er ook plaats voor Heinrich?'

We staarden haar verbluft aan. Haar huid had de kleur van vuile kalk. Ik had haar vandaag niet naar de rivier zien gaan, dus misschien was dat de reden.

'Heinrich is hier niet, Helga,' zei Klaus zachtjes. 'Heinrich is drie jaar geleden in Rusland gesneuveld, dat weet je toch nog wel?'

Ze schudde haar hoofd, in korte rukjes, alsof ze een vlieg wilde verjagen. 'Nee, hij was hier net nog. We hebben met elkaar gesproken. Hij vond dat ik had moeten wachten.'

'Wachten? Wachten op wat, Helga? Mijn broer is dood, hij kan hier niet geweest zijn. Je kunt alleen nog in je fantasie met hem praten. Bedoel je dat soms?'

'Ga weg,' zei ze. Het klonk vlak, niet boos of geïrriteerd. 'Laat me met rust, jullie allemaal.'

'Zoals je wilt, we gaan wel wat te eten halen voor je. Maar zeg eerst nog even wat je van het plan vindt.'

Ze keek omhoog naar het donkere gat in het sjabonogewelf, en glimlachte. 'Heinrich haalt me hier weg, dat heeft hij beloofd. Gaan jullie maar met die man mee.'

Ze bedoelde Wentzler. Klaus keek haar verbijsterd aan. Hij begon langzaam tegen haar te praten, als tegen een recalcitrant kind. 'Wees nou niet zo dwars, Helga. Je snapt toch zelf ook wel dat je mee moet? We horen toch bij elkaar? Als de regen komt, stappen we in onze kano's en drijven stroomafwaarts. Meer komt er niet bij kijken. Da's toch geweldig?'

Ze keek hem in de ogen. 'Heinrich was teleurgesteld. Hij zei dat ik op zijn terugkeer had moeten wachten en niet met jou had moeten trouwen. Maar ons huwelijk is ongeldig, want hij is niet dood. De hele ceremonie is voor niets geweest, Klaus. Helemaal voor niets.'

'Daar zou de Kerk anders over oordelen, Helga. Het was een wettige trouwplechtigheid en...'

'Hij is niet dood. De Russen hebben hem gevangengenomen en naar Siberië gebracht. Daar moet hij heel hard werken en hij krijgt nauwelijks te eten, maar hij lééft nog wel. Hij bouwt er een dam, met andere Duitse gevangenen.'

'Helga, luister naar me. De Russen hebben talloze gevangenen gemaakt, dat klopt. Maar de Duitsers zijn allemaal dood. Die lieten ze naar het oosten marcheren tot ze van uitputting in elkaar zakten, en dan kregen ze een nekschot. Zo hebben ze tienduizenden Duitsers gedood. Je verbeeldt het je allemaal maar. De stem in je hoofd, die zich Heinrich noemt, is niet echt. Heinrich is dood, Helga.'

'Dat zeg je allemaal wel,' zei moeder, 'maar weten doe je het niet. Je weet níks! Wij zijn niet getrouwd. Mijn echtgenoot is Heinrich, de vader van mijn kinderen. God heeft me hierheen gevoerd om me dat te laten inzien.'

Klaus beet op zijn onderlip, maar bleef kalm. 'God heeft niets met onze komst hier te maken. Dat was een ongeval, Helga. Waarom zou God ons vliegtuig onklaar maken?'

'Om ons uit elkaar te houden.'

'Uit elkaar houden?'

'Ja, zolang we hier bij die vieze barbaren verblijven, hebben we geen huwelijksleven. Omdat we niet zo zijn als zij. Ik zie ze elke ochtend naar buiten sluipen om daarginds, zonder een behoorlijk plekje te zoeken, te doen wat ze doen. Ze doen geen enkele moeite om het te verhullen, die viezeriken.'

'Dat zijn gewone paren, Helga. Man en vrouw, net als bij ons. Het enige verschil is dat ze geen slaapkamers kennen, geen privacy...'

'God heeft ons hier gebracht om mij voor ontrouw te behoeden. Wij hebben nog niets verkeerds gedaan, wij zijn nog niet daarginds geweest om ons net zo liederlijk te gedragen als die beestmensen. Dus is er geen sprake van een huwelijk, en dat zal de Kerk met me eens zijn. Het huwelijk zal nietig worden verklaard omdat het nooit geconsumeerd is.'

'Helga, je... onze jongens staan hier bij ons. Wil je nu werkelijk dat ze deze... deze onzin van je horen? Wij zijn getrouwd in Ciudad Bolivar. Dat is een onweerlegbaar feit.'

'Getrouwd onder een valse naam!' beet moeder hem toe. 'Brandt! Wie is Brandt? Niet ik, niet jij. Niemand heet hier Brandt! Ik gaf mijn jawoord aan Klaus Brandt, maar zo heet jij helemaal niet, dus het heeft geen enkele betekenis! Wij zijn níét getrouwd, niet wettig en niet voor God.'

Er speelde een lachje om haar lippen, een grijns bijna. Ze wist dat ze Klaus klem had en genoot ervan. 'Arme Klaus, kijk hem daar nu staan. Geen vrouw, geen gezin, alleen maar een paar familieleden. Moet jíj míj vertellen wat echt is? Hoe durf je! Dat hele huwelijk was nep. Jíj bent nep!'

'Helga...'

'En denk maar niet dat ik niet weet wat je op je kerfstok hebt. Dat weet ik heel goed. Ik heb er mijn ogen voor gesloten, ik wilde het verbloemen, dus speelde ik toneel, maar ik heb het steeds geweten!'

'Helga, in vredesnaam, waar heb je het nú weer over? Ik kan er geen touw meer aan vastknopen. Probeer nu even tot bedaren te komen en...'

'Over wat je daar deed, waar je werkte, dat vreselijke oord.'

'Helga, je weet best dat jij noch iemand anders enige kennis heeft van wat mijn werk was.'

'Ik ben er geweest! Toen Heinrich werd vermist, probeerde ik je voortdurend te spreken te krijgen, maar ik werd telkens afgewimpeld. Dus ben ik er op een dag naartoe gegaan, naar dat... naar die moordfabriek!'

Klaus' stem werd harder. 'Helga, je haalt je de vreemdste dingen in je hoofd. Je hebt me nooit op mijn werk bezocht. Dacht je nu werkelijk dat ik me dat niet zou herinneren?'

'Ik heb je nooit te zien gekregen. Ik kwam per bus naar de stad en nam een taxi die me voor de poort afzette. Het stonk er verschrikkelijk en er hing een dikke zwarte rook. Te zwaar om op te stijgen. Ik herkende die stank, Klaus! Mijn oom had een boerderij...'

'Lieve schat, wat heeft dát er nu weer mee te maken?'

'Hij had een knecht die op een dag zijn arm verloor in een dorsmachine. Hij overleefde het niet en had geen familie, dus draaide mijn oom op voor de begrafenis. Maar hij ging zonder die arm de kist in, omdat een hond ermee vandoor was gegaan. Dagen later vond mijn oom die arm alsnog, en die heeft hij toen verbrand. Ik was nog maar een kind, maar die stank ben ik nooit vergeten. Die stank van... brandend vlees.'

Klaus lachte, maar het was een akelig lachje, als een lekke voetbal waar de lucht uit wegliep. 'Het wordt nu werkelijk te dol, Helga. Ik stel voor dat we een hapje gaan eten, daar knap je vast van op. Je eet veel te weinig, Helga, ik maak me zorgen over je gewichtsverlies. Ik moet je er als arts op wijzen dat...'

'Jij een arts?' schamperde moeder. 'Artsen genezen mensen. Jij bent een... een...'

'Helga!'

'... een ovenbediende! Een kolenschepper!'

'Nu ophouden, Helga. Je weet niet meer wat je zegt.'

'Een vernietigingsarts!' krijste ze.

De Jajomi hoorden het geschreeuw en kwamen nieuwsgierig om ons heen staan. Het was net als thuis, waar de buren door de gordijnen loerden als er ergens ruzie was, alleen hadden de Jajomi geen gordijnen, dus stonden ze openlijk naar ons te kijken. Het meeste van wat moeder gezegd had, was me boven de pet gegaan. Zelfs dat verhaal over de arm van die boerenknecht kende ik niet. Het was een goed verhaal, dus waarom had ze dat nooit eerder verteld? Misschien had Klaus gelijk. Misschien sloeg ze wartaal uit die ze alleen zelf begreep, alsof ze droomde met haar ogen open. Haar mond was nu een dunne streep, en ik wist dat ze niets meer zou zeggen.

Wentzler had het gekrakeel blijkbaar ook gehoord. 'Alles in orde hier, vrienden?'

'Natuurlijk, Gerhard. Niets aan de hand.'

Als Wentzler nog maar net uit Duitsland was gekomen, had hij begrepen dat er ruzie was en zou hij zich discreet hebben teruggetrokken. Maar hij woonde te lang tussen de Jajomi. Die wisten alles van iedereen en vonden het normaal om hun nieuwsgierigheid te tonen. Wentzler was nu ook zo en bleef ongegeneerd naar ons staan kijken, wachtend op uitleg. Ik kon aan Klaus zien dat hij zich steeds opgelatener voelde. Het was bijna lachwekkend.

Na een minuut verbrak ik zelf maar de stilte. 'Klaus heeft moeder het plan voorgelegd.'

'Ah, en ze heeft bezwaren?'

'Ze wil eerder vertrekken.'

'Onmogelijk.' Hij richtte zich direct tot moeder. 'Volstrekt onmogelijk, Frau Brandt. Alles hangt af van het waterpeil. We zullen op de regenval moeten wachten, en hopen dat die uitzonderlijk zwaar is dit jaar.'

Moeder zei natuurlijk niets terug, keek hem niet eens aan. En Wentzler was niet van gisteren. Hij begreep dat er iets niet in orde was, en hij begreep ook dat niemand hem wijzer wilde maken. Maar hij weigerde te vertrekken.

'Klaus, kan ik je even onder vier ogen spreken?'

'Natuurlijk, Gerhard.'

Klaus leek allang blij dat hij even bij moeder weg kon lopen, na alles wat ze had gezegd, zoals die rare bewering dat hij geen echte dokter was. Ik wist dat hij dat wél was, want vader had ooit gezegd dat hij zijn certificaat van de universiteit van Frankfurt had gezien. En dan dat gepraat over vader die niet dood zou zijn, en dat ze niet echt met Klaus getrouwd was. Het kon niet anders of ze moest een zenuwinzinking hebben.

Ik had daar wel eens eerder over gehoord. Frau Schellenberg, die bij ons in de straat woonde, was ook ingestort toen ze ontdekte dat haar man al jarenlang een andere vrouw had in een andere stad, compleet met een boterbriefje en kinderen. Ik vond het wel een beetje egoïstisch dat moeder uitgerekend nu een zenuwinzinking kreeg, nu we een plan hadden om weg te komen. Het had haar juist moeten opmonteren om te weten dat er vloed op komst was, waarop we konden ontsnappen naar de Orinoco.

Zeppi, die de hele tijd geen woord gezegd had, kwam nu bij me staan en fluisterde: 'Waarom vindt ze Klaus niet aardig meer?'

'Ze vindt hem heus nog wel aardig,' fluisterde ik terug, 'maar ze is een beetje in de war momenteel. Ze zegt dingen die ze niet zo bedoelt.' Moeder zat een meter of twee van ons af, en ik voelde me schuldig dat we zo over haar stonden te smiespelen.

'Gaat ze ook zulke dingen tegen ons zeggen?' fluisterde hij met een angstige blik. Hij vond het vreselijk om in een slecht blaadje bij haar te staan. Als ze wel eens boos op hem was, wist hij zich geen raad.

'Misschien wel, maar let daar dan maar niet op, want ze meent er niks van.'

Ik ontdekte opeens Awomé tussen de indianen. We keken elkaar diep in de ogen en bleven ademloos zo staan. Een dichter zou zeggen dat we opgingen in de liefde. Ik vond het verschrikkelijk dat ik haar verkocht had voor twee kano's. Want zo zag ik de afspraak die Wentzler met Tagerri had gemaakt – met mijn IJzeren Kruis had het niets te maken, ik had Awomé opgegeven om die kano's te krijgen. Nadat we elkaar een eeuwigheid hadden aangestaard, dook Tagerri opeens voor haar op en begon haar toe te spreken. Hij ging nadrukkelijk tussen haar en mij staan, dus het leed geen twijfel dat hij onze blikken had gezien. Ik draaide me verlegen om.

Klaus en Wentzler waren in het halfdonker verdwenen. Zeppi staarde voor zich uit, ontredderd door de gedachte dat moeder misschien wel iets naars tegen hem zou zeggen. Toen ik hem zo zag staan, die tweeslachtige engel met het aapje dat aan zijn blonde lokken trok en in zijn oor kwetterde, drong het pas goed tot me door hoe weerloos hij was. Als het inderdaad erger werd met moeder, zou ik hem tegen haar in bescherming moeten nemen, want Klaus zou het te druk hebben met voor zichzelf op te komen. Zelf zou ik dat misschien ook wel nodig hebben, zij het niet zozeer tegen moeder als tegen Tagerri. Ik vertrouwde hem voor geen cent, afspraak of geen afspraak.

Aan de andere kant van de sjabono was een oploop ontstaan. Ik liep er nieuwsgierig naartoe en ontdekte dat Klaus en Wentzler er het middelpunt van vormden. Ze werden toegesproken door het opperhoofd, Manokwo, en tientallen Jajomi luisterden gespannen mee. Toen ik bij hen ging staan, zei Wentzler, die alles voor Klaus had vertaald: 'Welke verklaring je ook aandraagt, hij gaat af op wat hij ziet. Je zult hoe dan ook tot haar door moeten dringen, en zij zal zich moeten voegen. Er staat te veel op het spel.'

Manokwo begon weer te praten. Hij keek naar Klaus en wees

naar moeder, die aan de andere kant in haar hangmat zat. Ik kreeg de indruk dat hij Klaus ergens van betichtte.

Wentzler zei: 'Als je niet snel bewijst dat ze je vrouw is, eist hij haar voor zichzelf op. Hij zegt dat alle dolfijnen neuken, dat hij dat zelf heeft gezien, en dat dit niet hoort te veranderen als ze een mensengedaante aannemen. Ook dan horen ze te neuken. Vergeef me het grove taalgebruik, maar dit is belangrijk, dus vertaal ik hem zo letterlijk mogelijk.'

Manokwo sprak weer verder, en Wentzler maakte er weer Duits van. 'Hij weet dat de jongens niet jouw vlees en bloed zijn, want dat heb ik gezegd.'

'Is dat zo?'

'Ik... tja, ik vrees dat ik dat inderdaad heb laten vallen. Om ze onder de indruk te brengen van je edelmoedigheid. Dat je zo nobel was om je over de kinderen van je broer te ontfermen.'

'Dat had je nooit moeten zeggen, Gerhard.'

'Achteraf kan ik dat alleen maar met je eens zijn, maar op dat moment leek het juist een goede zet.'

'Al dat gepraat over hoe belangrijk het was om ze niet aan het twijfelen te brengen, om ze in de waan te laten dat we witte dolfijnen waren... en dan vertel je me nu dat je doodleuk uit de school hebt geklapt?'

'Je hebt volkomen gelijk. Het was een grote vergissing.'

Wentzler keek hem bedremmeld aan. Maar hij kwam tenminste eerlijk voor zijn blunder uit, dus had ik met hem te doen in plaats van kwaad op hem te zijn, zoals Klaus.

Klaus keek naar Manokwo, die het woord weer had genomen. 'Wat zegt hij nu?'

'Dat een vrouw met zo'n... prachtig behaarde gleuf... excuus, Klaus... dat die het verdient om tweemaal per dag keihard geneukt te worden. Zoals ik al zei, men drukt zich nogal kernachtig uit over dit soort zaken.'

'Daar maal ik niet om, maar wat moet ik doen?'

'Zal ik hem zeggen dat ze wel degelijk je vrouw is, maar momenteel aan een ziekte lijdt waardoor ze geen zin heeft in geslachtsverkeer?'

'Maak er maar liever van dat ze niet kán. Maar hoe zit het, hij heeft toch al een vrouw? Waarom zou hij er nog een willen?'

'Waarom heeft een radja een harem? Waarom hebben koningen maîtresses? Verandering van spijs doet eten, m'n beste. Als een man dat voorrecht geniet, zal hij het niet laten, en Manokwo geniet het. Hij wil Frau Brandt er graag bij, en je kunt je maar beter op een confrontatie voorbereiden.'

'Hoe doe ik dat?'

'Om te beginnen met woorden. We moeten hem het idee geven dat er een legitieme reden is voor jullie onthouding. Zal ik hem dat zieke-dolfijnenverhaal vertellen?'

'Vooruit dan maar, en wees zo overtuigend mogelijk.'

Wentzler stak van wal in de Jajomitaal, en iedereen luisterde met grote aandacht. Toen hij klaar was, had Manokwo een gedecideerd klinkende reactie. Wentzler vertaalde: 'Als ze ziek is, zal hij Noroni vragen een kruidenmengsel te bereiden. Noroni is hier namelijk de sjamaan, de medicijnman. Hij wil weten of ze ziek is in haar hoofd, haar buik, of haar... kut. Noroni kent remedies voor allerlei ziekten.'

'Op wat voor ziekte moeten we het houden?'

'Op een ziekte in haar hoofd, zou ik menen. Ik heb Noroni dikwijls aan het werk gezien, en hij plaatst zijn handen vaak op de zieke plek om er de demonen uit weg te wrijven. Je kunt je voorstellen hoe Frau Brandt reageert als hij...'

'Ik snap het. Maak er inderdaad maar een hoofdziekte van.'

Wentzler deed zijn verhaal en Manokwo riep Noroni naar voren. Awomé kwam vlak achter hem staan, maar meed nadrukkelijk mijn blik. Tagerri zou ook wel in de menigte staan en haar in de gaten houden. Manokwo en Noroni bespraken de kwestie van de dolfijnenvrouw die niet wilde of kon neuken, en wat daaraan gedaan kon worden. Het dichtstbijzijnde vuur werd hoger opgestookt zodat iedereen kon volgen wat er gaande was. De hele sjabono was er nu bij betrokken, iedereen scheen vergeten dat het tijd was om het avondmaal te bereiden. Alle andere vuren werden verwaarloosd – een blijk van hoe belangrijk de kwestie gevonden werd.

Noroni liep naar de plek waar hij met zijn kinderen sliep en kwam terug met een gevlochten buidel. 'Zijn dokterstas,' hoorde ik Wentzler zeggen. 'Hij wil dat we Frau Brandt halen voor haar behandeling, dus nu wordt het menens. Denk je dat ze mee zal willen spelen?'

'Moeilijk te zeggen,' zei Klaus. 'Ze is daadwerkelijk van slag op dit moment, en het lijkt me zeer de vraag of ze ervan opknapt als een indiaan haar hoofdhuid begint te kneden.'

'Je kunt niet meer terug, en zij ook niet. Ga haar maar snel uitleggen hoe de vork in de steel zit, en zie haar over te halen. Ze hoeft alleen maar een ritueel te ondergaan, dat haar zeker geen schade zal berokkenen. En ze moet beseffen dat het in ons aller belang is.'

Klaus liep weg en ik vergezelde hem. Hij legde moeder in simpele bewoordingen de situatie voor. Haar woede leek iets bekoeld, ondertussen, en het leek haar vooral te amuseren dat Klaus in zo'n lastig parket zat. 'Drijven ze de spot met je mannelijkheid, Klaus? Wat vervelend nou voor je. Ga ze maar zeggen dat mijn echte man me gezegd heeft op hem te wachten.'

'Dat zullen ze niet begrijpen. Laat die genezer nu even zijn hocus pocus met je bedrijven. Dat duurt hooguit een paar minuten, en daarna doe je maar alsof je flauwvalt of zo. Dat zal de indruk wekken dat de behandeling aanslaat.'

'En wat doe je als ik weiger?'

'Wat ik dan doe? Niets, Helga. Wat zou ik kúnnen doen? Maar bedenk wel dat jíj ons in de problemen hebt gebracht. Ze snappen niets van je preutsheid, pardon, je zedigheid, en ze laten ons pas weer met rust als je meespeelt in hun magische komedie.'

'Ik ben net zomin een actrice als jij een echte arts bent. Vertel ze maar dat ik niet van je hou.'

'Snap je dan nog steeds niet wat hier gaande is? Die bruut van een Manokwo wil jou als tweede vrouw! Als je verklaart dat je niet van me houdt, zal hij dat als een akkoord opvatten en zich aandienen als je nieuwe echtgenoot.'

'Daar heeft hij net zomin recht op als jij. Heinrich is mijn echtgenoot.'

'Godallemachtig, Helga... snáp het nou. Dit is onze wereld niet! Wat hier ook gebeurt, het gebeurt volgens hún regels. Kom in godsnaam tot jezelf en doe wat ik zeg. Je verkeert in groot gevaar.'

'Dat zeg jij, maar God weet beter. Ik heb niets te vrezen van wie dan ook. Heinrich leeft nog en hij zal me weten te vinden, en tot die tijd zal me niets overkomen.'

Klaus draaide zich naar me om. Ik had hem nog nooit zo vertwijfeld gezien. Hij keek me smekend aan, dus stapte ik op haar toe. 'Klaus heeft gelijk, moeder. U hoeft alleen maar te doen alsof die toverij helpt. En daarna moet u... aan uw huwelijkse plichten voldoen en een vrouw zijn voor Klaus. Pas dan komt alles weer in orde.'

Ik kreeg dezelfde meewarige blik die ze Klaus had geschonken. 'Doen alsof,' zei ze smalend. 'Doen alsof ze me genezen, doen alsof ik de vrouw van een ander ben. Ik ben de vrouw van je vader, Erich, en dat zal ik altijd blijven.'

'Ja, maar... het zou maar een leugentje om bestwil zijn.'

Ze keek van me weg en zei: 'Het is een schande wat jullie Heinrich aandoen. Zijn eigen broer en zijn eigen zoon, en ze proberen hem allebei te verraden. Ik zal het niet dulden.'

Ik keek naar Klaus, die naar moeder stond te kijken, en we dachten beiden hetzelfde: ze is stapelgek. Dit was geen driftbui of zenuwcrisis meer omdat we ons ergens bevonden waar zij niet wilde zijn. Dit was heel iets anders. Waarom begreep ze niet wat er gebeuren moest om ons uit deze penibele situatie te krijgen? Waarom was ze zo obstinaat?

Als een eigenwijze hond die midden op de rijweg bleef zitten terwijl iedereen hem naar de kant probeerde te lokken, zo volhardde zij in haar houding. Het was zo halsstarrig, zo stom, dat er een golf van afkeer in me opkwam. Ze was als een wesp die de kamer maar niet uit wilde vliegen, ook al had je alle ramen opengezet, en die je nog wilde steken ook voor je moeite. Ik verafschuwde haar. Een bittere afschuw, des te erger omdat hij vermengd was met de liefde die ik toch voor mijn moeder bleef voelen, en schuld omdat ik haar niet tot inzicht kon brengen.

Terwijl ik me had aangepast, naakt was gaan lopen en in de rivier was gaan zwemmen en met een blaaspijp had leren schieten, had moeder zich in een giftig moeras laten wegzinken. En nu was ze zo beneveld dat ze de werkelijkheid niet meer van haar fantasie kon onderscheiden.

'Moeder, toe... werk mee, alstublieft. Het zou toch dwaas zijn om...'

'Jullie zijn dwaas,' zei ze. 'Jij bent dwaas, Klaus is dwaas en die man is dwaas. Laat me met rust. Uit mijn ogen, jullie.'

Klaus probeerde het nog eens. 'Helga, voor de laatste keer, doe wat ik je vraag. Niet voor mij, maar in je eigen belang, en dat van je kinderen...'

'Niet voor jou? Huichelaar. Hoepel op!'

Ze sloot haar ogen en liet zich achterover zakken in haar hangmat.

Ik voelde mijn hart krimpen in mijn borstkas. Kleiner en kleiner werd het, tot er geen plaats meer in was voor mijn eigen moeder. Die er ook niet wilde zijn, zo bleek. Ze wilde alleen nog in het hart van haar dode man leven, mijn gesneuvelde vader. En dat maakte haar eigenlijk ook tot een dode. Ze lag levend en wel in haar hangmat, maar haar gedachten waren uitsluitend bij haar dode man, en ze besefte niet dat ze daardoor in zekere zin ook dood was. Ik wilde haar een klap geven om haar op te wekken en weer in het land der levenden te krijgen, maar ik kon mezelf er niet toe brengen, kon haar niet aanraken zoals ze daar lag, naakt en bleek en krankzinnig, met de bos blond krulhaar waar Manokwo o zo graag zijn bruine paal in wilde steken.

En naast me stond Klaus, ook dadeloos en onmachtig. Een volwassen man, een arts bovendien, maar hij wist ook niet meer hoe hij moeder uit haar verdwazing kon halen. Hij kon alleen nog toezien hoe ze midden op de rijweg in slaap viel. Dus wilde ik hem ook slaan, omdat hij net zo machteloos was als ik, terwijl ik zoveel jonger en veel minder ervaren was. We waren beiden ten einde raad, en schaamden ons daar beiden voor. Hij was nu eerder mijn broer dan mijn stiefvader, en ik had met hem te doen, al was dat gevoel veel minder sterk dan de aandrang om hem te slaan omdat hij niets uit kon richten.

'Tja,' mompelde hij. En toen krachtiger: 'Dan maar niet.'

Hij liep terug naar de menigte rond Wentzler en Manokwo, met mij achter zich aan.

'Ze is nergens toe bereid,' zei hij tegen Wentzler.

'Echt niet?'

'Nee. Ze heeft zich voor de werkelijkheid afgesloten.'

'Maar je móét haar van de ernst doordringen. Je beseft toch wat haar te wachten staat als ze niet meewerkt?'

'Dat besef ik als geen ander, maar zíj beseft het niet. Ze is gek geworden, Gerhard.'

'Maar ze is je vrouw... je mag dit niet laten gebeuren.'

'Ik heb mijn uiterste best gedaan, maar ze weet niet eens meer dat ze mijn vrouw is.'

'Maar... wat moet ik Manokwo nu zeggen?'

'Dat laat ik helemaal aan jou over, goede vriend.'

Wentzler liep rood aan. Hij maakte zich er drukker om dan Klaus, zo leek het. Of misschien liet hij het meer blijken, maar hij raakte in elk geval zeer geagiteerd. 'Die man daar gaat je vrouw voor zich opeisen, Brandt! Hij zal haar het struikgewas in sleuren, en daar zal hij haar benen uit elkaar duwen. Heb je enig idee wat ik je duidelijk probeer te maken? Hij heeft zin in haar, en als je niets doet, zal hij haar nemen ook! Je hoeft geen gevecht van man tegen man met hem aan te gaan, je hoeft hem alleen maar iets wijs te maken. Wil je dan geen enkele moeite doen om haar die ontluistering te besparen?'

'Ik zeg je dat ik mijn best heb gedaan...'

'Nou nou, wat heb je je best gedaan! Je hebt wel twee minuten met haar gesproken. Bravo!'

'Ze wil gewoon niet luisteren! Als jij haar tot rede kunt brengen, ga vooral je gang. Erich, zeg hem dat we het beiden geprobeerd hebben.'

'Dat klopt, Herr Wentzler. Ze weigert te luisteren. Ze denkt dat mijn vader nog leeft, maar dat is niet zo. Hij is gevallen aan het oostfront, en nu blijft zij op de rijweg zitten...'

'Wat is dat nu weer voor wartaal? Wil je dat je bloedeigen moeder door een indiaan wordt verkracht? Hoe kan een zoon zich daarbij neerleggen?'

'Maar wat moet ik dan nog meer doen?' Ik kon wel huilen. Het was mijn schuld niet, noch was het de schuld van Klaus. Het was haar eigen schuld. Maar Wentzler verweet het ons. Zeppi stond naast me. Hij was eindelijk bij moeder weggelopen om zich bij de menigte te voegen. De tranen stroomden over zijn wangen. Hij had geen idee wat er gaande was, maar hij had door dat moeder iets ergs te wachten stond, en dat Manokwo de boosdoener zou zijn. Ik legde mijn hand op zijn schouder en voelde hoe hij beefde.

Wentzler zei tegen Klaus: 'Dus je laat haar aan haar lot over?'

'Zo moet je het niet zien. Ik sta gewoon machteloos.'

'Dat is toch geen houding, Brandt.'

'Mijn houding doet er niet toe. Ze heeft haar keuze gemaakt.'

'Maar je zegt dat ze haar verstand heeft verloren. Wie zijn verstand verliest, kan geen keuzes meer maken.'

'Los het dan zelf op, Herr Wentzler, maar hou op met die aantijgingen! Je schijnt me een lafaard te vinden, maar het tegendeel is waar. Ik erken dat ik niets meer kan uitrichten, en het vergt moed om de waarheid onder ogen te zien.'

Wentzler leek geen weerwoord meer te hebben. Hij draaide zich om naar Manokwo en sprak een poosje met hem. Toen ze waren uitgepraat, zei hij tegen Klaus: 'Ik heb hem verteld dat je vrouw dankbaar is voor het aanbod van Noroni's behandeling, maar dat ze er liever van afziet. Ze heeft deze kwaal eerder gehad en weet dat het vanzelf overgaat, omdat ze de demon kent die het veroorzaakt. Die demon gedijt door aandacht, dus moet er vooral niets aan gedaan worden. Dan voelt hij zich genegeerd en gaat hij vanzelf weg. Manokwo wilde weten hoe lang dat duurt, en omdat de Jajomi geen hoger getal kennen dan twee, heb ik hem gezegd dat Frau Brandt over twee dagen beter is. Ziedaar de tijd die je nog hebt om een einde te maken aan deze wanvertoning. Daarna kan ik je ook niet meer helpen.'

'Dank je wel. Niemand kan mij iets verwijten, dat blijf ik volhouden. Ze is al in de war sinds we hier gekomen zijn, en misschien was ze daarvoor zelfs al... gestoord. Na de dood van mijn broer heb ik jarenlang geen contact met haar gehad. Ik dacht er goed aan te doen haar ten huwelijk te vragen, omdat Heinrich het zo gewild zou hebben. En nu dit. Hoe ver moet je niet heen zijn als je gelooft dat je gesneuvelde man nog leeft?'

De menigte loste zich op, er moest eten worden klaargemaakt, maar Klaus bleef tegen Wentzler aanpraten. Ik had hem nog nooit zo horen ratelen, alsof hij per se begrepen wilde worden.

'Wat moet je als je het beste voor iedereen wilt, maar met het ergste en het laagste wordt geconfronteerd? Wat koop je dan nog voor je goede bedoelingen? Je maakt plannen voor een betere toekomst, vrij van de fouten uit het verleden. Je tracht goed te doen, ondanks de risico's die dat voor jouzelf meebrengt, ondanks de gevaren die je te duchten hebt in deze naoorlogse wereld. Je spendeert een vermogen om je doel te bereiken. Je nieuwe gezin, je nieuwe leven, je hebt het allemaal uitgestippeld en je ligt volmaakt op koers. Maar dan slaat het noodlot toe en je lijdt schipbreuk. In alle opzichten! Je vrouw wordt krankzinnig, of was dat al en krijgt een zet over de rand van de afgrond. En je nieuwe zoon, op wie je zo trots wilde zijn, blijkt een vat vol genetische afwijkingen! Het is niet eens een jongen, maar ook geen meisje. Opeens zit je met een speling der natuur opgescheept. Een mormel, aanbeden door primitieve wilden...'

Wentzler en ik stonden hem met open mond aan te gapen, maar

hij wist van geen ophouden. 'O, wat vinden ze hem mooi. Hun hoogsteigen halfgod, jongen, meisje en dolfijn tegelijk, maar in feite een wangedrocht. En wat het ergste is: mijn bruid verzweeg het voor me. Terwijl ze kon weten hoe ik erover zou denken. Ik ben arts, Gerhard, ik ken niets hogers dan een gezond menselijk lichaam en ze wist wat ik zou vinden van zo'n... genetische miskleun. Ze hield haar mond en trouwde met me, terwijl ik makkelijk een ander had kunnen krijgen. Ik deed haar een aanzoek uit piëteit voor mijn broer, en ze gaf me het jawoord in de wetenschap dat ik haar nooit getrouwd zou hebben als ik dit geweten had.'

Hij keek naar Wentzler met ogen die fonkelden van verontwaardiging. 'Je moet weten dat iemand in mijn positie, in de hoge positie die ik binnen het Reich bekleedde, boven elke verdenking verheven moest zijn. Onder geen voorwaarde mocht ik me inlaten met lieden bij wie ook maar een druppel inferieur bloed door de aderen stroomde. Dat waren de regels, en verdomd noodzakelijke regels in een tijd van volksverbastering en de ondermijning van het Arische ras. Als dit me toen was overkomen, zouden de gevolgen draconisch zijn geweest. Ik zou direct van mijn taken ontheven zijn, Gerhard, en dat waren taken die centraal stonden binnen het programma van de Führer voor raszuiverheid. Europa moest ontdaan worden van alle bastaardrassen, alle vormen van onvolwaardig leven. Kun jij je een verhevener doel voorstellen?'

'Ik weet niet...' stamelde Wentzler. Hij keek de ratelende Klaus aan alsof die nu ook krankzinnig was geworden.

'Ik was belast met een grootscheepse zuiveringsoperatie, Gerhard. Een eervolle taak, maar ook een zeer uitputtende. Mijn trots en bevlogenheid hadden niet groter kunnen zijn, maar het was verschrikkelijk zwaar, alleen al door de aantallen, de ongelooflijke aantallen. Maar toen verloren we de oorlog en ik moest vluchten, en eenmaal in veiligheid vroeg ik me af welk doel ik nu moest dienen. Wat kon ik nog doen nu Duitsland verwoest was en de hoop op een Arische heerschappij vervlogen leek? Het waren dagen van wanhoop, maar het duurde niet lang of de bezieling keerde terug.

Dat gevoel van een heilige plicht! Ik moest het gezin van mijn broer uit de smeulende puinhopen redden. Ik moest het uit de duisternis verlossen en naar het licht voeren, om samen verder te gaan, in naam van Heinrich! En ik volbracht het, maar zie het trieste resultaat, zie hoe ik beloond word voor mijn onzelfzuchtigheid. Waar is de rechtvaardigheid, Gerhard? Wat is er van mijn goede intenties terechtgekomen?'

Zeppi was weggerend toen hij zich een gedrocht had horen noemen, maar Wentzler en ik stonden als aan de grond genageld, totaal overdonderd door deze tirade.

'Het is diep triest,' zei Wentzler ten slotte.

Klaus knikte instemmend. Wentzler keerde zich om en liep weg in de richting van de kookvuren. Klaus keek hem na, ietwat verrast door zijn vertrek, en keek vervolgens naar mij. Ik kon mijn ogen niet van hem afnemen, staarde hem aan als een konijn dat zich niet los kan rukken uit de blik van een slang, maar ik voelde me niet bedreigd. Hij zei: 'Erich, trek je mijn teleurstelling niet persoonlijk aan. Hoe ernstig de gebreken van de anderen ook zijn, over jou koester ik grote verwachtingen. Ik zie je als het toonbeeld van Arische mannelijkheid.' Ik kon horen dat hij het van harte meende.

'Deze onfortuinlijke kwestie met je moeder... we moeten een oplossing vinden. Ik wil voorkomen dat ze nog verder achteruitgaat, en als Manokwo haar ook maar met een vinger aanraakt, gaat het ongetwijfeld mis. We moeten een plan bedenken, Erich. Maar niets uit een avonturenroman, niets onmogelijks. De Jajomi zijn een uiterst primitief volk en we zullen hen op hun eigen niveau moeten benaderen. We hebben nu eenmaal geen Panzerdivisie om ze weg te vagen.' Hij lachte bij het idee, en werd weer ernstig. 'Heb jij een suggestie?'

'Twee kano's stelen en vannacht nog stroomafwaarts varen.'

'Maar dan belanden we in Iririgebied. Je hebt toch gehoord wat Wentzler over hen vertelde?'

'Hij zei dat ze ons zouden pakken als we de kano's van de ene rivier naar de andere zouden dragen. Ik stel voor dat we gewoon stroomafwaarts blijven varen, voorbij de plek waar de twee stroomstelsels elkaar naderen.'

'En dan?'

'Dan zijn we in elk geval ver weg van hier.'

'Dan zijn we ver weg van álles, Erich. Zonder wapens, zonder voedsel, en zonder te weten waar we zijn. Dat is geen plan, maar een opwelling bij gebrek aan een plan. We zullen iets beters moeten verzinnen.'

'Ik zal het moeder voorleggen,' zei ik, en ik liep weg.

'Dat is tijdverspilling!' riep hij me na. 'Ze weet niet eens waar je het over hebt.'

Ik liep naar moeder toe en ging bij haar hangmat op de grond zitten. Ze lag met haar ogen open. Zeppi lag in de hangmat naast de hare. Ik kon zien dat hij had gehuild, en zoals hij daar lag was het duidelijk dat ze geen poging had gedaan om hem te troosten. Meer nog dan haar houding en de dingen die ze gezegd had, deed dit me inzien hoe erg ze eraan toe was. Voorheen had Zeppi zijn teen maar hoeven stoten of ze had hem in haar armen gesloten, en nu was hij lucht voor haar. Ze had zich van alles en iedereen afgewend, had zich in zichzelf teruggetrokken als een schildpad in zijn schild.

'Moeder, kunnen we even praten?'

Het bleef even stil, en toen haalde ze haar schouders op en zei: 'Mij best.'

'We willen een paar kano's stelen, moeder, en dan ervandoor.'

'Waarom?'

'Waarom? Omdat er anders iets heel naars met u gebeurt.'

'Wat kan mij nu nog gebeuren?'

'Nou, die man, Manokwo, die wil u... iets aandoen.'

'Mij kan niets meer gebeuren. Ik heb me van alles laten aandoen omdat ik niet wilde inzien hoe ik mezelf bedroog. Maar nu zijn de schellen me van de ogen gevallen. Er kan me niets meer overkomen.'

'Moeder, we moeten hier weg. Desnoods alleen wij drieën, als u niemand anders mee wilt. Zeppi, u en ik in één kano.'

'Ik hou niet van kano's. Als kind heb ik eens in een kano gezeten die omsloeg. Of misschien was het een roeiboot, maar er ging iemand staan en hup, we sloegen om.'

'We zullen heel voorzichtig zijn.'

'Nee.'

'Het móét, moeder, want Manokwo wil u... hij wil dat u zijn vrouw wordt.'

'Onmogelijk, dat zou God nooit toestaan. Dat heeft Heinrich me gezegd.'

'Als vader nog leeft, ergens in Rusland, zoals u beweert, hoe kan hij u dan dingen zeggen? U denkt alleen maar dat u hem hoort.'

Ze draaide haar hoofd iets, keek me aan en legde een hand op mijn schouder. Er kwam een glimlach op haar gezicht. 'Erich, ik weet dat je je zorgen om me maakt, maar er zal me heus niets overkomen. Dit alles is alleen maar een test. We worden op de proef gesteld, en als we moed tonen, komt alles weer goed, met jou, met Zeppi en met mij. Maak je maar niet ongerust.'

Ik legde mijn hand op de hare. Alleen een krankzinnige kon zo praten. Mijn oren zoemden ervan. Het gezoem zei dat ik haar niet moest geloven, dat ik haar glimlach, haar kalmte en haar troostende hand moest negeren. Het hoorde allemaal bij haar verdwazing en die mocht ik niet op me laten overslaan.

'Zeppi is heel erg van streek,' zei ik. 'Hij heeft gehuild. Klaus heeft hem een gedrocht genoemd.'

Dit was een test voor moeder, niet van God maar van mij. Ik wilde zien hoe ze reageerde. Als ze Zeppi bij zich riep en door zijn haar streelde en zei dat hij zich niets van Klaus moest aantrekken, was ze diep vanbinnen toch nog zichzelf en kon ze misschien weer de oude worden. Maar ze slaakte alleen maar een zucht en zei: 'Hij moet nu maar eens opgroeien. En daar moet jij hem maar bij helpen, Erich. Ik ben te moe.'

Ze draaide haar hoofd weer terug, sloot haar ogen en viel in slaap, zomaar, diep in slaap. Zeppi keek toe vanuit zijn hangmat. Hij had alles gehoord. Ik zette mijn wijsvinger tegen mijn lippen, zodat hij haar niet wakker zou maken, liep naar het kookvuur en haalde wat te eten voor hem. Een paar gebakken banaantjes op een blad. Hij schrokte ze haastig op en ik gaf hem een aai over zijn bol. 'Ga maar lekker slapen,' zei ik.

'Gaan we dan geen kano stelen?'

'Nee, dat leidt tot niets. Ik bedenk wel wat anders, Zeppi, maar vannacht gebeurt er niets.'

Hij vertrouwde me zozeer dat hij meteen zijn ogen sloot, zijn armen over zijn tietjes kruiste en in slaap viel. Ik liep terug naar het vuur om zelf iets te eten, en ging vervolgens op zoek naar Wentzler. Klaus was nergens te bekennen.

Wentzler lag in zijn hangmat, klaarwakker. 'Herr Wentzler? Ik ben er nu zeker van dat mijn moeder haar verstand heeft verloren. Ze wil hier niet weg. Ik ben ten einde raad.'

'Tja, als ze de ernst van de situatie niet kan of wil inzien, dan weet ik het ook niet meer, Erich, het spijt me.'

Het stelde me niet eens teleur. Ik was naar hem toe gegaan omdat hij een volwassene was, maar ik begreep ondertussen dat volwassenen ook niet altijd het antwoord hadden, en soms zelfs de oorzaak van een probleem waren. Geen prettige wetenschap, want op wie kon Zeppi nu nog rekenen? Alleen op mij. En op wie kon ík rekenen? Alleen op mezelf. Ik kreeg het er benauwd van, voelde me alsof ik zat opgesloten in een strakke slaapzak, een nauwe cocon waarin ik geen vin kon verroeren. Maar ik haalde diep adem, sneed in gedachten die slaapzak open en stapte eruit. Mijn benauwdheid was op slag verdwenen. Ik voelde me anders, groter en sterker. Maar tegelijk ook hulpeloos en onveilig, want verstoken van een idee hoe het verder moest.

'Eén ding kan ik je echter aanraden,' zei Wentzler. 'Word een Jajomi, Erich. Neem hun gedaante aan, zoals ik dat heb gedaan. Een echte indiaan zul je nooit worden, maar je kunt hen voldoende benaderen om geen aanstoot te geven. Kun je me volgen?'

'Moet ik ophouden een witte dolfijn te zijn?'

'Vertrouw er niet op dat je altijd als dolfijn bejegend zult worden, dát bedoel ik. De Jajomi zijn nogal grillig van aard. Ze zijn verbaasd zolang ze zich willen verbazen, maar ze kunnen ook zomaar hun belangstelling verliezen en uiterst onverschillig worden. En dan kan het voormalige object van hun verbazing maar beter geen ergernis wekken. Snap je me nu?'

'Ja, dank u, Herr Professor.'

'Je broertje en jij kunnen hier overleven als je je voldoende weet aan te passen. Ik zal je oom hetzelfde advies geven. Maar wat je moeder betreft, kan ik je niets troostrijks zeggen, hoezeer me dat ook spijt.'

'Ik begrijp het.'

'Mooi. Het is beter te begrijpen dan niet te begrijpen, waar dat begrip ook toe leidt.'

ZEVEN

De twee dagen respijt die Wentzler voor moeder bijeen had gejokt, leken niet meer dan uitstel van executie. Met haar 'hoofdziekte' ging het in elk geval niet beter. Ze bracht de meeste tijd op haar knieën door, diep in gebed, terwijl Zeppi toekeek vanuit zijn hangmat – tot het hem te veel werd en hij naar buiten rende om met zijn aapje te spelen of in de rivier te zwemmen. De aanblik van moeder met haar hoofd op haar gevouwen handen maakte ook mij beroerd. Ik deed verschillende pogingen om met haar in gesprek te komen, maar het enige wat ze zei was dat ik me geen zorgen hoefde te maken, alles was in handen van Heinrich en God.

Wentzler vertelde me dat Tagerri had voorgesteld om mij mee te nemen het oerwoud in, zodat we samen een geschikte boom konden uitzoeken voor de tweede kano. Ik weigerde, en Wentzler vond dat verstandig van me. Als Tagerri alleen terugkwam, met mijn IJzeren Kruis om zijn nek en een zielig verhaal over de dolfijn die ten prooi was gevallen aan een jaguar of anaconda, dan zou geen enkele Jajomi dat in twijfel trekken. Toen Wentzler hem de boodschap overbracht, liep hij met een zuur gezicht het oerwoud in, zwaaiend met een van de kapmessen die Wentzler de stam ooit cadeau had gedaan.

Ik had natuurlijk nog een andere reden om niet mee te gaan. Als Tagerri in de jungle een boom stond te hakken, had ik de gelegenheid om Awomé op te zoeken. Maar Wentzler was niet van gisteren. 'Erich,' zei hij, 'ik ben ook jong geweest en ik weet waar je aan denkt, maar doe het niet, hoe mooi ze ook is. Tagerri heeft een stuk of vijf familieleden die je doorlopend in de gaten houden, neem dat maar van mij aan. Als hij hoort dat je achter zijn rug contact hebt gehad met zijn aanstaande, dan daagt hij je uit voor een duel. En geloof me, dan heb je geen schijn van kans. Blijf uit haar buurt.'

Ik zegde hem toe dat ik zijn raad zou opvolgen, en ik meende het nog ook, maar ik vond het onverteerbaar dat ik haar niet op mocht zoeken als zij dat zelf ook wilde. Uiteindelijk ging ik maar weer jagen met Kwaitsa. Voor hij met zijn zabatana naar me toe kwam om me met een rukje van zijn hoofd uit te nodigen, zag ik hem met zijn vader Noroni praten en voelde ik al aan wat er gaande was – Noroni wilde me de sjabono uit hebben zolang Tagerri er ook niet was, zodat ik geen kattenkwaad kon uithalen met Awomé. Begrijpelijk. Hij was gewoon een vader die een goed huwelijk voor zijn dochter wilde. Goed in zijn ogen dan, en in die van Tagerri. Volgens Wentzler hadden de Jajomivrouwen weinig te vertellen bij dit soort aangelegenheden.

Dus ging ik met Kwaitsa mee, en in de namiddag keerden we terug met een aap en twee grote watervogels. Kwaitsa had ze alle drie geschoten, maar hij had mij ook weer een uurtje laten oefenen en ik begon het aardig onder de knie te krijgen. Ondertussen had hij honderduit tegen me gebabbeld, waar ik natuurlijk geen woord van verstond, maar ik kreeg de indruk dat hij tevreden was over mijn vooruitgang en dat ik volgens hem snel in staat zou zijn om ook iets eetbaars te verschalken. Voor we terugkeerden namen we nog een bad in de rivier, en ik liet het wel uit mijn hoofd om in het water te piesen.

Elk uur dat ik met Kwaitsa onder het bladerdak doorbracht, was een uur waarin ik niet aan moeder of Zeppi hoefde te denken, een verademing. Het was misschien egoïstisch van me, maar Wentzler had me gezegd dat ik een Jajomi moest proberen te worden, en hij wist als enige waar hij over sprak. Aan Klaus wilde ik ook niet denken, want ik wist niet goed meer hoe ik hem moest zien. Was hij nu wel of niet mijn nieuwe vader? En wilde ik dat zelf nog wel? En deed het er nog wel toe wat ik wilde? Het was Klaus die een echtgenoot en vader had willen worden, en het was inmiddels duidelijk dat hij daar spijt van had nu hij de man was van een gekkin en de vader van een hermafrodiet. En als ik indiaan werd, zat het er dik in dat hij mij ook niet meer als zoon zou willen. Zelf voelde ik me alleen nog de broer van Zeppi, niet langer de stiefzoon van Klaus, en zelfs niet meer een zoon van mijn moeder. Dat alles leek ik achter me te laten, in de afdrukken van mijn sandalen in de bodem.

Toen we de sjabono binnenkwamen, zag ik moeder weer op haar knieën zitten. Ik zei niets meer tegen haar. Dat had geen zin meer. Aan de andere kant van de sjabono lag Manokwo vanuit zijn hangmat naar haar te kijken. Hij gaf me een knikje toen ik met Kwaitsa voorbijliep – een teken, zo leek het, dat ik zijn goedkeuring had als aanstaande stiefzoon, waarschijnlijk omdat ik me de leefwijze van zijn stam probeerde eigen te maken. Ik wilde net zomin zijn stiefzoon zijn als die van Klaus, maar de woorden van Wentzler stonden me bij, dus knikte ik terug. Zolang hij me aardig vond, was ik veilig.

Ik trok twee lange veren uit een van de vogels die Kwaitsa geschoten had, liep ermee naar Zeppi en knoopte er één in zijn haar en één in het mijne, in mijn nek, waar ik er geen last van zou hebben. Het was mijn eerste stap om ons in Jajomi te veranderen, maar niet meer dan een eerste stap. Ik zou pas indruk beginnen te maken als ik mijn eigen wapens had, en wat van de huidverf waarmee de indianen zich opsierden. Mijn blanke huid moest verdwijnen onder een laag van zwart en rood. Ik had al gezien hoe ze aan die verf kwamen. De rode kwam uit de fijngestampte zaden van een bepaalde struik, de zwarte was natgemaakte houtskool van de kookvuren. Maar ik kon mezelf niet beschilderen. Dat deden de Jajomi bij elkaar.

Ik ging Klaus zoeken en vond hem op de plek waar Zeppi en ik hem eerder hadden gevonden, op een van de afgelegen paden, zittend onder een boom met zijn zwarte dokterstas naast zich en een dromerige blik in zijn ogen. Het leek hem deugd te doen me te zien, hij lachte me toe en zwaaide terwijl ik op hem toe liep – een onverwachte begroeting, maar hij wist natuurlijk niet dat ik plannen had om indiaan te worden. Hij zag er onbekommerd uit, als een man die op het strand al zijn kleren is kwijtgeraakt, maar bij de picknickmand blijft zitten alsof er niets gebeurd is.

'Erich! Ik zocht je al. Waar was je vanmiddag?'

'Ik ben op jacht geweest met Kwaitsa.'

'Kom bij me zitten, jongen, kom bij me zitten.'

Ik liet me tegenover hem op de grond zakken.

'Op jacht, hè? Goed idee. Zou ik zelf ook eens moeten doen, een paar uur weg bij de rivier en die vervloekte indianen. Aan Wentzler heb ik ook niets meer, zo lijkt het. Hij ontloopt me de hele dag. Je zou toch denken dat twee academici elkaars gezelschap zouden zoeken, zeker als ze ook nog volksgenoten zijn, maar Wentzler lijkt daar anders over te denken. Volgens mij heeft hij door dat ik zijn gedrag afkeur. Primitieve stammen bestuderen, da's tot daar aan toe, maar elf jaar lang in je blote kont rondlopen? Hij lijkt verdomme zelf wel een inboorling. Kijk, wij zien er ook wel uit als wilden, maar dat is noodgedwongen, omdat we ons aan de hitte moeten aanpassen. Vanbinnen zijn wij nog steeds Duitser, nog steeds beschaafd. Ik betwijfel of dat voor Wentzler ook nog geldt. Dat betwijfel ik echt.'

Er zat een vlieg bij een drupje bloed op de binnenkant van zijn arm, waar hij kennelijk door een insect was gebeten. Hij veegde hem weg en ik zag dat hij er nog meer van die beten had. 'Enfin, nog een maand en dan breekt de regentijd aan. Ik heb zo'n donkerbruin vermoeden dat Wentzler uiteindelijk niet mee zal gaan, ook al was het zijn eigen idee. Volgens mij bevalt het hem hier te goed. Hij wíl helemaal geen boek schrijven. Hij wil hier lekker in de rimboe blijven luieren. Of nee, ik denk dat jij gelijk hebt. Het is waarschijnlijk een moordenaar die uit handen van de wet wil blijven.'

'Wie zou hij dan vermoord hebben?' Ik vroeg het alleen maar om het gesprek gaande te houden.

'Wie? God mag het weten. Maar God weet het niet, hoor. Om de wel zeer eenvoudige reden dat God niet bestaat. Zeg maar niet tegen je moeder dat ik dat gezegd heb. Dan wordt ze weer boos op me. Of nee, ik vergis me alweer. Ze wordt helemaal niet boos. Ik krijg zo'n neerbuigend glimlachje en ze kijkt me meewarig aan, met die blik alsof ík degene ben die gestoord is. Neem me niet kwalijk, Erich, mijn cynisme is misplaatst. We moeten juist medelijden met Helga hebben.'

Hij streek peinzend door zijn nieuwe baard. 'Het is haar allemaal te veel geworden. De een kan meer aan dan de ander, en zij is onder de druk bezweken, met name omdat ze al die tijd de waarheid over juffrouw Zeppi heeft verzwegen. Je kunt je niet eeuwig achter zo'n façade verschuilen. Vroeg of laat knapt er dan iets en komt je ware aard naar boven, met alle mankementen en tekortkomingen. Het is treurig, maar dit móést haar wel overkomen. Tegen jou kan ik dat wel zeggen, hè, Erich? Met jou kan ik praten, want jij bent verstandig en evenwichtig, en bovendien taai, net als ikzelf. Sommige mensen ontberen die taaiheid gewoon, zoals Zeppi, en Helga. Maar jij en ik, wij rooien het wel. Waarom kijk je me zo aan?'

'Hoe bedoel je?'

Hij veegde de vlieg weer uit de vouw van zijn arm. 'Zoals je me aankijkt, die blik van je. Hier, kijk zelf maar.'

Hij opende zijn dokterstas en haalde een klein rond spiegeltje tevoorschijn. 'Weet je waar dit voor is? Om de dood vast te stellen. Als je het boven iemands mond houdt en het beslaat niet, dan heb je met een lijk te maken. Geen adem, geen leven. Hier.'

Hij duwde me het spiegeltje in handen en ik bekeek mezelf voor het eerst sinds tijden. Mijn haar hing als vuilgeel stro in mijn gezicht, en mijn huid was diep gebronsd, met zwarte vegen van de rook in de sjabono. Ik herkende mezelf nauwelijks. Mijn gezicht was magerder, mijn ogen ernstiger. Dit was de oude Erich niet, maar een tweelingbroer die zich al die tijd in me had schuilgehouden.

Ik gaf het spiegeltje terug en Klaus stopte het weer in zijn tas. 'Waarom sleep je die tas nog steeds met je mee?' vroeg ik. 'De Jajomi zijn er als de dood voor sinds Waneri zei dat hij erdoor gebeten was. Volgens mij kun je hem rustig in de sjabono laten staan.'

'Dat betwijfel ik. Je kunt er niet van uitgaan dat ze altijd bang zullen blijven. Vroeg of laat verzamelt één van hen de moed om er een kijkje in te nemen, en dan kun je wel raden wat er met mijn instrumenten gebeurt. Nee, mijn tas is beter af bij mij, en ik ben beter af met mijn tas.' Hij lachte. 'Als arts bén ik die tas, Erich. Wat is een musicus zonder zijn instrument, wat is een soldaat zonder zijn wapen, en wat zou ik zijn zonder mijn dokterstas? Een man die per ongeluk in het oerwoud is beland, meer niet. Maar als ik jou mag vragen: waarom draag je die veer in je haar? Wil je net als Wentzler indiaantje spelen? Ik mag toch hopen van niet.'

'Misschien toch wel, voor een tijdje. Totdat we ertussenuit knijpen.'

'Slecht idee. Hoe meer je op een Jajomi lijkt, des te minder zul je een dolfijn voor ze zijn, en als je geen dolfijn meer bent, word je kwetsbaar. Dan ben je alleen nog maar iemand die hun voedsel eet en een hangmat bezet houdt. Het is beter om een air van mystiek te behouden, dan blijven ze op hun hoede, die wilden.'

'Herr Wentzler vindt juist van niet. Volgens hem begint dat dolfijnenidee al te slijten. Er komt een dag dat ze ons alleen nog maar als mensen zien, en dan kunnen we maar beter niet te erg uit de toon vallen. Daarom leer ik jagen. Zo maak ik mezelf alvast nuttig.'

'Aha. En hoe voorkomt Zeppi dat hij uit de toon valt? En wat voor nut denkt die sukkel van een Wentzler te hebben?'

'Voor hem ligt het anders, want hij is nooit voor dolfijn aangezien. En hij vermaakt ze met zijn sprookjes.'

'Sprookjes, dolfijnen... hoor ons toch eens, Erich, dit gesprek raakt kant noch wal! Ik ben vast van plan mezelf te blijven en de Jajomi kunnen de pot op. Ik zal me nooit tot hun niveau verlagen, onder geen beding.'

Het leek wel of hij aangeschoten was. Niet dat hij lalde, maar hij had een ongekende losheid over zich, en iets arrogants. En hij leek nauwelijks op zijn woorden te letten. Ik nam de proef op de som met een zeer persoonlijke vraag.

'Zeg, Klaus, hoeveel man heb jij in de oorlog gedood?'

'Ik? Niet één. Joden niet meegerekend, uiteraard.'

'Dus je hebt wel joden gedood?'

'Mijn hemel, meer dan ik zou weten! Bij wat ik deed was het ondoenlijk de tel bij te houden. En het ging ook niet om aantallen die je op je naam kon brengen, daar was het werk veel te omvangrijk voor. Het ging om je bevlogenheid! De oplossing van het joodse vraagstuk vergde een machine met vele armen en één vastberaden geest, een collectief plichtsgevoel om het probleem voor eens en altijd de wereld uit te helpen. Ik was één van die armen, en niet eens de belangrijkste, maar ik kan trots zijn op mijn toewijding. Het is alleen jammer dat de geallieerden zo'n haast maakten en dat de nederlaag zo vroeg kwam. Eén jaar langer, op zijn hoogst, en we zouden de wereld ingrijpend veranderd hebben. Van de Noordzee tot de Kaspische Zee was er dan geen jood meer over geweest. En misschien nog wel verder naar het oosten.'

Ik probeerde me die machine voor te stellen. In mijn gedachten zag hij eruit als een reuzeninktvis die met talloze vangarmen joden naar zijn muil bracht. Ik vroeg me af hoe het geweest moest zijn om doormidden te worden gebeten, om die bloedige muil op je af te zien komen, kauwend op je lotgenoten, en te weten dat jij nu aan de beurt was...

'Wat zie ik nu, Erich, een rilling? Dat kan niet van de kou zijn. Heb je soms koorts?'

'Nee...' Ik herinnerde me een uitdrukking die vader wel eens gebruikte. 'Er liep iemand over mijn graf, geloof ik.'

'Curieuze zegswijze is dat. Niemand kan weten waar ooit zijn graf zal zijn, en of hij er wel een krijgen zal. Neem de joden. Verdienden die een stuk grond dat wel nuttiger gebruikt kon worden, voor de landbouw of zo? Natuurlijk niet. Wat een verspilling zou dat geweest zijn.'

'Maar de gebieden dan waar ze naartoe werden gebracht? Daar zullen toch wel kerkhoven geweest zijn?'

'Waar heb je het over, jongen?'

'De gedwongen verhuizingen van de joden, waar je over vertelde.'

'Ah, mijn beste Erich, dat was toch een eufemisme! Je moet onderscheid leren maken tussen de werkelijkheid en propaganda, hoor. Ze werden verhuisd, da's waar, maar niet naar de Poolse vlakten die we hen beloofden. Allemachtig, nee, dan hadden we duizenden Polen moeten verplaatsen, terwijl we onze handen vol hadden aan tienduizenden joden... wat zeg ik, hónderdduizenden joden.'

'Waar zijn die dan wel naartoe verhuisd?'

'Rechtstreeks de lucht in, Erich, rechtstreeks de lucht in.'

Hij zag mijn niet-begrijpende blik en barstte in lachen uit. 'Maar jongen toch, denk nou even na! Hoe hadden we het anders moeten oplossen? Dat ongedierte moest uitgeroeid worden. Voor een beter Europa, een betere wereld!'

'Moeder zei dat ze een brandlucht rook toen ze je een bezoek wilde brengen...'

'En dat wekte een vervelende jeugdherinnering tot leven. Tja, heel betreurenswaardig.'

'Hoe zal het haar vergaan?'

'Helga? Ik heb weinig hoop op herstel, moet ik zeggen. Als we haar naar een inrichting konden brengen, was er misschien een kans, maar zoals de zaken er nu voor staan...'

'Nee, met Manokwo bedoel ik.'

'O, dat. Ik betwijfel of hij zijn dreigement ten uitvoer brengt. Ik heb het er met Wentzler over gehad, en volgens hem hebben de Jajomi een afkeer van vrouwen die niets uitvoeren. Dus wat zou hij met Helga moeten? Het is allemaal grootspraak, Erich. Die indianen doen wel stoer, maar ze komen tot niets. Lapzwansen zijn het, van nature, dus is het logisch dat de grootste lapzwans opperhoofd wordt. Die Manokwo heeft zich een weg naar de top gebluft, als je van top mag spreken. Een haan op een mesthoop is het, die over zijn kippen uitkijkt en zich koning waant.'

'Maar als hij nu eens niet bluft?'

'Erich, Erich, je maakt je veel te veel zorgen. Hou op met tobben en concentreer je op ons ontsnappingsplan. Dat doe ik ook. Als de tijd rijp is, grijpen we onze kans en maken we ons uit de voeten. Dit hier...' hij maakt een weids armgebaar, '... is niet onze wereld. Onze toekomst ligt elders.'

Ik begreep dat hij mijn vraag niet kon of wilde beantwoorden. Het was duidelijk dat hij zichzelf niet meer als moeders echtgenoot zag, en dat deed me deugd, want hij verdiende haar niet, al was ze nog zo geestesziek. Hij vond zichzelf geweldig omdat hij een hoop joden had gedood, maar de confrontatie met Manokwo durfde hij niet aan te gaan, terwijl dat om zijn eigen vrouw ging, dus wat stelde hij eigenlijk voor? In Ciudad Bolivar had ik ons nog gelukkig geprezen omdat hij zich over ons ontfermde, maar nu, terwijl hij me glimlachend aankeek, vond ik hem alleen nog maar afstotend.

'Ik begrijp het, Erich, het wachten valt je zwaar. Maar we zullen geduld moeten hebben, jij en ik.'

'Jij en ik? En de anderen dan? Tagerri bouwt een tweede kano, dus we kunnen hier met zijn allen weg.'

'Natuurlijk, natuurlijk. Samen uit, samen thuis.'

Hij lachte dat naargeestige lachje weer, het geluid van een lek gestoken voetbal. Ik was het beu, stond op en liep het pad weer af, te kwaad om nog een woord te zeggen. Hij kon waarschijnlijk echt niets aan moeders toestand verbeteren, al was hij arts, maar hij had op zijn minst op wegen kunnen zinnen om haar voor Manokwo te behoeden. Moeder was onmogelijk in de omgang nu ze was ingestort, maar dat was geen excuus om haar zo in de steek te laten. Hij was ondanks alles haar echtgenoot, ook al waren ze onder een valse naam getrouwd. En wat me ook woedend maakte: ik wist zelf evenmin hoe ik haar tegen Manokwo in bescherming kon nemen.

Hij was groot voor een indiaan, uitzonderlijk potig ook, en ik geloofde allerminst dat hij opperhoofd was geworden omdat hij de grootste lapzwans van allemaal was. Vergeet het maar, hij was de beste vechter, dat kon niet anders. En ik had geen enkel talent op dat gebied. Op school was ik weliswaar geen doetje geweest dat door iedereen werd gepest, maar ik was ook nooit een vechtpartij begonnen, of zelfs maar voor vriendjes in de bres gesprongen.

Iemand slaan had me altijd het toppunt van stompzinnigheid geleken. Als er iemand ruzie met me zocht, had ik het meestal met woorden opgelost. Slechts tweemaal was het op een vechtpartij uitgedraaid, en dat was beide keren in een onbeslist geëindigd, omdat mijn tegenstander net zo onbeholpen was als ik. Ik zou Manokwo nooit kunnen bevechten als de held uit een jongensboek, en dat maakte me razend.

Vechten met Manokwo was uitgesloten, en praten ook, omdat ik de taal niet sprak. Maar dat laatste was niet onoverkomelijk, want Wentzler sprak wél Jajomi, en als ik een list of een goeie smoes kon bedenken, zou hij me vast wel willen helpen – zolang hij zelf maar geen gevaar liep. Maar wat kon ik in hemelsnaam verzinnen? Ik bleef stilstaan om beter te kunnen nadenken en er vloog een grote zoemende kever precies tegen mijn voorhoofd. Hij botste er met een *tok* tegenaan, maar vloog onverstoorbaar verder. Het drong nauwelijks tot me door, zo diep was ik in gedachten. Je kon de Jajomi zowat alles wijsmaken, dus moest ik een plan bedenken waarbij ik gebruikmaakte van hun bijgelovigheid, al was het maar om tijd te winnen. Iets waardoor Manokwo de komende maand bang zou zijn om moeder aan te raken, totdat de regentijd begon en we er tussenuit konden knijpen.

Waar zou Manokwo bang voor zijn? Wat zou een reden voor hem vormen om moeder niet langer te begeren? Ik piekerde en piekerde, maar er wilde niets bij me opkomen. Al had een heel eskader kevers zich als kamikazes op mijn voorhoofd gestort, dan hadden ze nog geen plannetje bij me losgeschud. Ik stond daar zwetend op het pad, hulpeloos en radeloos, een domkop zowel als een zwakkeling. Ik sloeg mezelf voor mijn gezicht om een idee op te wekken, wat voor idee dan ook, zolang ik er maar mee voorkomen kon dat mijn moeder als een hoer werd misbruikt. Maar ik hield er alleen een tintelende wang aan over.

Die avond waren we voor het eerst getuige van de donkere kant van de Jajomi. Wat ze bij de politie een huiselijke twist zouden noemen

– een Jajomiman was erachter gekomen dat zijn vrouw met een ander het struikgewas in ging.

Het begon nog voor het avondeten. Een man met de naam Isiwé (Wentzler gaf me vanaf het eerste begin een uitleg van het gebeuren) sprong op en schreeuwde waar iedereen bij was dat zijn vrouw Taroemi het achter zijn rug om met ene Mapiwé deed, en nu eiste hij genoegdoening van beiden.

De beschuldigde man, Mapiwé, sprong ook op en riep dat Isiwé een 'waardeloze neuker met een slappe pik' was (in de letterlijke vertaling van Wentzler), anders was Taroemi nooit op een ander gaan 'geilen'. Het was dus Isiwé's eigen schuld. Had-ie maar een betere pik moeten hebben en zijn vrouw tevreden moeten houden.

Dit maakte Isiwé nog kwader, en hij beschuldigde Mapiwé ervan dat hij Taroemi had behekst, waardoor ze zich van haar eigen man had afgekeerd. Mapiwé zei dat dit onzin was. Er was geen sprake geweest van magie, en die had je ook niet nodig als er een luie pik in het spel was. Algehele hilariteit. Alle kookvuren werden nu verwaarloosd en de hele sjabono verdrong zich rond de schreeuwende mannen. Wentzler noemde dit 'publieke rechtspraak'.

Na nog wat heen en weer geschreeuw zei Mapiwé dat Taroemi moest opstaan om iedereen uit te leggen waarom ze het met hem deed. (De beschuldiging van hekserij was een ernstige zaak, legde Wentzler uit, dus hij wilde van alle blaam gezuiverd worden.) Ze gehoorzaamde en toen zag ik dat het de vrouw was die ik met een zuigeling aan haar ene borst had zien zitten, en een aapje aan de andere. Het leek haar slecht te bevallen om in het middelpunt van de belangstelling te staan, want ze krijste nog harder dan de twee mannen, waarop de baby op haar heup ook begon te janken, dus horen en zien verging je.

Taroemi gilde dat ze het met Mapiwé was gaan doen omdat Isiwé haar om het minste of geringste sloeg. Mapiwé was veel liever voor haar en noemde haar zijn 'lekkere loopse teef' en zijn 'sappige puppykutje', terwijl Isiwé haar alleen maar voor 'lelijke apendrol' uitmaakte. De sufferd had nooit begrepen dat hij haar daarmee in de armen van een ander dreef. Ze had nooit het gevoel gehad dat iemand haar behekst had. Ze had alles uit haar eigen vrije wil gedaan, ook al omdat Mapiwé knapper was en lekkerder neukte. Na die laatste uitlating begonnen sommige omstanders te juichen – familie van Mapiwé, aldus Wentzler, die me er tevens op wees dat Isiwé's verwanten een gezicht hadden als een oorwurm.

Isiwé zelf verwierp de uitleg van zijn vrouw. Haar verhaal bewees volgens hem alleen maar dat er een extra krachtige toverij op haar rustte, die haar niet alleen ontrouw maakte maar ook nog liet liegen. Een duel was nodig om het pleit te beslechten, en wel hier en nu, zodat Mapiwé geen tijd zou hebben om nieuwe hekserij te plegen en Isiwé te verzwakken.

Dit tot groot enthousiasme van de omstanders. Volgens Wentzler waren de Jajomi dol op een goed gevecht tussen twee evenwaardige mannen, zoals bij ons boksen populair was. Isiwé en Mapiwé renden naar het houten geraamte van de sjabono en ieder trok er een paal uit van een meter of drie, en zo dik als hun arm. Vervolgens gingen ze scheldend en tierend tegenover elkaar staan, ieder met zijn familie in zijn rug. Wentzler zei dat Mapiwé als beschuldigde partij het recht om de eerste slag uit te delen. En dat gebeurde ook. Toen hij door zijn verwensingen heen was, haalde hij uit. Isiwé probeerde de paal niet eens te ontwijken en liet hem boven op zijn hoofd neerkomen.

Ik kromp ineen bij de doffe bonk, en Isiwé deed een stap opzij, maar hij bleef op de been en maakte zich op voor zijn eigen slag, die Mapiwé evenmin ontweek. Hij werd op dezelfde plek geraakt, wankelde ook even, maar bleef eveneens overeind. Bij beide mannen stroomde nu bloed over hun gezicht en hals. Ze smeerden het met hun vrije hand uit over hun borst en maakten zich op voor de tweede slagenwisseling. Ik had nog nooit zoiets idioots gezien, maar Wentzler bezwoer me dat dit de traditionele manier was waarop Jajomi een meningsverschil uitvochten.

Mapiwé liet zijn paal weer omlaag zwiepen en Isiwé viel op één knie, maar hij krabbelde meteen weer overeind, terwijl zijn verwanten hun keel schor schreeuwden. Hij vermande zich en hief zijn paal op om Mapiwé te treffen, die met zijn bloedig besmeurde borst vooruit stond, blakend van zelfvertrouwen. De paal kwam sneller neer dan ooit en raakte Mapiwé's hoofd met een misselijkmakend geluid, als een bijl die een houtblok spleet. Mapiwé bleef nog een paar tellen staan, met een superieure grijns om zijn mond, en sloeg als een zak aardappelen tegen de grond. Het duel was voorbij.

Isiwé liep triomfantelijk in een kringetje en hief een of ander overwinningslied aan, toegejuicht door zijn familie. Mapiwé lag voor dood op de grond, en zíjn familie negeerde hem nadrukkelijk. Hij was onteerd, zei Wentzler, omdat zijn nederlaag betekende dat hij gelogen had. Een eerlijk man zou het paalgevecht gewonnen hebben, dus zouden zijn verwanten hem pas durven verzorgen als alle commotie voorbij was en niemand meer keek.

Maar de voorstelling was nog niet ten einde. Druipend van zijn eigen bloed, en dol van vreugde over zijn overwinning, riep Isiwé uit dat zijn vrouw nu gestraft moest worden omdat ze hem, haar eerzame man, zoveel leed had berokkend. Bij het horen hiervan begon Taroemi onbedaarlijk te huilen. Ik ging ervan uit dat ze er flink van langs zou krijgen, maar niet met die paal. En ik kreeg gelijk, zij het op een lugubere manier. Isiwé liet de paal liggen en haalde een kapmes om de straf ten uitvoer te brengen.

Jammerend zat Taroemi voor hem neergehurkt. Hij trok haar linkeroor opzij en sneed het met een paar ruwe halen van haar hoofd. De pijn moest ondraaglijk zijn, en ze viel dan ook flauw, waarna Isiwé haar met een ruk op haar zij trok, haar rechteroor beetgreep en ook dat afsneed. Met de twee oren in zijn opgeheven hand hield hij een toespraak waarin hij volgens Wentzler nog eens uiteenzette dat hij volop in zijn recht stond en dat zijn vrouw en Mapiwé verdorven leugenaars waren. Dat had het paalgevecht al duidelijk gemaakt, en de oren golden als het definitieve bewijs. Taroemi lag in een almaar groeiende plas bloed, nog steeds bewusteloos, maar Mapiwé roerde zich. Hij werkte zich in een zittende houding, zag Taroemi zonder oren en ik was benieuwd hoe hij zou reageren, maar hij deed niets, helemaal niets. 'In hun ogen heeft het recht gezegevierd,' zei Wentzler, 'en daarmee is de kous af.'

Ik voelde me beroerd. Zou Manokwo dit ook met moeder doen als ze hem zijn zin niet gaf? De gedachte alleen was genoeg om direct naar hem toe te rennen en hem een kogel door zijn kop te jagen. Maar ik had geen pistool. Ik had niets waarmee ik ook maar enige invloed kon doen gelden. Het enige wat ik had was de overtuiging dat ik me nooit zomaar op mijn hoofd zou laten slaan. Dat nóóit.

Al met al waren de Jajomi behoorlijk in mijn achting gedaald, maar ze kelderden nog verder toen ik Mapiwé en Isiwé vijf minuten later als de grootste vrienden in het rond zag huppelen, met hun armen over elkaars schouders, lachend en joelend, terwijl de vrouw die ze beiden liefhadden, of op zijn minst begeerden, nog altijd roerloos in haar eigen bloed lag. Dit sloeg nérgens op.

'Ja, Erich, het zijn dwazen,' raadde Wentzler mijn gedachten, 'maar wij beschaafde lieden zijn net zo dwaas, hoor. Heb je nooit van pistoolduels gehoord, waarbij deftige heren om beurten op elkaar mogen schieten? Dat is misschien nog wel absurder dan wat je zojuist hebt gezien. Deze twee mannen hebben morgen alleen nog maar een grote buil op hun hoofd, en daar zullen ze zo trots op zijn dat ze hun haar op die plek wegsnijden zodat iedereen het zien kan.'

'Maar die vrouw... die heeft geen óren meer.'

'Nee, helaas. Maar het is maar een vrouw. Zo denken de Jajomi erover.'

'Ik wil hier weg. Ik wil hier zo snel mogelijk weg en nooit meer terugkomen.'

'En dat zal ook gebeuren, Erich. Zodra het water hoog genoeg staat voor ons plan.'

'Maar dan zal het te laat zijn voor moeder.'

'Dat weet ik, en het verdriet me, maar ik kan haar niet helpen.'

'Dat zou Klaus moeten doen. Híj zou er een stokje voor moeten steken!'

'Ik begrijp je woede, maar wat zou hij kunnen uitrichten? Hij vindt het je moeders eigen schuld, en tja, als ze zich nu eens als zijn vrouw wilde gedragen, op een manier die de Jajomi zouden begrijpen...'

'Maar ze verafschuwt hem! Waarom zou ze dat doen als ze hem verafschuwt?'

'Niet zo hard, Erich. Ik begrijp haar standpunt en het jouwe, maar ook dat van Klaus, én dat van Manokwo. En een verzoening is uitgesloten. Het is een onmogelijke situatie.'

'Ze verafschuwt hem omdat hij al die joden heeft gedood.'

'Werkelijk? Ben je daar echt zeker van? Ik meende begrepen te hebben dat ze zelf ook niet zo'n jodenvriendin is.'

'Dat is ze ook niet, wie is dat nou wel, maar om ze allemaal af te maken... Vanmiddag vertelde hij me nog dat ze er honderdduizenden hebben vermoord! Rechtstreeks de lucht in, zei hij.'

'Zo zo.'

'En hij zal haar niet te hulp komen, dat wéét ik gewoon. Hij vindt het gewoon niet erg als haar iets overkomt, omdat ze... ziek is.'

'En jij, wat zou jij willen doen?'

'Ik weet niet. Een list bedenken. Iets waarmee we Manokwo in de luren leggen, waardoor hij blijft wachten tot de regen komt en we hier weg zijn.'

'Maar wat zou dat dan voor list moeten zijn?'

Daar had ik niets op te zeggen. Het was ondertussen weer rustig in de sjabono. Enkele vrouwen droegen Taroemi weg en legden haar in haar hangmat, en daar bleef het bij. Haar wonden werden niet verzorgd. Ze maakten haar niet eens schoon, hoewel ze onder het bloed zat. Wat waren dit voor onmensen? Ze leken het gevoelsleven van kleine kinderen te hebben, en harten van steen.

Wentzler zag opnieuw wat er in me omging. 'Denk niet dat ze volmaakt anders zijn dan wij, Erich. Ze verschillen alleen maar doordat ze nog geen notie van metallurgie en metaalbewerking hebben. Als Isiwé dat kapmes niet gebruikt had, dat ik ze elf jaar geleden geschonken heb, dan had hij de schelp van een zoetwatermossel genomen en had ze nog veel meer pijn geleden.'

'Maar waarom moesten haar oren eraf? Wat loste hij daarmee op?'

'Niets, natuurlijk. Maar zo is het nu eenmaal – wat kapot is, echt kapot, kan nooit meer helemaal hersteld worden. Taroemi zal Isiwé altijd blijven vrezen en haten. En ook Mapiwé, al doet hij nu nog zo joviaal, zal altijd naar wraak blijven hongeren voor zijn vernedering. Niets van dat alles kan ooit nog worden goedgemaakt. Integendeel, er zal alleen nog maar meer ellende van komen. Maar zo gaan zulke dingen.'

Ik wenste hem goedenacht en liep naar mijn hangmat. Hij had gelijk, wat kapot was, kon nooit meer helemaal goed worden. Moeder was kapot. Haar huwelijk met Klaus was kapot. Ons gezin was kapot. En alles was begonnen toen vader sneuvelde. Als hij was blijven leven, had ze nooit hoeven hertrouwen en waren we nooit hier in het oerwoud verzeild geraakt.

Ik keek naar de avondhemel door de opening in het sjabonogewelf, half in de verwachting dat die zwarte schijf in duizenden stukken zou breken, verbrijzeld door de vuist van God. Nog even en het eten zou klaar zijn, en dan zat iedereen te schransen alsof er niets was voorgevallen, alsof er geen bloed had gevloeid en er geen levens waren veranderd. Tja, de hemel kon niet aan scherven gaan, maar al het andere zou wél ooit kapotgaan, als het dat al niet was. Het was een troostrijke gedachte, welbeschouwd. Alles ging kapot, maar dat lag niet aan mij. Zo ging het nu eenmaal.

Moeders laatste dag in vrijheid, voordat Manokwo haar zou opeisen, begon als alle voorgaande. Ze werd wakker, liet zich uit haar hangmat glijden en verzonk onmiddellijk in gebed. Ze had al in geen twee dagen gegeten. Klaus kon haar daar niet toe overhalen, en mij lukte het ook niet. Niemand kreeg nog een woord van haar. Ze sprak alleen nog maar tegen God, en dan nog in stilte. Alles wat er die laatste dag gebeurde, voltrok zich in een onwezenlijke traagheid, alsof elke seconde zorgvuldig werd uitgemeten.

De meeste Jajomimannen gingen op jacht, maar ik bleef achter. Tagerri had met een paar vrienden een boomstam uit het oerwoud gesleept, die hij nu tot een kano stond te kerven. Awomé was bij de vrouwen in de bananentuin, en ze verloren haar geen moment uit het oog om te voorkomen dat ze bij mij in de buurt kwam. Maar dat kon me niets schelen. Mijn gedachten gingen die dag alleen maar naar moeder uit. Zo te zien verging het Zeppi niet veel anders. Hij speelde onophoudelijk met Mitzi, maar hoe koddig het aapje ook deed, het wist hem niet één keer tot een glimlach te brengen.

Manokwo kwam een kijkje nemen terwijl moeder zat te bidden. Haar gedrag leek hem te intrigeren en hij vroeg Wentzler wat ze toch de hele tijd deed. Toen de professor het hem had uitgelegd, zei hij iets met de strekking dat er nooit een excuus voor luiheid was, en dat ze vanaf morgen geen tijd meer zou hebben om voortdurend tot de goden te spreken. Morgen zou ze zijn vrouw worden, tenzij ze bewees dat Klaus inderdaad haar man was, zoals hij beweerde, maar wat Manokwo sterk betwijfelde. Hij vertelde Wentzler dat hij er zeer naar uitzag om een dolfijnenvrouw te hebben, maar ze moest wel begrijpen dat hij echte mensenkinderen van haar wilde, geen dolfijnen.

Hij zei het allemaal heel minzaam, niet gnuivend of vergenoegd in zijn handen wrijvend, maar ik verfoeide hem niettemin. En Klaus verfoeide ik nog meer, omdat hij zich nog altijd afzijdig hield. Hij was weer nergens te bekennen, zou wel weer ergens in de jungle de dag zitten vervloeken waarop hij moeder die brief met zijn huwelijksaanzoek had geschreven.

In de loop van de middag werd alles nog onwezenlijker. Zelfs de lucht leek tot stilstand te komen – er stond geen zuchtje wind meer, er roerde zich geen blaadje. Heel in de verte hoorde ik donder rommelen, maar de hemel was volmaakt helder. Toen ik naar de rivier liep om even te zwemmen, was het water als warme chocolademelk, zonder de minste rimpeling. Er was nergens een papegaai te horen, noch zag ik er een vliegen. En toen, in minder dan geen tijd, begon alles te veranderen. De hemel kreeg een gelig groene weerschijn en vanachter de boomtoppen kwamen wolken opzetten, woelige staalgrijze formaties met donkerblauwe vleugen, tegen zwart aan. Het gerommel werd luider en in de wolkenpartijen zag ik bliksemstralen oplichten, als goudaders in een smeltende steenmassa.

De kleur van de rivier veranderde van bruin in een smerig groen en de donder werd oorverdovend. Ik moest een schuilplaats zoeken, maar wilde niet terug naar de sjabono, dus holde ik de jungle in terwijl de eerste regen begon te vallen, dikke druppels die met een plofje de bodem raakten, of met een vochtige tik uiteenspatten op de bladeren, als waterige explosies. Het begon als afzonderlijke plofjes en tikken, maar het werd al snel een geroffel en vervolgens een gedender, en het werd zo donker dat ik door een verduisterde kamer vol bomen leek te lopen. Ik volgde een veelbetreden pad, dat zich al met water vulde en op een snelstromend beekje begon te lijken.

En toen was er de wind. Van het ene moment op het andere stond elke struik en elke boom heen en weer te zwaaien. Ik hoorde overal hout kraken en piepen, en takken langs elkaar schuren. Het gebladerte ritselde zo wild dat het een gesis toevoegde aan het denderen van de regen. De wind gierde, kreunde en huilde als een levend wezen in doodsnood. De bliksem flitste elke paar seconden, waarna de lucht meteen verscheurd werd door een rollende donder, een aanhoudend lawaai dat beurtelings aan stampende machines en klapperende zeilen deed denken.

Ik vertraagde mijn pas tot een behoedzaam wandeltempo, keek goed waar ik mijn voeten neerzette, en bij elke stap spoelde het water eroverheen en voelde ik warme modder tussen mijn tenen dringen. Het weerlicht deed de bomen opflitsen, zwiepend alsof ze radeloos om redding zwaaiden, de regen stak als naalden in mijn hoofdhuid en schouders, en er kwam een zinderende opwinding over me. Dit overtrof alle regen die ik ooit had meegemaakt! Het plenzende water leek alle lucht te verdringen. Ik hapte naar adem en voelde me alsof ik door een onderwaterjungle liep, met het gebrul in mijn oren van golven die te pletter sloegen op koraalrif. Ik was een dolfijn met benen in plaats van vinnen, zwoegend door een oerwoud van zeewier.

Opeens zag ik Klaus onder zijn vertrouwde boom zitten, met zijn rug tegen de stam. Hij hief zijn gezicht op en sperde zijn mond open om er de regen in op te vangen. Zijn ogen kneep hij dicht tegen de onbarmhartige druppels. Ik was dicht genoeg bij hem om de regen van zijn witte tanden en zijn rechte neus te zien spatten. Maar ik wilde niet dat hij mij zag, al begreep ik zelf niet waarom, en ik ging achter een boom staan nu hij zijn ogen nog dicht had. Zo stond ik hem te bespieden, en te haten, maar ik had tegelijkertijd met hem te doen omdat hij daar zo helemaal alleen zat.

Hij boog zijn hoofd om de volle kracht van de regen op zijn schedel te voelen. Het water liep in straaltjes van zijn neus en kin, en het leek heel even of hij in slaap zou vallen, zo ver zat hij voorovergebogen. Maar toen hief hij zich weer op en opende zijn ogen. Hij keek naar links en naar rechts, als wilde hij nagaan of hij nog wel alleen was. Zijn kletsnatte haar hing in slierten over zijn voorhoofd. En terwijl ik hem gadesloeg, opende hij zijn dokterstas, boog zich erover om de inhoud tegen de regen te beschutten, en begon er met twee handen in te scharrelen. Hij vond wat hij zocht en sloot de tas weer. Een bliksemflits deed het voorwerp in zijn rechterhand oplichten als een radiobuis. Nog een flits en ik zag wat het was – een injectiespuit.

Hij hield de spuit omhoog naar de lichtende hemel, bestudeerde hem aandachtig, en hief nu ook zijn andere hand op. Daarin had hij een flesje met een kleurloze vloeistof. Hij keerde het om, stak de naald van de injectiespuit door de dop en trok met zijn duim de zuiger uit. Toen de spuit gevuld was, liet hij de naald in het flesje zitten en zette het voorzichtig naast zich neer. De tas ging weer open en ditmaal haalde hij een dunne rubber slang tevoorschijn, die hij stevig om zijn bovenarm wond en tussen zijn tanden klemde om hem strak te houden. Daarna pakte hij de spuit weer op, trok er het lege flesje af en spoot een straaltje omhoog om eventuele lucht te verwijderen. Hij bekeek de inhoud nog even, zette de naald schuin in de vouw van zijn elleboog en liet de punt onder zijn huid glijden. Het was een weerzinwekkende aanblik, die grijnzende tanden waarmee hij de slang vasthield. Toen hij de spuit had leeggedrukt, zakte zijn mond open. De slang schoot los, wikkelde uit zichzelf af en viel op de grond. Zijn gezicht verslapte en hij hief het weer op naar de striemende regen.

Zijn oogleden fladderden even als vlinders en bleven toen star omhoog staan. Hij trok voorzichtig de naald uit zijn arm en glimlachte. Ik vroeg me af naar wie. En wat voor ziekte was het, waarvoor hij zichzelf moest behandelen? Misschien was hij wel stervende. De gedachte alleen al maakte me blij, en dat wilde ik hem tonen, dus stapte ik achter de boom vandaan en wachtte tot hij me zou opmerken.

Het duurde wel een volle minuut eer hij me zag. Zijn gelaatsuitdrukking bleef gelijk, alsof hij al die tijd geweten had dat ik toekeek. Of anders had hij gewoon geen zin om verrast te zijn. Pas toen we elkaar een poosje hadden aangestaard, wenkte hij me naar zich toe. Ik deed een paar stappen in zijn richting. Hij stopte het flesje, de spuit en de slang weer in zijn tas, klapte die dicht en sloeg zijn ogen naar me op. Ik zag zijn mond open en dicht gaan, en realiseerde me dat hij tegen me sprak, maar ik hoorde er niets van. Hij leek wel een goudvis in een kom, die geruisloos door het water hapte. Het noodweer was te luidruchtig, en zijn stem te zwak. Hij wenkte me naderbij, maar ik bleef staan waar ik stond.

Hij zakte onderuitgezakt tegen de boomstam en wendde zijn blik af alsof hij het opgaf. Hij hand kwam weer omhoog, maar in plaats van me te wenken, wuifde hij me weg. Een lome beweging, als zeewier wiegend op het tij.

Nu hij me kennelijk weg wilde hebben, deed ik juist een stap naar hem toe, maar bleef buiten zijn bereik. Zijn ogen zochten de mijne weer en we hernamen ons staargevecht. Zijn gezicht, dat droop van de regen, was volkomen uitdrukkingsloos, en zijn lichaam was slap als een gevallen marionet. Een marionettenman was hij, met gebroken of doorgeknipte draden en de verf van zijn gezicht gespoeld, achtergelaten in de jungle om er geknakt tegen een boom weg te rotten. Hij leek volslagen krachteloos, verlamd, en die aanblik beviel me uitstekend. Wat hij ook voor ziekte mocht hebben, wat het ook was dat hem daar zo deed liggen, oppervlakkig ademend en met geloken ogen, ik wilde er niet door besmet raken, dus deed ik een stap terug voor hij kon gaan hoesten. Ik zag het voor me, zijn mond die een eruptie van duisterheid voortbracht, een dodelijke microbenwerveling die me zou omgeven en verstikken.

Hij glimlachte opnieuw, en ik begreep waarom. Het amuseerde hem dat ik uit angst een stap terug had gedaan. Hij bespotte me met zijn ogen en het ziekelijke lachje dat om zijn mond speelde. Het maakte me razend. Ik wilde hem zijn tanden uit zijn mond schoppen, met een steen die glimlach van zijn gezicht vagen. Ik rilde opnieuw, maar niet van de regen. Het was haat die me zo deed rillen, en ik wist dat ik mezelf alleen maar weer rustig kon krijgen door die haat in mijn vuisten te bundelen en op dat weerloze, slappe lichaam in te beuken.

Maar ik kon het niet. Hij lag daar hulpeloos als een baby en ik kon hem gewoon niet slaan. Een deel van me wilde hem zelfs optillen en naar de sjabono dragen. En dat gevoel vond ik helemáál vreselijk. Ik wilde geen medelijden met hem hebben. Het was een lafaard, en hij verdiende het om ziek te zijn. Hij verdiende het dat ik hem aan zijn lot overliet en weg zou lopen, zelfs als dat hem fataal zou worden. Zou ik dat kunnen, weglopen en niet meer aan hem denken?

Ik merkte dat zijn ogen niet langer op mij waren gericht, maar op iets achter me. Hij kreeg een peinzende rimpel in zijn voorhoofd. Ik draaide me om en zag Awomé. Ze leek op een otter die ik wel eens gezien had in de dierentuin, rank en bruin en nieuwsgierig, glimmend van het water, waakzaam maar goedaardig. Klaus was op slag uit mijn gedachten. Ze stond bij een boom, het weerlicht wierp flitsen over haar borsten en buik. Toen ik naar haar toe liep, draaide ze zich om en holde weg over het pad. Ik volgde, maar verloor haar uit het zicht toen het een ogenblik donker bleef. Voetsporen waren er niet, want het pad stond onder water.

Ik bleef staan. 'Awomé!'

Geen antwoord, niets dan de donder, regen en zwiepende bomen. Ik schrok toen er opeens een takje van mijn schouder stuiterde, maar ik wist onmiddellijk dat zij het had gegooid. Ze had zich verstopt en wilde dat ik naar haar op zoek ging. Nog een takje, nu op mijn achterhoofd. Het moest van dichtbij gegooid zijn. Ik draaide om mijn as en speurde de vegetatie af.

'Ik zie je niet! Kom tevoorschijn!'

Maar ze bleef zich schuilhouden. En weer een takje, midden op mijn rug. Ik vond het grappig, maar wilde tegelijk dat het ophield. Ik wilde haar in mijn armen, niet ergens in de struiken, verscholen in het groen en de herrie van het noodweer. 'Ik hou van je!' riep ik, maar die woorden waren voor haar betekenisloos. Ik had net zo goed kunnen roepen dat het dinsdag was. 'Toe, kom nou!' Maar dat deed ze niet en ik werd boos. Wat een kinderachtig spelletje was dit, wat idioot om verstoppertje te spelen in een tropische onweersbui. Ik had er geen zin meer in. 'Donder maar op dan!' riep ik tegen de bomen. 'Mij een biet, stomme tut!' Maar nog steeds geen teken, dus draaide ik me om en wilde weglopen. En daar stond ze, voor mijn neus.

Ze zei iets, pakte mijn hand en voerde me mee. Ik volgde als een hond aan een leiband. Ze sloeg een zijpad in, dat zo nauw was dat we achter elkaar moesten lopen. Ik had geen idee waar we heen gingen. Al wat ik zag waren haar heerlijke billen die voor me uit deinden, haar kletsnatte rug en schouders, haar haar dat zwart en dik was als de manen van een paard, het groene lint dat om haar middel plakte. Op een open plek bleef ze staan en draaide zich naar me om. Ze glimlachte uitnodigend. Het was duidelijk dat ik de volgende stap moest doen. Haar glimlach zei me dat ze dapper maar ook dwaas was geweest om me hiernaartoe te brengen, maar dat het gevaar haar niet kon schelen.

Ik keek naar de stokjes die rond haar mond in haar vlees staken. Ik wilde haar zoenen, maar die stokjes zaten in de weg – en de professor had me trouwens verteld dat de Jajomi nooit zoenden. Ze gaven elkaar klopjes en aaitjes, en soms een omhelzing, maar met zoenen waren ze onbekend. Ik deed een stap naar voren en sloeg mijn armen om haar heen. Ze onderging het zonder een vin te verroeren. Haar borsten drukten als zachte kussentjes tegen me aan, maar haar rug voelde stijf en gespannen. Ik deed kennelijk iets verkeerd, dus liet ik haar maar weer los. Ze bleef bewegingloos staan, maar de glimlach bleef. Ik had geen idee hoe het verder moest.

Ze wees naar mijn pik, die omhoog begon te komen, zei iets wat ik niet begreep en pakte hem beet. Ze bewoog haar hand heen en weer, wat hem binnen een paar seconden keihard maakte, en ging op haar hurken zitten om hem nader te bekijken. Ze bleef hem vasthouden, maar wekte niet de indruk dat dit haar opwond. Ze was gewoon nieuwsgierig, leek te willen zien wat het verschil was met onbesneden pikken. Ze trok eraan om te zien of ze het vel over de eikel kon krijgen, wat natuurlijk niet ging, en al helemaal niet omdat hij zo stijf stond als wat, en uiteindelijk leek ze te besluiten dat het een pik was als alle andere, ondanks zijn vreemde voorkomen.

Ze liet zich langzaam achteroverzakken en trok mij aan mijn pik op mijn knieën. Ze ging ruggelings voor me liggen en deed haar benen uit elkaar. Haar vagina was vochtig en roze vanbinnen, met golvende lipjes en verrassend langgerekt – helemaal geen 'gat', zoals ze altijd zeiden, eerder een gleuf. Ik vroeg me af waar hij erin moest, bovenin, in het midden of onderin? Ze spreidde haar benen zowat tot een spagaat, bleef glimlachen en greep opnieuw mijn pik beet om me over zich heen te trekken. Ik bood nog even weerstand om haar te kunnen bekijken, maar gaf me toen gewonnen, en bleek voor niks te hebben gepiekerd, want ze leidde me zelf bij zich naar binnen.

Het voelde eerst alsof hij in een warme gelei gleed, maar toen werd hij door stevige spieren omklemd, net zo stevig als de benen die zich om mijn rug vouwden en me dieper naar binnen duwden. Ze sloeg haar armen om mijn nek en kneep haar ogen dicht. Haar mond stond een beetje open, maar de glimlach was verdwenen – het leek eerder alsof ze haar tanden op elkaar klemde van pijn. Maar dat laatste kon niet waar zijn, want ze bleef me omklemmen, klauwde in mijn rug en spoorde me met haar hielen aan om sneller op en neer te gaan. Onze buiken kletsten luid tegen elkaar. Bij elke stoot trilden de stokjes in haar gezicht.

Ik voelde geen regen of wind meer, of de natte grond onder mijn knieën, alleen nog het inwendige van Awomé, waar ik me een paar stoten later in uitstortte. Volgens mij met een luide schreeuw. Awomé bleef stil, liet me alleen maar los en liet haar armen slap opzij vallen. Ik liet me op haar neerzakken en bleef even hijgend zo liggen, tot ze me van zich af duwde. De regen spoelde het zweet van onze lichamen.

Ze stond op, zei iets en liep weg. Ik krabbelde haastig overeind en volgde haar. Zonder haar zou ik hopeloos verdwalen. Takken sloegen in mijn gezicht terwijl we ons een weg baanden door de vegetatie, maar dat kon me niet deren. Ik keek weer naar haar rug en schouders, vol aanbidding nu, wilde er de natte bladeren en kluitjes aarde vanaf plukken, maar daar ging ze te snel voor. Van het ene moment op het andere bereikten we de oever van de rivier. Awomé waadde het water in en hurkte neer tot alleen haar hoofd er nog bovenuit stak. Ze waste de sporen weg. Ik liep ook het water in, hurkte naast haar neer en voelde hoe de stroom de aarde van mijn huid veegde en meevoerde.

We waadden samen naar de kant. Op de oever pakte ik haar hand, maar ze trok zich los en begon met snelle tred voor me uit te lopen. Het duurde niet lang of we kwamen bij de bocht waar de Jajomi hun kano's hadden liggen. Ze waren allemaal vol geregend en leken nu wel drinktroggen voor vee. Er was niemand te zien. Het stortregende onverminderd hevig, de donder rolde en de bliksem flitste.

Awomé keerde zich om en duwde tegen mijn borst, ten teken dat ik haar niet meer mocht volgen nu we zo dicht bij de sjabono waren. Heel verstandig, dus bleef ik staan en keek haar na. Ze was halverwege de helling toen iemand haar naam riep. Ze bleef staan en keek om. Ik zag Tagerri tussen de bomen vandaan komen en op ons af lopen, met zijn kapmes in zijn hand. De schrik sloeg me om het hart. Dat uitgerekend híj ons samen had gezien! Hij moest door de regen overvallen zijn terwijl hij aan de nieuwe kano werkte (ik zag de half uitgeholde boomstam bij de kano's liggen), en was onder de bomen gaan schuilen.

Zijn gezicht was verwrongen van woede. Zo te zien wilde hij me in mootjes hakken, en daarna zou hij ongetwijfeld Awomé's oren afsnijden, al was ze nog niet echt zijn vrouw. Ook zij stond als aan de grond genageld. Hij kwam met grote passen op me toe en zwaaide met dat kapmes als een kat met zijn staart. Mijn maag kromp samen van angst en mijn darmen dreigden hun inhoud prijs te geven.

Hij trok zijn lippen op in een afschrikwekkende grijns, en zijn ogen boorden zich in de mijne. Zijn lichaam leek uit te puilen van spierbundels, vooral zijn armen en hals, en hij hield het kapmes zo stevig vast dat zijn knokkels wit door zijn bruine huid schenen. Mijn benen weigerden te bewegen, misschien omdat ik verlamd was van angst, of anders omdat ik niet weg wilde rennen waar Awomé bij was, ik wist het zelf niet. Ik bleef stokstijf staan, dacht wanhopig na, zo hard dat mijn hoofd leek te zoemen, maar kon geen uitweg bedenken – tot hij nog maar een meter of drie bij me vandaan was en me alsnog iets inviel.

Ik greep mijn IJzeren Kruis, trok het ijlings over mijn hoofd en hield het voor me op alsof ik me met een crucifix tegen een vampier wilde beschermen. Hij bleef een ogenblik stilstaan en tuurde naar het metaal, maar schudde zijn hoofd als om een gedachte uit te bannen en kwam weer op me af. Ik schuifelde achteruit, met het Kruis nog steeds opgeheven, maar het had geen enkel effect. Integendeel, hij was nu vlakbij en hief grommend zijn kapmes op.

Ik zag het ijzeren blad glinsteren, hoog boven me, klaar voor de dodelijke houw. Mijn krachten vloeiden uit me weg. Ik ging sterven, nog geen halfuur na mijn ontknaping. Wat een rotmoment om dood te gaan... Ergens was het mijn eigen schuld, want ik was nog steeds te trots om weg te rennen, wilde nog steeds niet dat Awomé dat zou zien, hoe bang ik ook was. Tagerri strekte zich om het kapmes nog verder op te heffen. Ik zag hem genieten van mijn doodsangst.

En daar was het. De dreunende slag. Een fel wit licht. Ik buitelde achterover en smakte verdoofd en nietsziend in de modder neer.

Over. In één klap. Ik had het kapmes niet eens omlaag zien zoeven. Het had mijn schedel gekliefd, mijn hersens opengelegd voor de regen. Mijn rug was koud van de modder, maar van voren gloeide ik. Geen pijn. Dus ik moest al dood zijn. Ik staarde naar de hemel, verbaasd dat ik die nog zag na de felle witte gloed van het sterven. De regen geselde mijn gezicht, prikte in mijn ontzielde ogen.

Voorbij. Alles wat ik gevreesd had, alles waarover ik had ingezeten, Zeppi en moeder en alles wat er nog meer was fout gegaan. Nu moest iemand anders het maar voor ze opnemen. Ik was blij toe. Het was mijn zorg niet meer.

Awomé boog zich over me heen, speurend naar een teken van leven. Ze zou er geen vinden. Ik hoopte op tranen, wilde haar verdriet zien voordat mijn hersens doofden en ik weg zou zweven naar het oord waar je heen ging als je dood was. Als je al ergens heen ging. Deed er niet toe, nu wilde ik alleen maar haar tranen zien. Maar die kwamen niet. Integendeel, ze kneep in mijn wang en schudde mijn hoofd heen en weer. Nou moe, zo sprong je toch niet met een dode om? Haar hardhandigheid viel me tegen, de ruwe aandrang in haar vingers, maar ik vergaf het haar. Zo rouwden de Jajomi kennelijk.

Ze gaf me een por in mijn buik en ik proestte het uit. Een mechanische reactie, wist ik, waardoor lucht uit mijn dode longen werd geperst.

En nu sloeg ze me in mijn gezicht. En nog eens. En nog eens, keihard! Dit werd me al te dol en ik probeerde haar pols te grijpen om er een eind aan te maken. Met mijn linkerhand, want de rechter was verstard, en er leek iets scherps in te prikken. O, wacht eens even, dat moest het IJzeren Kruis zijn. Dat hield ik nog steeds in mijn vuist geklemd. Nu ik het wist, kon ik de vorm duidelijk voelen. Zoals ik alles duidelijk voelde, en zag... Hoe kon dat als je dood was?

Ik opende mijn mond. De lucht stroomde als ijskoud vuur mijn longen binnen, vulde me op, tot diep in mijn hoofd, en toen het er weer uit kwam, droeg het de luidste schreeuw met zich mee die ik ooit had gehoord. *AAAAAAAAAAAARRRRRGH!!* Ik deed het nog eens, schreeuwde zo hard als ik kon. Ik wist zelf niet waarom. Het enige wat ik wist was dat ik nog kon schreeuwen. En als ik nog kon schreeuwen, was ik niet dood.

Ik ging rechtop zitten, werkte me uit de modder alsof ik Adam zelf was, en nam verbaasd mijn lichaam in ogenschouw. Het was er allemaal nog. Mijn buik, mijn benen en armen, mijn voeten en handen, het IJzeren Kruis in één ervan... ik leefde!

En Tagerri was dood.

Dat zag ik in één oogopslag. Hij lag vlak bij me, als een omgevallen standbeeld, met het kapmes nog altijd in zijn opgeheven hand. Het metaal moest een bliksemstraal hebben aangetrokken, die via Tagerri's arm, zijn lichaam, zijn benen, in de modder was geslagen. Als een menselijke gloeidraad, zo was hij zijn leven geëindigd. Ik werkte me overeind, voelde mijn hele lichaam tintelen van levensbloed, en keek neer op de man die me had willen vermoorden.

Zijn ogen puilden een beetje uit. Zijn tong stak half afgebeten uit zijn mond. Zijn huid had een grijze ondertoon, en er klopte geen bloed meer onder. Ik keek naar het IJzeren Kruis in mijn hand, verbaasd dat de bliksem daar niet naar was overgeslagen. We hadden oog in oog gestaan, dus ik had eigenlijk bij hem moeten liggen. Twee idioten die in een zwaar onweer met ijzer in hun hand hadden gestaan. Zijn kapmes was veel groter dan mijn onderscheiding, en hij had het hoger in de lucht gestoken, maar ik had toch ongelooflijk geboft.

Ik keerde me om naar Awomé. Er lag een bedrukte ernst op haar gezicht, die ik niet begreep. Rouw om Tagerri kon het niet zijn. Ze had niet met hem willen trouwen, anders zou ze het nooit met mij hebben gedaan. 'Wees maar niet bang,' zei ik tegen haar. 'Hij is dood. Door de bliksem getroffen. Boem!' Ze zette het op een lopen, rende zonder om te kijken naar de sjabono. Ik bleef staan, keek naar Tagerri en vroeg me af wie er nu die tweede kano moest maken. Misschien viel het mee. Als hij me twee kano's had willen geven voor mijn IJzeren Kruis, dan was er misschien nog wel een Jajomi die dat wilde. Ik deed het lint weer over mijn hoofd en liet het Kruis als vanouds op mijn borstbeen hangen.

Maar wilde ik het nog wel ruilen? Het had intussen wél mijn leven gered. Als ik het niet had afgedaan en voor Tagerri op had gehouden, zou hij niet die fractie van een seconde geaarzeld hebben en had hij zijn kapmes net iets vroeger in de lucht gestoken, zodat die bliksem aan hem voorbij was gegaan. Vader zou blij zijn geweest dat zijn onderscheiding me behoed had. Moeder zou zelfs geloven dat hij die bliksemstraal uit de hemel had gezonden, omdat ik anders zelf ook wel was geraakt.

De Jajomi kwamen in drommen de sjabono uit, stroomden naar buiten als mieren uit een ingetrapt nest, en verdrongen zich om Tagerri en mij. Ze keken van zijn dode lichaam naar mij en weer terug. Awomé was er ook en stond luidkeels een verhaal af te steken. Ze vertelde kennelijk wat er gebeurd was. Ik had haar nog nooit zo opgetogen gezien. Moeder zag ik niet, maar Zeppi en zijn aapje waren er wel.

Ook Wentzler bevond zich in de menigte, en toen Awomé klaar was met haar relaas, kwam hij bij me staan. Met een verwarde uitdrukking op zijn gezicht. 'Erich, een toelichting graag. Deze jongedame beweert dat jij Tagerri hebt gedood.'

'Ik hém gedood? Nee, híj wilde míj doden, en toen hij zijn kapmes ophief, sloeg daar de bliksem in! Ik werd sloeg achterover door de klap.'

'Zij zegt ook dat hij het op jou had gemunt, maar waarom was dat volgens jou?'

'Nou, omdat we... Awomé en ik...'

'Aha.'

'Hij zag ons samen en werd vreselijk kwaad. Hij wilde me echt vermoorden, Herr Wentzler.'

'Ik geloof je, jongen. Maar Awomé heeft de geschiedenis wel een tikje opgesierd, moet ik zeggen. Volgens haar kwam Tagerri met zijn kapmes op je af en riep dat hij je af ging maken omdat je zijn aanstaande had... je weet wel. Klopt dat laatste? Niet dat het mij aangaat, natuurlijk.'

'Eh... ja, dat klopt wel.'

'Ze zei dat jij niet onder de indruk was en dat je hem waarschuwde voor je machtige dolfijnkrachten. Tot tweemaal toe, volgens haar. Maar Tagerri wilde het niet geloven. Hij dacht dat je bluftte en maakte je voor leugenaar uit, waarop jij je amulet afdeed en naar hem ophield. En het volgende ogenblik werd hij verzengd door een dodelijk licht uit de hemel. Het is een geboren vertelster, Erich. Ze schildert je af als een edelmoedig strijder, dapper en eerlijk, en ze vijzelt en passant hun geloof in je magische krachten op. Volgens haar heb je machtige bondgenoten onder de hemelgoden en watergoden. Heb je inderdaad dat Kruis voor hem opgehouden?'

'Ja, maar om hem te paaien, niet om te dreigen. Ik wilde het aanbieden in ruil voor mijn leven, meer niet, en toen werd hij door de bliksem geraakt.'

'Fantastisch! Zo komen legendes tot stand. Twee delen onwetendheid, een deel overdrijving, een snufje eigenbelang – ziedaar, een ideaal recept. Je bent er een stuk bovenmenselijker op geworden, Erich. Maak je maar op voor je heiligverklaring.'

En inderdaad, de Jajomi stonden me vol ontzag aan te gapen. Het was eigenlijk heel komisch, maar ik wist wel beter dan te lachen. In plaats daarvan keek ik met een strenge blik terug, ging ze een voor een af, en ieder sloeg zijn ogen neer! Wentzler had gelijk! Ik was opeens heel iemand anders voor ze, niet langer de dolfijnenjongen aan wie ze gewend waren geraakt. Ik was nu iemand om voor op te passen, iemand waarmee niet te spotten viel. Een heerlijk gevoel, alsof ik plotsklaps in een reus was veranderd. En het betekende bovendien dat ik iets voor moeder kon doen. Ik kon op zijn minst het respijt verlengen dat Wentzler voor haar geregeld had, de tijd voordat Manokwo haar als zijn bruid zou opeisen. Hij zou het wel uit zijn hoofd laten om met de moeder te sollen van iemand die het hemelvuur over hem af kon roepen. Een ideale wending!

'Herr Wentzler, kunt u namens mij iets tegen Manokwo zeggen?'

'Natuurlijk.'

Het opperhoofd stond net als alle anderen naar het lijk van Tagerri te staren. Toen Wentzler hem riep, kwam hij onmiddellijk naar ons toe. Ik kon nu al het nieuwe respect in zijn ogen zien.

'Zeg hem dat de afspraak over mijn moeder niet doorgaat. Ze zal morgen niet zijn bruid worden. Toe, zeg hem dat maar.'

Wentzler bracht de boodschap over, en Manokwo leek onaangenaam getroffen.

'Hij zegt, Erich, dat vrouwen, ook dolfijnenvrouwen, een man horen te hebben die met ze slaapt. Anders komen er geen kinderen meer en wordt de aarde alleen nog bevolkt door dieren, die dan niet langer de kans hebben dat een mens ze schiet en opeet, wat voor een dier de hoogste eer is.'

'Zeg hem dat dat allemaal onzin is. Vraag hem hoe hij weten kan dat dieren het een eer vinden om opgegeten te worden. Zeg maar dat hij naar de pomp kan lopen met die flauwekul.'

'Dat zal ik hem zeker niet zeggen, en ik raad je aan een beetje op je woorden te letten. Hij zou er diep door gegriefd zijn, en de rest van de stam ook. Bedenk liever een goede uitleg waarom je moeder ongeschikt is als bruid. Een interessant verhaal gaat er bij de Jajomi altijd in, maar opeens botweg een afspraak opzeggen, dat dulden ze niet.'

'Goed... vertel ze dan maar... vertel maar dat mijn moeder zwanger is van een nieuw dolfijnenjong. Dat zal ze eerst moeten baren eer ze weer met een man kan slapen. En vertel ook maar dat Klaus nu geen man voor haar kan zijn omdat hij ziek is. Hij kan... dolfijnenmannen worden ziek als ze een jong hebben verwekt bij hun vrouw, omdat... omdat het heel zwaar is om met een dolfijnenvrouw te paren. Daar raak je uitgeput door, en je wordt ziek, zeker totdat het nieuwe dolfijntje er is. En dat zal pas na de regentijd komen. Daarna zullen moeder en Klaus weer gewoon een paar zijn. Zeg Manokwo maar dat zijn interesse in mijn moeder een grote eer is, maar dat hij alle feiten nog niet kende. En nu hij dat wel doet, zou ik het op prijs stellen als hij niet meer de hele tijd naar haar kijkt. Als hij dat toch blijft doen, word ik heel erg boos.'

Manokwo en de professor spraken een poosje. Manokwo leek nog steeds ontstemd, ondanks de uitleg. De andere indianen luisterden aandachtig mee. Uiteindelijk zei Wentzler tegen mij: 'Hij begrijpt het nu beter, na jouw uitleg, maar hij vindt het op zijn zachtst gezegd jammer dat je het niet eerder hebt gezegd. Hij wil nog steeds een vrouw met geel haar, zoals hij dat noemt, en hij stelt voor dat je naar de rivier gaat om een zuster of nicht van Frau Brandt op te roepen, die dan haar leven met hem kan delen in de sjabono. Begrijp één ding goed, Erich: het bevalt hem allerminst dat hij nu pas over die dolfijnenbaby hoort.'

'Tja, wat is dit nu weer? Ik kan toch niet zomaar een blondine voor hem opduikelen?'

'Bedenk dan maar een goede smoes waaróm je dat niet kunt. Als ik jou was, zou ik zeggen dat je akkoord gaat, maar dat de zuster van je moeder van heel ver moet komen. Ze moet over een grote afstand stroomopwaarts zwemmen en ze is hier pas na de regentijd. Dat zou mijn verhaal zijn.'

'Ik weet iets beters. Zeg maar dat Zeppi steeds meer in een meisje zal veranderen. Na de regentijd is de transformatie compleet, en dan krijgt hij Zeppi als bruid.'

'Zeppi? Zou je hem er nu wel in betrekken?'

'Vindt hij vast niet erg. Hij begrijpt het waarschijnlijk niet eens.'

'Maar zou je het hem toch niet eerst vragen?'

'Nee. Hij is pas twaalf, en bovendien dom voor zijn leeftijd, dus die beslissing neem ik liever alleen. Ik ben bijna zeventien en... ik kan mensen doden met een bliksemstraal! Laat Zeppi maar in het ongewisse blijven. Wat niet weet, wat niet deert.'

Mijn broertje stond ondertussen angstig met zijn teen in Tagerri's zij te porren. Hij kon ons onmogelijk horen. Wentzler keek me fronsend aan. Het was duidelijk dat hij mijn plan maar niets vond. 'Volgens mij kun je toch beter zeggen dat de zuster van je moeder stroomopwaarts komt zwemmen.'

'Die vrouw zal hier nooit arriveren, maar Zeppi is hier elke dag te zien, blond en mooi en steeds vrouwelijker. Op die manier hoeft Manokwo het niet met een toezegging te doen. Hij zal veel geruster zijn op een goede afloop.'

'Dat is allemaal waar, maar ik heb toch zeer mijn twijfels, moet ik zeggen.'

Hij begon me te irriteren. 'Herr Professor, ik ben degene met de goden aan zijn zij, dus ik stel voor dat we het op mijn manier doen. Zeg Manokwo maar dat elke dolfijnenmens als jongetje ter wereld komt, en dat de helft rond Zeppi's leeftijd in een vrouwtje verandert. Dat kan hij met zijn eigen ogen zien, nietwaar? Zeg er maar bij dat het heel langzaam gaat en dat Zeppi pas na de regentijd zijn vrouw kan worden. U zei zelf dat ze verzot zijn op een interessant verhaal, dus hij zal het zeker willen geloven.'

Wentzler snoof nog even misprijzend, maar stak toch van wal, en na afloop leek Manokwo zowaar wat opgefleurd.

'Hij gelooft je,' zei Wentzler. 'Maar ik kan slechts hopen dat je broertje nu niet in gevaar verkeert.'

'Hij loopt geen enkel risico. Dankzij Tagerri eten ze uit onze hand. Stommeling, om tijdens een onweer met een kapmes te zwaaien.'

'Jij had anders ook een metalen voorwerp in je hand.'

'Ja, maar veel kleiner,' zei ik, nijdig over zijn insinuatie dat ik ook een stommeling was. Maar ik liet er niets van merken. Ik moest Wentzler te vriend houden. Hij was mijn spreekbuis naar de Jajomi.

'O, en nog iets, Herr Professor. Kunt u Noroni zeggen dat ik

Awomé's man word nu Tagerri dood is? Niet vragen, gewoon mededelen.'

'Dat ontraad ik je ten sterkste, Erich. Ik stel voor dat je Noroni netjes om haar hand vraagt. Denk alsjeblieft niet dat je deze mensen al kent. Dat doe je niet, en het zou verstandig zijn om je door mij te laten leiden bij dit soort aangelegenheden.'

'O, nou goed, op uw manier dan maar.'

Zijn houding beviel me maar matig. Ik was een bovennatuurlijke dolfijnenjongen met bliksems in mijn vingertoppen, en de Jajomi hadden gepast ontzag voor me, maar Wentzler wilde heel diplomatiek doen in plaats van ze de wet voor te schrijven. Het noodweer trok ondertussen weg. Er waren gaten in de bewolking gevallen, flarden blauw in het donkergrijs, en regenen deed het nauwelijks meer. Wentzler en ik keken elkaar vuil aan. Het beviel hem op zijn beurt niet om orders van me aan te nemen, omdat ik zoveel jonger was dan hij. Nou, jammer dan. Hij was hier al elf jaar, maar de Jajomi hadden nog geen greintje respect voor hem. Niet genoeg om hem een vrouw te gunnen, in elk geval. Ik was hier pas een paar weken, had al iemand gedood en kon ze mijn wil opleggen. Dat stond hem natuurlijk ook niet aan. Maar als gezegd, ik had hem nodig, misschien nog wel meer dan hij mij nodig had, en kon het me niet permitteren om mijn tolk tegen me in te nemen. Zo machtig was ik nu ook weer niet. Ik was nu de sultan, en Wentzler was mijn grootvizier, net als in *Duizend en één nacht.*

ACHT

De volgende dag stak Noroni een uitvoerig betoog af tegen Wentzler en mij, met de strekking dat hij het met ons eens was – nu Tagerri dood was, hoorde ik in zijn voetspoor te treden en Awomé's man te worden. Naast zijn dochter schonk hij me een bruidsschat: een door Kwaitsa vervaardigde wapenrusting, met de toezegging dat mijn aanstaande zwager me verder zou bekwamen in het gebruik ervan. Het was weliswaar traditie dat een man de vader betaalde voor zijn bruid, maar in dit geval was Noroni zo vereerd dat hij het andersom wilde. Ik liet hem weten dat ik deze regeling zeer bevredigend vond. En vervolgens hoorde ik dat ik getrouwd was.

Geen plechtigheid, geen inzegening, geen officiële verklaring. Van het ene moment op het andere waren we man en vrouw. Awomé liep naar mijn hangmat en klom erin. Kwaitsa kwam met haar mee, hing zijn boog, zabatana en de bijbehorende pijlen aan een paal van de hangmat en vertrok weer. 'Is dat alles?' vroeg ik aan Wentzler.

'Ja, dit is het wel zo'n beetje, Erich. Mijn hartelijke gelukwensen.'

Ik pakte Awomé's hand en liep met haar naar moeder. Het leek me een bijzonder moment voor haar. Haar oudste zoon die zijn eerste geliefde aan haar kwam voorstellen, maar ze keek dwars door Awomé heen, vouwde haar handen en begon haar zoveelste onhoorbare gebed te prevelen. Ze was nog steeds ver heen. Misschien wel verder dan ooit. Als Manokwo haar vandaag was komen halen, zoals de bedoeling was geweest, zou ze ongetwijfeld zijn gaan krijsen en schuimbekken. Rijp voor een dwangbuis was ze dan geweest. Nu kon ze tenminste een stille gekkin blijven. Het was te treurig om over na te denken, dus besloot ik dat ook maar niet meer te doen.

Ik was nu een getrouwd man, dus wilde ik nog maar één ding: snel met Awomé de jungle in voor meer van wat we gisteren hadden gedaan. Maar helaas, we moesten net als iedereen in de sjabono de uitvaart van Tagerri bijwonen. Zo terloops als de Jajomi huwelijken sloten, zoveel werk maakten ze van uitvaarten. Ze hielden er een hele reeks oeroude rituelen op na, zei professor Wentzler, en als daar nu één man bij aanwezig moest zijn, dan was ik het wel. Tagerri's familie zou het een onduldbare belediging vinden als ik, die hem gedood had, verstek liet gaan. Jammer voor Awomé en mij, maar we moesten in de sjabono blijven. En eerlijk is eerlijk, wat ik allemaal te zien kreeg was best interessant, zij het niet al te smakelijk.

Om te beginnen werd er midden in de sjabono een grote brandstapel gebouwd, waar het lijk van Tagerri, dat al behoorlijk stonk, op neer werd gelegd. De fik ging erin en er werd meer hout aangedragen om de vlammen goed hoog te houden. Ik rook de geur die moeder beschreven had tijdens haar ruzie met Klaus, maar het was niet zo vies als zij beweerde, geen groot verschil met dierlijk vlees dat werd geroosterd. Misschien stonken joden anders als ze werden verbrand. Ik nam me voor dit na te vragen bij Klaus.

Die was weer terug in de sjabono. Hij was de vorige dag tegen zonsondergang binnengekomen en had er met stomme verbazing kennis van genomen dat ik intussen een bliksemkrijger was en trouwplannen had. Wentzler had het hem verteld, in een gesprekje van hooguit een paar minuten, en hij was niet naar me toe gekomen. Hij was direct in zijn hangmat gekropen en als een blok in slaap gevallen. Ziek of niet, ik vond dat niet erg gepast. Het was me ook opgevallen dat hij moeder geen blik waardig keurde.

Tagerri's lijk siste en knetterde als spek in een pan, een geluid dat me het water in de mond deed lopen. Zelfs toen de oorlog voorbij was, en het ergste leed geleden, hadden we in Duitsland nog lang geen dingen als spek kunnen krijgen. Daarop maakte je alleen kans als je steenrijk was, als hoer werkte of vrienden had onder de zwarthandelaars. Dus zo vreemd als het klinken mag, nu ik hier in het oerwoud naar de verbranding van een menselijk lijk stond te kijken, was spek, lekker knapperig spek, het enige waar ik aan denken kon. Na een tijdje ploften zijn borst en buik opeens met een harde knal uit elkaar, waarschijnlijk door uitgezette gassen die een uitweg zochten, maar onder de Jajomi verwekte het een bezorgd gemompel. Wentzler zei: 'Ze vinden het een slecht teken als een lijk zo uit elkaar knalt. Ze geloven nu dat zijn ziel nog in zijn lichaam aanwezig was toen het vuur werd ontstoken, en dat hij nu in de sjabono zal blijven rondspoken.'

'Zeg ze maar dat ik hem opnieuw zal doden als hij dat doet.'

'Ik pieker er niet over om dat te zeggen, en ik raad jou aan om stil en op de achtergrond te blijven. Kalme waardigheid levert je nu meer op dan opschepperij en dreigementen, Erich. De Jajomi zijn weliswaar vreselijke pochers, zoals je gemerkt hebt, maar des te groter is hun respect voor de enkeling die bescheiden blijft.'

'Waneri kijkt de hele tijd naar me, is u dat ook opgevallen?'

'Waneri is een volle neef van Tagerri en ze waren zeer op elkaar gesteld. Maar maak je geen zorgen, hij zal geen wraak willen nemen voor Tagerri's dood. Daarvoor sta je nu veel te hoog in aanzien, en je familie zal hij ook met rust laten, al was het maar omdat hij nog steeds als de dood is voor de demon in de dokterstas van Klaus. Maar tart hem niet door terug te staren. Negeer hem maar gewoon.'

'Wat gebeurt er met Tagerri als hij alleen nog een hoop beenderen is?'

'Iets fascinerends! Hun rouwpraktijk is sowieso bijzonder boeiend. Ik zal er in mijn boek een apart hoofdstuk aan wijden.'

'Ja, maar wat gaan ze nu met hem doen?'

'Dat zie je vanzelf.'

Wat ik zag was het volgende. Toen Tagerri's botten voldoende waren afgekoeld, werden ze uit de as gevist en in een uitgehold stammetje gelegd, waar ze met stokken tot een grijs poeder werden gestampt. Dit poeder werd in een kom dunne bananenpap gestrooid, die vervolgens rondging onder de indianen. Wentzler zei me tot mijn opluchting dat ik er niet van hoefde te drinken. Het was alleen voor Tagerri's verwanten en goede vrienden. Waneri nam een lange teug en hield de hele tijd zijn ogen op mij gericht. Ik deed alsof ik het niet zag, zoals Wentzler me had aangeraden. Het was ondertussen laat in de middag en niemand had nog gewerkt, dat wil zeggen: gejaagd, gevist of bananen geplukt. Alles was stilgelegd voor Tagerri. Het vuur smeulde nog na en de geur van zijn verbrande vlees hing in de lucht.

Toen de laatste bananenpap op was, zat het ritueel erop. Niemand deed meer iets, omdat het te laat was om nog aan de slag te gaan, dus pakte ik Awomé's hand en nam haar mee naar buiten voor een ommetje. Ze gedroeg zich heel merkwaardig, durfde me nauwelijks aan te kijken, slechts af en toe een steelse blik. Maar ik begreep waarom. Wentzler had me uitgelegd dat Jajomivrouwen heel onderdanig moesten zijn in de omgang met hun man, vader en broers. Ze moesten blindelings gehoorzamen, wat ze ook vroegen. Mij klonk dit als slavernij in de oren. Moeder had thuis ook altijd voor vader gekookt, maar als hij wel eens te laat thuiskwam, had ze hem voluit op zijn duvel gegeven, dat het eten nu koud was, taai of tot moes gekookt. En dat had hij dan berouwvol ondergaan. Bij de Jajomi was zoiets uitgesloten.

Ik nam me voor dat ik anders zou zijn. Ik was dan wel met een Jajomivrouw getrouwd, maar dat maakte mij nog geen indiaan. Ik zou Awomé nooit koeioneren, laat staan dat ik haar met een stok zou slaan als ze iets verkeerd deed of te langzaam, zoals ik dat zo vaak in de sjabono had gezien. We hielden van elkaar, dus zou ik lief voor haar zijn, en dat zou zij zo waarderen dat ze alleen nog maar meer van me ging houden.

Wentzler had me geen adviezen over het huwelijksleven gegeven, ook niet toen ik daarom vroeg. Hij had alleen maar geknipoogd en gezegd dat ik het belangrijkste gisteren al geleerd had, in de jungle – behoorlijk grappig voor zijn doen, en ik had er smakelijk om gelachen. Ik raakte steeds meer op hem gesteld, waarschijnlijk omdat Klaus zich steeds meer als een kluizenaar gedroeg en zich voortdurend in het oerwoud terugtrok om zichzelf zijn medicijnen toe te dienen, en vooral: het probleem van moeder en Manokwo te ontlopen. Ik haatte hem daar niet meer om, maar respect had ik ook niet meer voor hem. Nu zijn huwelijk met moeder op de klippen was gelopen, beschouwde ik Wentzler als een plaatsvervangende vaderfiguur.

Awomé en ik hielden ons de rest van de middag schuil en maakten er een bruidsnacht bij daglicht van. Zoals elk pasgetrouwd stel (behalve moeder en Klaus) bedreven we volop de liefde met elkaar, al is 'de liefde bedrijven' misschien wat te plechtig uitgedrukt. We hadden de open plek nog niet bereikt of we neukten erop los. Misschien nog wel heftiger dan de vorige dag, en zeker langduriger. En toen het voorbij was, deden we het nog eens. En toen het donker begon te worden en we terug moesten naar de sjabono, deden we het nóg eens. We gingen zo wild tekeer dat Awomé op zeker moment een van de stokjes verloor waarmee ze haar gezicht tooide. Toen ze het merkte, raakte ze in alle staten en kroop in kringetjes rond om het terug te vinden, waarbij ze de hele tijd een hand voor de gaatjes in haar wang hield. Ze vond het gelukkig weer snel, en toen ze het weer op zijn plaats had gestoken, keerde haar glimlach onmiddellijk terug. Net een blanke vrouw die haar man alleen onder ogen wilde komen als ze haar make-up op had. Haar vreugde om het terugvinden van dat stokje maakte dat ik nog meer van haar hield.

Toen we door het gat in de sjabonowand kwamen, waren alle blikken op ons gericht en werden er dingen geroepen die volgens mij behoorlijk schunnig moesten zijn. Waneri en zijn broers en neven, de mannen die de pap met Tagerri's botten hadden gedronken, waren de enigen die zich afzijdig hielden. Mij een zorg. Awomé en ik aten die avond voor vier, wat alleen nog maar meer commentaren losmaakte. Wentzler zei dat vertaling overbodig was.

De volgende dag begon voor mij met een indrukwekkend eerbetoon. Noroni, de man die ons die eerste dag ontdekt had en die nu mijn schoonvader was, smeerde me in met rode en zwarte verf, een ritueel waarmee ik formeel in de stam werd opgenomen. Wentzler vertelde me dat hij ook eens beschilderd was, maar dat hij toen al een jaar bij de Jajomi woonde. Ik begreep precies waarom hij dit zei. Hij wilde me enerzijds laten weten dat ik uitzonderlijk snel geaccepteerd was en dus heel bijzonder werd gevonden, maar anderzijds hoefde ik me niets te verbeelden – ook hij was een stamlid, tien jaar zelfs al, met alle kennis en wijsheid van dien. Ik had geen enkele moeite met die dubbele boodschap. Het onderstreepte alleen maar de band die we nu hadden.

Noroni nam alle tijd om me te beschilderen, en alle kinderen keken toe terwijl mijn blanke huid, zelfs mijn gezicht, helemaal bedekt werd met zwarte en rode banen, strepen en kronkels. Awomé bleef op eerbiedige afstand. Sterker nog: ze hielp de vrouwen met het binnensjouwen van brandhout en bananen, en later zag ik haar in een groepje zitten dat een vlechtwerk van bladeren maakte. Ik had mijn tweede dag als echtgenoot liever doorgebracht zoals de eerste, maar de Jajomi deden kennelijk niet aan wittebroodsweken.

Toen de beschildering klaar was, liep ik naar moeder om het te laten zien, maar het enige wat ze zei was: 'Erich, je maakt me te schande. Was die viezigheid er snel weer af, alsjeblieft.'

'Dat kan niet, moeder. Daar zou ik ze heel erg mee grieven. Noroni heeft er uren aan gewerkt.'

'Je vader zou zich voor je schamen.'

'Dat denk ik niet,' zei ik. Gewoon omdat ik het meende, niet om te bekvechten.

'Je maakt me te schande,' zei ze nogmaals, en haar stem klonk oud en vermoeid. Ik ontdekte tot mijn ontzetting grijze haren tussen de blonde op haar hoofd. Ze werd met de dag ouder, zo te zien. En dat kon ook niet anders, na alle ellende die ze sinds de overtocht had meegemaakt. De noodlanding, de indianen, de mislukking van haar huwelijk. Ze verachtte haar nieuwe echtgenoot, de mismaaktheid van haar jongste zoon was aan het licht gekomen, en nu had haar oudste zich ook nog als een wilde laten beschilderen, en was hij getrouwd met een meisje dat stokjes in haar gezicht droeg. Geen wonder dat ze zo reageerde. Maar het verheugde me eigenlijk wel dat ze tegen me foeterde. Liever dat dan dat ze me negeerde in haar tomeloze gebedsdrift.

Ik vroeg me af waar ze nu precies om bad, met die dichtgeknepen ogen en die prevelende lippen. Wat het ook wezen mocht, het had zich nog steeds niet voorgedaan. We zaten hier nog steeds, ver van de beschaafde wereld, en voor moeder moest het allemaal even verschrikkelijk en onverdraaglijk zijn. En zij maar wachten tot God er iets aan deed. En ondertussen begon ze een oude vrouw te worden.

'Waar is Klaus?' vroeg ze.

'Weet ik niet. Hij is een beetje ziek, geloof ik.'

Het leek haar weinig te kunnen schelen. 'Als je hem ziet, zeg hem dan maar dat zijn wandaden hem niet vergeven zullen worden.'

'Wat voor wandaden, moeder? Die tegen de joden? Dat ziet hij zelf niet als wandaden, hoor.'

'De wandaden tegen zijn familie. Het verraad aan zijn broer, door diens vrouw een schijnhuwelijk binnen te lokken. Dat hij ons hier heeft gebracht, om te sterven tussen deze vreselijke mensen. Als je het al mensen kunt noemen. Waarom doe jij net alsof je een van hen bent?'

'Een kwestie van aanpassen,' zei ik met een glimlachje.

'Ach, dwaze, dwaze jongen toch. Je ziel sterft hier langzaam af en je hebt het niet eens in de gaten. Dat meisje, dat bruine ding met die littekens in haar gezicht, ze richt je te gronde, Erich.'

'Dat zijn geen littekens maar versieringen, moeder, en ze zal me zeker niet te gronde richten. Ze is juist heel lief. Herr Wentzler vertelde me dat de vrouwen hier het leuk zouden vinden als u mee kwam helpen bij hun taken.'

Dat was een leugen. Wentzler had me juist verteld dat ze haar als een aangespoelde dolfijn zagen, wier geest van binnenuit werd weggevreten door het dolfijnenjong dat in haar buik groeide. Ze wilden niets met haar te maken hebben, en ik was de enige reden waarom ze haar niet allang de sjabono uit hadden gejaagd om ergens te gaan zitten prevelen. Ze mocht dan wel een dolfijn zijn, maar ze was ook lui en verlummelde al haar dagen terwijl er meer dan genoeg werk was te doen. Maar het leek me beter om dat voor haar te verzwijgen.

'Dat nóóit,' zei ze afkerig. 'Hou ze bij me vandaan, alsjeblieft. Allemaal, en Klaus vooral. Hij mag me met geen vinger aanraken.'

'Dat zal hij ook heus niet meer proberen, moeder. Hij is erg op zichzelf de laatste tijd.'

'Als hij me aanraakt, zal hij zwaar worden gestraft.'

'Ja, moeder.'

'Voor alles wat hij misdaan heeft.'

'Goed.'

'Voor álles!'

'Ik moet weer gaan, moeder.'

Ze wendde haar gezicht af alsof ik er al niet meer was. Ik bleef nog even staan wachten of ze me weer aankeek, maar dat deed ze niet. Ze staarde zomaar in het niets, en ik voelde alle medelijden uit me wegsijpelen. Het was een schok om te merken dat ik nauwelijks meer sympathie voor haar kon opbrengen. Ik zag haar niet eens meer als lotgenoot, laat staan als mijn moeder.

Ik vroeg me af wat er met haar gebeuren zou als ze net als Otto Fruenmeyer in een gesticht verdween. Zou zij zich daar ook doodhongeren, zoals al die andere gekken? Het leek me heel waarschijnlijk, als ik haar zo zag. En als dan het bericht van haar dood kwam, zou ik er niet eens om kunnen huilen. Misschien zou ik het zelfs wel een opluchting vinden. Ongelooflijk, dat ik zo over haar denken kon, maar sinds ik onder de Jajomi vertoefde had ik mezelf wel vaker op gedachten betrapt die ik vroeger ontstellend zou hebben gevonden. Dat spiegeltje van Klaus had niet gelogen toen ik erin keek – ik was inderdaad de oude Erich niet meer. En nu, met al die indianenverf, léék ik niet eens meer op de oude Erich.

Vanbuiten was ik rood en zwart, en vanbinnen was ik ook heel anders. Ouder. Iemand die zich onbekommerd de voorstelling kon maken van zijn moeder die naar een gesticht werd afgevoerd. Iemand die het niet eens zo erg zou vinden als ze daar stierf. En ik schaamde me er totaal niet voor. Het was alsof er stukjes van me afvielen en wegraakten, en het interesseerde me nauwelijks of het goede of slechte stukjes waren, en of anderen ze ook verloren. Als het laatste stukje weg was, zou ik nog altijd Erich zijn. Maar of het een betere Erich was of een slechtere – ik had geen idee, en het kon me ook bar weinig schelen.

De tijd verstreek steeds sneller. Elke ochtend nam ik Awomé mee de jungle in om het met haar te doen. Ik had vagelijk de indruk dat ik het vaker wilde dan zij, maar ze moest toch mee, want ze was mijn vrouw. Ik wist nog steeds niet of we het wel deden zoals het hoorde, en of ik het zelf wel goed deed, en ik wist al helemáál niet hoe Awomé erover dacht. Maar ze was aanhankelijk genoeg, dus ik maakte me geen zorgen.

Aan zoenen deden de Jajomi niet, zoals gezegd, maar ze hield ervan om me op mijn hoofd te kloppen en aan mijn blonde haar te trekken. In het begin irriteerde dat me wel, maar ik raakte eraan gewend. Als we klaar waren en naar de sjabono terugliepen, zagen we altijd wel een ander echtpaar, en vaak zelfs meerdere. Maar alle paren negeerden elkaar. Volgens Wentzler was dit hun manier om met het gebrek aan privacy te leven. Wat je niet wilde zien, was er ook niet.

In de middag ging ik altijd met Kwaitsa op pad om me verder te bekwamen met de wapens die hij me geschonken had, en ik werd elke dag beter. Hij sprak amper tegen me, maar de weinige woorden die hij zei, gaven me de indruk dat hij tevreden was over mijn voortgang. Hij wekte allang niet meer de indruk dat hij zich voor me geneerde. Ik begon nu ook dingen te schieten. Apen vooral, en een donker soort loopvogels. Ze leken een beetje op kalkoenen, maar dan ranker, en waren erg lekker. Het lukte me bovendien om vissen te schieten met de getande pijlen, soms wel vier per dag. Alles wat we vingen gaven we aan Awomé, die de buit verder verdeelde. Zo deden alle Jajomi het – elke jager leverde zijn vangst in bij zijn eigen vrouw, zuster of moeder, en die vrouwen zorgden er dan voor dat alle families evenveel te eten hadden, ook die van minder gelukkige jagers. Een rechtvaardig systeem, vond ik, waarbij niemand honger hoefde te lijden.

Als het eten klaar was, had Manokwo altijd de eerste keus. Maar dat was uit eerbied voor het opperhoofd, niet uit angst. Zelf was hij een behoorlijk goede jager die nooit zonder vangst terugkeerde. Als jongen in Duitsland had ik me bij een opperhoofd altijd iemand voorgesteld die de hele dag op een troon van botten en pelsen zat en alleen maar bevelen uitdeelde, maar Manokwo voldeed totaal niet aan dat beeld. Hij was niet alleen een jager, maar ook een gewaardeerd grappenmaker. Hij vertelde elke dag wel een paar moppen, of het indiaanse equivalent daarvan, en er werd altijd om gelachen. Wentzler vertaalde ze wel eens voor me, maar ik kon er de humor nooit van inzien. Ze gingen meestal over seks met dieren die daarmee hun dierlijke echtgenoot bedrogen.

Wat daar leuk aan was ontging me, ook al door de weinig grappige wijze waarop de Jajomi met overspelige vrouwen omsprongen, maar volgens Wentzler was het hun gewoonte om ernstige onderwerpen te verluchtigen door de personages als dieren op te voeren. Ik zei dat ik dat stom vond, en Wentzler zei dat ik het stom vond omdat ik geen Jajomi was.

En daar had hij natuurlijk gelijk in. Ik zou nooit echt een van hen worden. Ik deed ook geen enkele moeite om de taal te leren. Voor jagen en neuken had je geen woorden nodig, en als de regen kwam, zouden we er toch tussenuit knijpen. Hoewel... de tweede kano lag nog altijd in halfklare toestand op de plek waar Tagerri hem had achtergelaten op de dag van zijn dood. Niemand was verdergegaan met het uithollen van de boomstam, waarschijnlijk uit angst dat ze dan ook door de bliksem getroffen zouden worden. En ik kwam er tot overmaat van ramp achter dat we Tagerri's eigen kano ook niet meer hadden, want die was overgenomen door Waneri. Wat kano's betreft waren we dus weer terug bij af. We zouden er twee moeten kopen, of stelen.

Dankzij Tagerri en de bliksemstraal had moeder niets meer van Manokwo te duchten, maar voor de rest ging het alleen maar slechter met haar. Ze at vrijwel niets meer en begon graatmager te worden. Haar haar werd met de dag grijzer. Klaus had haar zover gekregen dat ze haar kleren uittrok en een bad nam in de rivier, maar nu hij zich nauwelijks meer liet zien, was het gedaan met de hygiëne en was haar huid weer grauw van het vuil en de roet. Het was vreselijk om haar zo te zien, maar toen ik haar zelf wilde overreden om weer eens naar de rivier te gaan, siste ze naar me als een slang. Zoals de Jajomi dat ook deden als ze heel erg boos waren. Woorden gebruikte ze alleen nog voor haar gesprekken met God.

En Klaus, wat moest ik van hém denken? Hij gedroeg zich voorkomend, maar wilde nog steeds niet leren jagen of vissen en verdween elke ochtend uit de sjabono om bijna de hele dag weg te blijven. Ik schreef het toe aan zijn schaamte omdat hij niet voor moeder in de bres had durven springen toen Manokwo op haar uit was, en dat vond ik verder best. Als hij niet bij ons wilde zijn, dan hoepelde hij maar op. Het maakte mijn positie alleen maar sterker, en als gezelschap had ik Wentzler, met wie ik over van alles en nog wat kon praten. Zeppi was er uiteraard ook nog, maar die liet als gesprekspartner veel te wensen over.

Zeppi mocht zich nu in de onverdeelde belangstelling van Manokwo verheugen. Het opperhoofd kon niet wachten tot de gedaanteverwisseling van zijn toekomstige bruid voltooid was en hij wenkte Zeppi om de dag naar zich toe, waarna hij op zijn hurken voor hem ging zitten om zijn piemeltje en balletjes te bekijken, speurend naar tekenen dat die nu snel zouden wegschrompelen, of eraf zouden vallen, of naar binnen zouden plooien om een vagina te vormen. Zijn vrouw schonk Zeppi ook alle aandacht, stopte hem lekkernijen toe en nam hem bij zowat alles wat ze deed op sleeptouw. Ze leek niet in het minst jaloers, en als Manokwo Zeppi's genitaliën bestudeerde, hurkte ze naast hem neer en keek mee. Het was vermakelijk om die twee zo bij Zeppi's kruis te zien zitten, waarna ze met een beteuterd gezicht het geziene bespraken. Het leek Zeppi niet in het minst te deren. Hij vond de aandacht waarschijnlijk prachtig.

Al met al verstreken de dagen in een aangename rust, al waren er wel weer wat onweersbuien, net zo hevig als die welke Tagerri het leven had gekost. Iedereen school dan in de sjabono, en niemand durfde mij aan te kijken, bang als ze waren dat hun gezicht me niet aanstond en ze werden neergebliksemd. Ook dat was zeer vermakelijk. Minder vermakelijk was de vloer van de sjabono, die bij elk onweer in een modderpoel veranderde. Ik vroeg Wentzler of de regentijd nu was aangebroken, maar volgens hem waren het nog gewone, afzonderlijke buien. Als de regentijd kwam, zou ik het verschil ongetwijfeld zien en met weemoed aan deze nattigheid terugdenken. Ik kon het me nauwelijks voorstellen.

Op een namiddag kwam Klaus met zijn onafscheidelijke dokterstas de sjabono binnen, kletsnat van de regen. Hij kroop direct zijn hangmat in. Toen onze blikken elkaar kruisten, zag ik een soort paniek in zijn ogen en ik verwachtte dat hij weer op zou springen. Maar hij liet zich achterover zakken en ging naar het gewelf van de sjabono liggen staren. Als het erg hard regende, bood het vlechtwerk geen volledige beschutting en moesten sommigen hun hangmat verplaatsen om droog te blijven. Die van Klaus bevond zich ook onder een lek, maar hij ging slechts in een ongemakkelijke knik liggen om niet door de druppels geraakt te worden.

Was hij te lui om zijn hangmat te verplaatsen, of werd hij door iets in beslag genomen dat hem de regen deed vergeten? Hij lag te rillen en ik vroeg me bezorgd af of hij kou had gevat, wat rampzalig zou zijn voor de Jajomi. Nadat Columbus de Nieuwe Wereld had ontdekt, werden de indianen zowat uitgeroeid door de koutjes en griepjes die de Spanjaarden met zich meebrachten.

Ik ging bij hem staan. Hij lag te schokken in zijn hangmat, en was natter van het zweet dan van de regen. Hij keek naar me op, kneep zijn ogen dicht, en toen hij ze weer opsloeg leken zijn oogballen te tollen in hun kassen, zo wild gingen ze heen en weer. Ik wist niet wat hij had, maar als hij de Jajomi ermee aanstak, zouden ze massaal sterven en was het onze schuld.

'Klaus? Klaus, wat is er met je?'

Hij gaf geen antwoord, lag daar alleen maar te schokken en met zijn ogen te draaien.

Ik holde naar Wentzler toe. 'Er is iets met Klaus.'

'Wat dan?'

'Hij ligt te schudden van de koorts. Ik ben bang dat hij een griep heeft opgelopen.'

'Hij heeft niets opgelopen, Erich. Dit heeft hij zichzelf aangedaan.'

'Hoezo?'

'Wat je ziet zijn ontwenningsverschijnselen, en die houdt hij nog wel een poosje.'

'Wát voor verschijnselen?'

'Het spijt me dat ik het je zeggen moet, maar Klaus is verslaafd aan morfine.'

'Morfine?'

'Een zwaar verdovingsmiddel, je hebt er vast wel eens van gehoord. Artsen kunnen vrijelijk over dat soort middelen beschikken, en Klaus is er al een tijdlang aan verslaafd. Dat heeft hij me zelf verteld.'

'Maar waarom in godsnaam?'

'Waarom wordt iemand alcoholist, of hoerenloper? Ik kan die vraag niet voor je beantwoorden, Erich. Die dingen gebeuren. En Klaus is nu door zijn voorraad heen, dus staat hem een periode van ontwenning te wachten, en dat zal geen prettige aanblik vormen.'

'Dus het is geen ziekte, met bacillen?'

'Maak je niet ongerust, niemand zal erdoor besmet raken.'

'Morfine, dat geven ze gewonde soldaten, nietwaar?'

'Bijvoorbeeld, ja. Om de pijn te bestrijden. Ik vermoed dat Klaus het gebruikte om zijn gedachten en herinneringen draaglijker te maken. Erg onverstandig. Heb je die wondjes in de vouw van zijn arm nooit gezien?'

'Ja.'

'Daar injecteerde hij zichzelf.'

'Dat heb ik hem laatst zien doen, ja. Omdat hij ziek was, dacht ik.'

'En dat is hij ook, heel erg zelfs, maar er is geen besmettingsgevaar.'

Er ging een schok door Klaus heen, die hem pardoes uit zijn hangmat deed vallen. Hij smakte ruggelings op de grond, bleef even doodstil liggen, en begon wild met zijn armen te maaien en met zijn hielen in de modder te pletsen.

'Dat hoort er allemaal bij,' zei Wentzler. 'Hij heeft me de symptomen zelf beschreven en voorspeld dat hij ze krijgen zou. Zullen we hem overeind helpen?'

Klaus lag zo woest te schoppen en te slaan dat we uit zijn buurt moesten blijven. Pas na een minuut of tien, toen hij zichzelf had uitgeput, konden we hem beetpakken en in zijn hangmat tillen, waar hij meteen weer begon te kronkelen en met zijn handen in de lucht klauwde. Zijn hoofd sloeg met rukken heen en weer, als een houten clownskop op de kermis, waarbij je een bal in de mond moest mikken.

Zeppi kwam naar ons toe en vroeg wat er aan de hand was.

'Oom Klaus is ziek geworden,' zei ik. 'Herr Wentzler en ik verzorgen hem.'

'Waarom doet hij zo wild?'

'Dat kan hij niet helpen. Ga maar weer en hou moeder gezelschap.'

'Ze praat niet meer tegen me.'

'Dat is vervelend voor je, maar hier kun je ook niets uitrichten.'

Hij bleef nog even staan talmen terwijl Klaus lag te schokken als een dol geworden marionet, en liep toen toch maar weg. Wentzler en ik stonden aan weerszijden van Klaus, om te voorkomen dat hij opnieuw uit de hangmat viel. Er kwamen nu ook Jajomi kijken, nieuwsgierig geworden door zijn gekreun en gekronkel. Noroni waagde zich dichterbij dan de anderen en sprak even met Wentzler.

'Hij vroeg of er een demon in onze vriend gevaren was, en dat heb ik ontkend. Als ik ja had gezegd, zou Noroni een uitdrijvingsdans hebben uitgevoerd, en het laatste wat Klaus nu nodig heeft is iemand die zingend om hem heen hupst en rook over hem heen blaast. Ik heb maar gezegd dat als dolfijnenvrouwen zwanger zijn, het de vader is die de pijn van de groeiende vrucht voelt, en dat geloofde hij. Dus ze worden niet alleen impotent na een uitputtende bevruchting, maar lijden vervolgens ook nog onder de zwangerschap. Noroni zegt nu te begrijpen waarom er zo weinig dolfijnen in de rivier zwemmen.'

Het was een slim verhaal dat voortborduurde op de eerdere leugens, en ik bewonderde Wentzler om zijn tegenwoordigheid van geest. Waar het op verklarende verzinsels aankwam waren we aan elkaar gewaagd. Klaus leek even iets rustiger te worden en de andere Jajomi durfden dichter in de buurt te komen.

Terwijl we de volgende stuiptrekking afwachtten, zei Wentzler: 'Voor deze mensen bestaan er geen natuurlijke ziekten. Als iemand ziek wordt, dan gaan ze ervan uit dat een vijand hem een vloek heeft opgelegd, waardoor hij bezeten wordt door een boze geest. Het uitdrijven van die demon is een lawaaiige aangelegenheid, kan ik je zeggen. Het gaat soms dagenlang door, en als het slachtoffer sterft, en het zal je niet verbazen dat ze dat meestal doen, dan moet er wraak worden genomen. Er wordt vastgesteld uit welke van de naburige sjabono's de vloek afkomstig was, en wie hem heeft opgelegd. Er is altijd wel iemand van wie kan worden aangenomen dat hij het slachtoffer kwalijk gezind was, om wat voor onbenullige reden ook. Heeft de sjamaan, en bij ons is dat Noroni, achterhaald om wie het gaat, dan zal hij of zij gedood moeten worden. Of anders moet er bij wijze van vergelding een andere bewoner van de betreffende sjabono worden gedood. Onnodig te zeggen dat die indianen zich dan ook willen wreken. Zo gaat het in het oerwoud, wraak en weerwraak.'

'Wat ongelooflijk stom allemaal.'

'Vanuit ons perspectief misschien wel, maar vanuit het hunne niet.'

'Maar zo blijft het toch maar doorgaan, zonder goede reden?'

'En welke reden was er voor de oorlog waar Klaus en jij me over vertelden?'

'Die in Europa? Daarvoor waren de joden verantwoordelijk.'

'Ja? Wat hadden zij dan misdaan om zo'n grootschalige slachting te rechtvaardigen? Want die heeft toch plaatsgevonden, is het niet? Heeft Klaus niet zelf verteld dat de joden als slachtvee bijeen werden gedreven om ze uit te roeien? Zijn ze niet bij honderdduizenden afgeslacht?'

'Ze hadden onze samenleving vergiftigd,' zei ik. 'Dat zei iedereen.'

'Nou, iedereen... Het zal gezegd zijn door de Noroni's van Duitsland. Vol overtuiging zullen ze het beweerd hebben. Maar jij en ik weten dat de sjamanen hier in volmaakte onwetendheid tot hun beschuldigingen komen, nietwaar?'

'Hier wel, ja. Maar in Europa was het anders.'

'Denk je dat?'

'Herr Professor, u klinkt nu wel heel erg on-Duits.'

'O, ik ben zo Duits als wat, hoor. Misschien niet zo Duits als onze rillende vriend hier, maar Duits ben ik. Mijn stamboom vertakt zich over vier eeuwen. Mijn vader en grootvader werden niet moe me te vertellen hoever het geslacht Wentzler terugging. Ze gingen o zo prat op hun Duitserschap, en dat doe ik ook. Dus vergis je niet, Erich, één afwijkend piepje tussen het krassen van miljoenen kraaien wil nog niet zeggen dat je de stem van de vijand hoort. In elke samenleving zijn er afwijkende meningen, of die samenleving zich nu van blaaspijpen bedient of van artillerie. En je hebt nog steeds mijn vraag niet beantwoord. Wat hadden de joden wel niet op hun kerfstok dat ze in zulke grote aantallen moesten worden afgeslacht?'

Ik dacht even diep na, maar kon geen antwoord bedenken dat

zo'n wijsneus als Wentzler tevreden zou stellen, dus zei ik: 'Vraag het Klaus maar als hij weer beter is. Hij weet precies waarom.'

'Tja, daar zit wat in. Als íémand het zou kunnen uitleggen, dan wel een van de slachters, nietwaar?'

'Ja,' zei ik, al wist ik niet zeker of dat wel zo was.

Hij schonk me een eigenaardig glimlachje. Het leed geen twijfel dat hij op me gesteld was, maar ik moest vooral niet denken dat ik net zo slim was als hij, of hem zelfs maar in slimheid benaderde. Dat was wel irritant aan hem.

Klaus begon weer te spartelen en we moesten hem in zijn hangmat drukken om hem voor een val te behoeden. Zijn maaiende arm raakte me vol op mijn neus, en ik kreeg de aanvechting om hem een ram terug te geven, maar wist me in te houden omdat hij het zelf niet eens in de gaten had. Het enige wat hij voelde was de verslaving die als een hongerige rat aan hem knaagde. Hij werd pas weer rustiger toen de zon onderging en de regen eindelijk ophield.

Ik bekeek hem terwijl hij daar stilletjes lag te beven. Klaus, mijn eigen oom, was een narcoticaverslaafde. Ik had vaak genoeg van zulke mensen gehoord, maar had nooit kunnen denken dat ik er ooit een in levenden lijve zou zien, laat staan dat het een verwant van me zou zijn. Nu was ik helemáál blij dat hij niet echt met moeder getrouwd was. Verslaafden waren verachtelijke lieden. Ik had me ze altijd mager en bleek voorgesteld, een verborgen bestaan leidend in kelders of kamers met dichte gordijnen, schuw en nauwelijks menselijk. Maar zo was Klaus nooit geweest. Pas nu hij zich niet meer kon inspuiten voldeed hij aan dat beeld, wat maar weer eens bewees dat je nooit op indrukken kon afgaan. Klaus was juist lang, knap en gebronsd geweest, het tegendeel van een scharminkel met holle ogen. Hoe kon ik ooit nog iets van hem geloven? Kon ik überhaupt nog iets geloven?

Vijf dagen lang ging Klaus door zijn hoogsteigen hel. Zijn gejammer en maaiende armen begonnen de Jajomi al snel te vervelen en ze negeerden hem verder. Wentzler en ik wisten hem elke dag iets te eten te voeren en gaven hem volop water te drinken. Hij had geen enkele controle over zijn sluitspieren en bevuilde zichzelf voortdurend. En elke keer maakten we hem schoon, in de wetenschap dat we dat even later weer opnieuw konden doen. Het lukte hem heel af en toe even uit zijn hangmat te komen en een stukje door de sjabono te lopen, maar hij was net een levend geraamte. Zijn ogen lagen diep in hun kassen, als blauwe knikkers in hun putjes. Hij zei niets, liep een paar wankele cirkeltjes en kroop weer in zijn hangmat. Op de zesde dag werden zijn perioden van slaap wat langer en kregen wij ook wat meer rust. Volgens Wentzler was het ergste achter de rug, al zou hij nog een hele poos zwak blijven en van onze verzorging afhankelijk zijn.

'U schijnt er behoorlijk wat van te weten,' zei ik. 'Heeft u medische ervaring?'

'Als student had ik een vriend die een opleiding tot arts volgde en ook zo stom was om dat spul uit te proberen. Hij raakte prompt verslaafd, kwam er een jaar lang mee weg, maar liep toen toch tegen de lamp. Het ziekenhuis wilde geen trammelant met de autoriteiten, dus droegen ze hem over aan de familie, onder de voorwaarde van geheimhouding. Mijn vriend maakte precies door wat jouw oom nu ook heeft moeten doorstaan, alleen had hij een bed dat dagelijks verschoond werd. Er werd me verteld dat het altijd zo ging als de chemische band verbroken werd. Een ellendige toestand, al had ik destijds ook een reden om blij te zijn.'

'Hoezo?'

'Ik was verliefd op de verloofde van mijn vriend, en hoopte haar van hem af te nemen. Om haar met eigen ogen te laten zien wat voor dwaas en slappeling hij was, nodigde ik haar uit. Maar dat plannetje pakte verkeerd uit, helaas.'

'Waarom?'

'Het onnozele wicht had medelijden met hem. In plaats van hem te verstoten en troost bij mij te zoeken, bleef ze om hem te verplegen. Ze trouwden zodra hij er weer bovenop was. Zo zie je maar,

Erich, probeer nooit mensen te manipuleren. Vooral niet op het amoureuze vlak.'

'Werden ze gelukkig samen?'

'Geen idee. Ik stortte me volledig op mijn studie en deed mijn best ze te vergeten. Ik vraag me af hoe het ze vergaan is in de oorlog.'

'Waar woonden ze?'

'In Berlijn.'

'Dan hebben ze het misschien niet overleefd. Berlijn is zwaar gebombardeerd.'

'Als ik terug ben, zal ik er wel achter komen hoe het met ze gaat, en met mijn familie.'

Op de zevende dag sloeg Klaus zijn ogen op en had voor het eerst niet meer die blik van een opgejaagd dier. Hij zag me en zei: 'Goedemorgen, Erich.'

'Het is al middag.'

'Werkelijk? Allemachtig, wat voel ik me slap. En wat een dorst. Zou jij me iets te drinken kunnen brengen?'

Ik haalde water voor hem en hij dronk de hele nap in één lange teug leeg, waarna hij een harde boer liet. 'Neem me niet kwalijk. Ben ik er erg aan toe geweest?'

'Heel erg.'

'Hoe lang?'

'Een week. Heb je honger?'

'Dat nog niet. Mijn maag zit helemaal in de knoop. Is er nog iets gebeurd in de tussentijd?'

'Er is een zoekvliegtuig geweest. Ik zwaaide naar ze en toen hebben ze een boodschap uitgeworpen. Er komt een reddingsploeg met een boot.'

Hij kwam zo snel overeind dat hij bijna uit zijn hangmat donderde. 'Mijn god, écht...? Wat geweldig! Wanneer zijn ze hier? Was het een vliegtuig van Zamex?'

'Dat dacht ik eerst, ja. Maar toen bleek het gewoon een grote vogel te zijn, een reiger of zo.'

'Een reiger? Dus... er komt geen reddingsploeg?'
'Nee.'
Hij zeeg weer neer. 'Wat een rotstreek, Erich. Waarom lieg je tegen me?'
'Had ik zin in.'
Hij keek me onderzoekend aan. 'Je bent beschilderd als een wilde.'
'Dit is de tweede laag al. De eerste is er na een paar zwembeurten afgespoeld. Noroni heeft me gisteren opnieuw beschilderd. Als ik wil, tatoeëert hij mijn gezicht, zei hij.'
'Dat aanbod zou ik maar afslaan. Als we weer terug zijn in de bewoonde wereld, lacht iedereen je uit.'
'Ik denk dat ik het maar laat doen.'
Ik wilde dat hij boos werd, zodat ik terug kon schreeuwen.
'Hoe lang ben je al verslaafd, oom?'
'Ik ben je stiefvader, Erich. Misschien ook nog wel je oom, maar...'
'Niks stiefvader. Je hebt moeder onder een valse naam getrouwd. Je heet geen Brandt, je heet Linden. Je bent mijn oom Klaus Linden.'
'Hou op met die muggenzifterij, ik ben je nieuwe vader, punt uit. Waar is Helga trouwens? En de anderen?'
'Moeder is net de sjabono uit gelopen. Naar de rivier voor een bad, denk ik. Dat werd wel weer tijd ook, want ze begon behoorlijk te stinken. Of anders moest ze schijten, dat kan natuurlijk ook.'
'Erich! Zo praat je niet over je moeder.'
'Ze hoort me toch niet. Ze hoort alleen God. Hoe lang nam je het al, die morfine?'
'Dat gaat je niks aan. En het doet er ook niet toe, want ik ben er nu vanaf.'
'Ja, omdat je voorraad op was.'
'Wat doe je raar, Erich. Is er iets gebeurd terwijl ik ziek was? Vertel op.'
'Ik hoef jou niks te vertellen.'

Ik draaide me om en liep weg. Ik had geen zin meer in zijn gezemel.

'Is hij wakker?' vroeg Wentzler toen ik hem voorbijliep. 'Hoe gaat het met hem?'

'Kan me niet schelen.'

Ik verliet de sjabono en liep naar de rivier. Moeder was nergens te bekennen, en ik realiseerde me dat ik Zeppi ook al een poosje niet gezien had. Het leek me geen reden voor zorg en ik kuierde verder langs de waterkant. Even weg uit de sjabono, waar Klaus weer de oude leek. Ik wilde hem nog steeds moeders toestand verwijten, al moest ik toegeven dat ze anders misschien ook wel krankzinnig was geworden.

Wie kon zeggen hoe het écht zat met moeder? Sigmund Freud misschien. Maar ja, dat was een jood, en joden kon je niet vertrouwen. Bovendien was hij dood. Vader had het nieuws van zijn overlijden voorgelezen uit de krant. Opgeruimd staat netjes, had hij gezegd, want die viezerik beweerde dat meisjes met hun vader wilden slapen en jongens met hun moeder. Echt iets voor een joodse leugenaar om dat te zeggen!

Ik kon me niet herinneren dat ik ooit wellustige gevoelens voor moeder had gehad, zelfs niet toen Klaus haar kleren had uitgetrokken. Het idee alleen al riep weerstand in me op, een bewijs dat Freud inderdaad een leugenaar was geweest.

Toen ik de kano's voorbij was, zag ik een plasje bloed op de grond. Het leek me niet iets om bij stil te staan, maar een meter of twintig verder zag ik er weer een. Was het een bloedspoor van iemand met een jachtbuit? Ik liep door en het derde plasje glinsterde nog in het zonlicht – wat er ook bloedde, het bewoog van de sjabono af in plaats van ernaartoe. Dus kon het geen jachtbuit zijn, want die werden altijd rechtstreeks naar de sjabono gebracht om verdeeld te worden. Was het menselijk bloed? Was er iemand gewond? Maar waarom liep die dan van de sjabono weg in plaats van verzorging te zoeken?

Nog meer bloed. Wie het ook was, de gewonde volgde net als ik de oever. Kon het een indringer uit een andere sjabono zijn, die een van onze vrouwen ontvoerde? Wentzler had me verteld dat dit wel eens gebeurde. Ik had geen sporen van een worsteling gezien, maar dat zei niets, want ik had nog lang geen geoefend oog. Als ik met Kwaitsa uit jagen ging, zag hij van alles en nog wat dat mij ontging.

Nu begon ik een beetje bang te worden. Was het één indringer of waren het er meer? Volgens Wentzler waren het soms groepjes van een man of tien die zo'n overval pleegden. Ze probeerden de vrouwen dan zo min mogelijk te deren (om hen was het ze immers te doen), maar mannen werden niet ontzien en soms zelfs gedood om het succes luister bij te zetten. Moest ik het spoor blijven volgen en het risico lopen dat ze me opmerkten, of moest ik terug om de anderen te waarschuwen? Ik bleef besluiteloos staan. Het enige wat ik wist was dat mijn ontdekking te belangrijk was om te verzwijgen. In zekere zin hoorde ik nu bij de sjabono en ik was verplicht ze tegen andere Jajomi te beschermen, of erger nog, de Iriri! En stel je voor, misschien hadden ze Awomé ontvoerd! Misschien was dit haar bloed wel! Er ging een golf van woede door me heen, maar niet krachtig genoeg om te maken dat ik als een dolleman de achtervolging inzette. Wat moest ik in mijn eentje tegen tien man? Ik had niet eens mijn wapens bij me. En voorlopig was het nog maar de vraag of mijn vermoeden klopte.

Ik besloot nog even verder te lopen en naar aanwijzingen te speuren, voetafdrukken of iets dergelijks, om een vergissing uit te sluiten. Het aanzien dat ik nu in de sjabono genoot, zou op slag verdwenen zijn als ik aan kwam rennen en alarm sloeg terwijl er niks aan de hand was. Met bonkend hart liep ik door. En toen zag ik moeder.

Ze stond met haar rug naar me toe, tot haar enkels in de rivier. Ik keek toe terwijl ze een aarzelend stapje deed, verder het water in. Zo leek ze net een klein meisje. Maar dat was ze allerminst, want er sijpelde bloed langs de binnenkant van haar benen. Dit was het bloed dat ik gevolgd had, en het kwam niet uit een wond. Ze was ongesteld. Dat was alles. Al had het een reden voor haar gevormd om eindelijk weer eens een stil plekje te zoeken en zich te wassen. Een blijk van gezond verstand, dat de vraag opriep hoe gek ze nu eigenlijk was.

Ik wilde haar niet laten schrikken en verroerde geen vin terwijl ze verder de rivier in waadde. Twee enorme libellen, een blauwe en een zilvergroene, zoemden om haar heen. Toen ze tot haar middel in het water stond, stak ze haar handen omlaag om zichzelf te reinigen. De libellen bleven haar als glanzende miniatuurvliegtuigjes omcirkelen, alsof ze haar te mooi vonden om afscheid te nemen.

Nu ik haar bespiedde, daagde het besef dat ik nog altijd zielsveel van haar hield, ondanks alles. Ik haatte haar houding en de dingen die ze zei, als ze al sprak, maar ze was en bleef mijn moeder. Krankzinnig of niet, ik was haar mijn liefde verschuldigd. Onze band was overschaduwd door haar plotse verandering in een verongelijkte, raaskallende zeurkous, maar zoals ze daar stond was ze opeens weer mijn moeder. Licht voorovergebogen, haar schouders die kalm bewogen terwijl ze zichzelf onder water schoonveegde. Ik had verwacht dat er bloed omhoog zou wolken, maar zag niets. Haar haar hing in vettige krullen terneer, haar rug wiegde zachtjes. Er kwam een vredig gevoel over me, alsof haar handen ook mij streelden en koesterden. Als we eindelijk die kano's konden stelen en ontsnappen, kwam alles weer goed. De regen zou het verleden van ons afspoelen en we zouden als herboren uit dit avontuur komen.

De libellen maakten opeens een scherpe draai en zoemden in een rechte lijn naar de oever.

Moeders rug verstarde. Ze begon te gillen. Een gil die door merg en been ging. Het geluid van de paarden in het slachthuis in onze buurt. Diep uit haar binnenste kwam het, een snerpende eruptie die omhoogschoot naar de stratosfeer. Het water rond haar middel leek opeens te koken, een klotsend schuim dat roze kleurde, en rood. Ik zag met niet-begrijpende ogen hoe ze uit het water oprees, recht omhoog, tot haar dijen en de wervelende zilvergrijze rok die daar leek te beginnen, een zinderende krans van springende en spartelende vissen. En omlaag zonk ze weer, de kolkende vismassa in, die in een razernij van bloed op haar billen en lendenen aanviel. Het waren de monsters waar Wentzler voor gewaarschuwd had. Piranha's.

Haar gegil hield weer even abrupt op en ze zonk dieper, tot haar schouders, haar nek. De vissen omgaven haar in een roze maalstroom tot de laatste bloederige haarstrengen onder water verdwenen, en de stilte terugkeerde.

NEGEN

Ik viel in een reusachtige kuil vol bladeren. Nee, het was het sjabonogewelf waar ik naar opkeek in plaats van erin te vallen. Ik lag in mijn hangmat. Het gezicht van Klaus schoof in mijn blikveld, als de boeg van een schip dat me ging overvaren. Ik hoorde de rammelende ketting van een anker dat me mee dreigde te sleuren naar de bodem. Nee, het was Klaus die tegen me sprak.

'Waar is ze, Erich? Waar is Helga?'

Ik probeerde te antwoorden, maar kon niets uitbrengen. De woorden kropen van diep uit mijn ingewanden omhoog en kwamen vast te zitten in mijn keel. Slechts één wist zich tussen mijn lippen door te werken. 'Vissen...'

'Is ze aan het víssen? Onmogelijk, Erich, volstrekt ondenkbaar. Denk goed na. Ze hebben je bij de rivier gevonden en Helga wordt vermist. Volgens de indianen lag er bloed op de oever. Wat is er gebeurd?'

'De vissen...'

'Welke vissen? Wat voor vissen?'

'Piranha's...'

'Doe niet zo gek. Het bloed lag op de oever. Piranha's komen nooit het water uit.'

'Ze bloedde.'

'Was ze gewond? Waar dan, en waardoor? Ze hebben jou bewusteloos op de grond gevonden. Probeer het je te herinneren, Erich, dit is heel belangrijk.'

'Ze is... verslonden.'

'Ze is wát?'

'De piranha's. Ze was... ze *menstrueerde*... en daar kwamen ze op af.'

Hij staarde me verbijsterd aan, waarna zijn gezicht achteruitweek en vervangen werd door dat van Wentzler.

'Is dit echt waar, Erich? Heb je het zelf gezien?'

'Ja...'

'Volgens Klaus ben je in comateuze toestand binnengebracht. Geen verwondingen, alleen maar... bewusteloos. Wil je wat water?'

'Graag.'

Hij hielp me in een zittende houding en zette een nap aan mijn mond. Ik zag Klaus vol argwaan naar me kijken.

'Erich,' zei Wentzler, 'volgens sommige Jajomi ben je je moeder naar de rivier gevolgd en heb je haar vermoord. Velen hebben haar horen gillen.'

'Het waren piranha's. Ik heb het met eigen ogen gezien.'

'En ik geloof je. Maar piranha's komen doorgaans niet voor in deze wateren.'

'Het waren er honderden... Het heeft nog geen minuut geduurd...'

'Ik vertel ze wel iets wat ze bereid zijn te geloven.'

'Vertel ze de waarheid! Ze lopen zelf ook gevaar.'

'Jajomi geloven alleen wat ze wíllen geloven. Alleen dat kan voor hen de waarheid zijn. Vertrouw me nu maar.'

Hij liep weg en Klaus kwam weer bij me staan. 'Ik had mijn twijfels, Erich, maar nu geloof ik je. Mijn hemel, om zo te moeten sterven... Heeft ze lang moeten lijden?'

'Nee. Voor mijn gevoel was het in een paar tellen voorbij.'

'Godallemachtig... en nu willen ze jou de schuld geven.'

'Waarom in godsnaam? Hoe kómen ze erbij dat ik het heb gedaan?'

'Waneri beweert dat. Hij heeft je gevonden, en hij zegt dat er sporen van geweld waren op de oever.'

'Dat liegt-ie. Hij heeft gewoon de pest aan me, na wat er met Tagerri is gebeurd.'

'Wentzler heeft er al alles aan gedaan om zijn woorden in twijfel te trekken, maar hij kon niets concreets zeggen zolang je buiten bewustzijn was. Hoe kwam dat trouwens? Hoe ben jij buiten westen geraakt?'

'Weet ik niet. Ik zag moeder... en toen werd ik hier wakker.'

'Meer kun je je niet herinneren?'

Ik wilde dat hij me met rust liet. Ik wilde hem zien weglopen en huilen om moeder. Misschien kon ik hem dan vergeven hoe liefdeloos hij voor haar geweest was. Hij schudde zijn hoofd. 'Wat een ellende beleven we hier toch. Niets dan pech en ellende. Wil je dat ik het Zeppi vertel?'

'Nee, dat doe ik zelf. Waar is hij?'

'Buiten, met zijn vrienden. Hij heeft een aardig groepje volgelingen de laatste tijd.'

Moeders dood leek Klaus nauwelijks te raken, laat staan verdrietig te maken. Had hij ooit om haar gegeven? Zo niet, waarom had hij ons dan de oceaan laten oversteken om bij hem te zijn? Was hij op haar afgeknapt toen ze weigerde de struiken met hem in te gaan? Ik kon het hem niet vragen. Zoiets persoonlijks vroeg je alleen aan mensen die je mocht. En ik voelde me bovendien bezwaard om mijn eigen gedrag, mijn eigen nalatigheid. In plaats van toe te kijken hoe moeder zich waste, had ik me moeten herinneren wat Wentzler verteld had over de gevaren van zwemmen met een wond. *Kom dat water uit!* had ik moeten schreeuwen. *Snel, voor de piranha's komen!* Maar dat deed ik niet. Ik was het glad vergeten. En daardoor was mijn moeder een gruwelijke dood gestorven.

Wentzler keerde terug en zei: 'Ik heb ze verteld dat je moeder weeën kreeg en naar de rivier ging om te baren. Dat verklaart het bloed op de oever. Jij was bij haar toen ze het water in ging en je hebt de baby zien komen, en toen zijn ze beiden weggezwommen. Je moeder zei dat ze na de regentijd terug zou komen, en daarna heeft ze je in slaap getoverd omdat je met haar mee wilde. Ze vond dat je hier bij je vader en Zeppi moest blijven, om erop toe te zien dat Zeppi's verandering goed verliep, zodat hij als dolfijnenvrouw met Manokwo kan trouwen.'

'Uitstekend,' zei Klaus, 'dat zal ze zeker tevreden stemmen. Hoe bespottelijker de onzin, des te gretiger slikken ze het. Het is gewoon lachwekkend, zo goedgelovig als ze zijn.'

Wentzler negeerde hem. 'Verberg je verdriet zo goed mogelijk, Erich. Ze zullen je nauwlettend in de gaten houden. Een zoon die liever met zijn moeder was meegegaan, mag best een beetje verdrietig zijn, maar niet ontroostbaar. Ze komt immers terug. Als ze je zien huilen, wek je argwaan. Ze mogen in geen geval denken dat Frau Brandt dood is, want dan beschouwen ze jullie niet langer als dolfijnen. Dan zijn jullie alleen nog maar mensen, met alle gevolgen van dien.'

'Maar de manier dan waarop ik Tagerri heb gedood?'

'Dat verhaal werkt inderdaad in je voordeel. Steeds meer zelfs, omdat ze er zelf mee op de loop zijn gegaan. Een dag of wat terug hoorde ik een van de vrouwen beweren dat jij bij Awomé een kind met vinnen en een lange neus zult verwekken. Een heus dolfijnenkind dus. Maar het zal niet in staat zijn om mensen met bliksem te treffen, omdat Awomé maar een gewoon meisje is. De zoon, ze gaan er zonder meer van uit dat het een zoon wordt, zal niet alle toverkracht van de vader hebben. Maar hij zal een uitmuntend zwemmer zijn, dat wel.'

Klaus grinnikte. Wentzler keek hem aan en zei: 'En, waarde vriend, ik neem aan dat jij je verdriet ook zult kunnen beteugelen?'

'Worden we sarcastisch, Herr Wentzler?'

'Geenszins. Ik wil maar zeggen dat je geen vertoon van rouw hoeft te maken. Ze zal op tijd met jullie kind terug zijn om Zeppi te zien trouwen, dus niemand verwacht dat je ten diepste bedroefd bent. Dat jullie kind nu geboren zou zijn, valt trouwens prachtig samen met het feit dat jij weer op de been bent. Je vrouw is niet langer zwanger, dus zullen de Jajomi het niet meer dan logisch vinden dat jij niet langer ziek bent. Het draagt allemaal bij aan de geloofwaardigheid.'

'Ik snap het, Wentzler. Ik weet precies hoe die wilden denken, dus we hoeven het niet uitentreuren over die verzinsels te hebben. Ik verbaas me overigens wel over het gemak waarmee jij je indiaanse vrienden met de meest buitenissige leugens overstelpt. Ik dacht dat je hen zo bewonderde en respecteerde.'

'Het is nu eenmaal noodzakelijk. Ik meende dat te hebben uitgelegd.'

'Noodzakelijk of niet, leugens blijven leugens. Maar enfin, als jij ermee kunt leven, dan kan ik dat ook.'

'Fijn dat je zo meewerkt. Ik stel je houding zeer op prijs.'

Ik dacht even dat het op een ruzie en misschien wel een handgemeen ging uitdraaien, maar hiermee waren ze uitgepraat. Klaus liep weg.

'Waar is Awomé?' vroeg ik. 'Waarom komt ze me niet opzoeken?' Het stelde me teleur dat ze nergens te bekennen was.

'Vergeet niet dat de Jajomi tot dusver alleen het verhaal van Waneri hebben gehoord. Awomé zal uit je buurt blijven tot Manokwo verklaart dat je je moeder niet vermoord hebt. Mijn versie, Klaus zou het mijn leugen noemen, wordt op dit moment besproken.'

'Ik was het helemaal vergeten van dat bloed. Dat je dan de rivier niet in moet gaan. Ik had haar moeten waarschuwen, had haar het water uit moeten roepen, maar ik stond er totaal niet bij stil...'

'Maak jezelf nu maar geen verwijten, Erich. Daar is niemand bij gebaat, en je moeder al helemaal niet.'

Hij had gelijk, maar het maakte mijn berouw niet minder groot. Ik bedacht opeens iets. 'Was het Waneri die me daar vond?'

'Ja.'

'Wat deed hij daar, op die plek? Het was een heel eind van de sjabono.'

'Misschien kwam hij op haar gegil af.'

'Vast niet. Ik durf te wedden dat hij me gevolgd was. Hij wil wraak nemen voor de dood van Tagerri.'

'Hm, dat roept dan wel de vraag op waarom hij geen misbruik heeft gemaakt van je flauwte. Hij had je gemakkelijk kunnen vermoorden terwijl je daar bewusteloos lag. Maar aan de andere kant, de Jajomi zullen niet gauw een weerloze tegenstander doden. Dat vinden ze eerloos, en het is dan ook verre van gebruikelijk. Het lijkt me in elk geval heel goed denkbaar dat hij je gevolgd is. Hou hem voortaan maar goed in de gaten.'

'Wie heeft me hiernaartoe gebracht?'

'Kwaitsa en Noroni hebben je gedragen. Zij zijn nu je verwanten.'

Hij speurde mijn gezicht af. 'Erich, je hebt je moeder zien sterven... Denk je werkelijk te kunnen doen alsof ze alleen maar een poosje weg is? Je begrijpt hoe belangrijk dat is, hè?'

'Ja, dat zal me lukken.'

'Mooi. Het doet me denken aan de lijfspreuk van mijn grootmoeder. Eerst aanpakken, huilen kan altijd nog.'

'Ik hoef niet te huilen.'

'Blij dat te horen.'

'En ik hoef hier ook niet als een zieke te blijven liggen.'

Ik stapte uit mijn hangmat en ging op zoek naar Awomé. Ik ontdekte haar in een groep vrouwen die druk zaten te kwebbelen. Over moeder en mij, vermoedelijk. Toen ze me aan zagen komen, vielen ze stil, wat natuurlijk niet nodig was geweest, want ik had ze toch niet kunnen verstaan. Awomé krabbelde op en kwam naar me toe, maar toen ze voor me stond, wilde ik opeens niet meer bij haar zijn. Ik maakte rechtsomkeert, liep de sjabono door en ging door het gat in de wand naar buiten.

Ik wilde alleen zijn om alles te overdenken wat er vandaag gebeurd was, en om het ergens diep in mezelf op te slaan, waar het me niet kon hinderen bij de dingen die nog te gebeuren stonden. Het ging allemaal zo snel. Ik moest nodig mijn ballast aan emoties en herinneringen kwijt, anders hield ik het niet meer bij. Eerst aanpakken, huilen kan altijd nog.

Ik liep zomaar wat rond en stuitte na een poosje op Zeppi en zijn drie vriendjes. Ze lagen onbekommerd in het zonnetje op de rivieroever, waren kennelijk al de hele dag samen en hadden niets van alle dramatiek gemerkt. Zeppi's aapje slaakte een kreet toen ze me zag. Ze lagen zomaar wat te luieren, in een kringetje, ieder met zijn hoofd op de buik van een ander, een gewoonte onder Jajomikinderen. Maar toen ik op ze toe liep, kwam er een zekere waakzaamheid in hun ogen. Misschien konden ze aan mijn gezicht zien dat er iets mis was.

Zeppi werkte zich op een elleboog. 'Hallo,' zei hij met een glimlach.

Ik ging bij hem staan. 'Hoe gaat het, Zeppi?'

'We hebben gezwommen. Mitzi rende de hele tijd heen en weer op de kant. Ze wilde bij ons zijn, maar apen durven het water niet in. Heel grappig.'

'Ik heb slecht nieuws.'

'Wat dan?'

'Moeder is dood.'

Zo had ik het niet willen zeggen, maar het was eruit voor ik het wist, in een opwelling van irritatie omdat hij zo zorgeloos naar me opkeek. Er kwam een verwarde rimpel in zijn voorhoofd. Hij had het gehoord, maar het drong niet tot hem door.

'Moeder is... wat?'

Ik had het bijna herhaald, maar kwam tijdig bij zinnen. Het zou dom zijn om hem de waarheid te vertellen. Hij zou er compleet van overstuur raken, hysterisch worden, en we moesten een rustige indruk blijven maken op de Jajomi. Die moesten blijven denken dat ze zich alleen maar een poosje in de rivier had teruggetrokken met haar pasgeborene. 'Ze is weg, Zeppi. Je weet hoe raar ze de laatste tijd deed, en nu heeft ze besloten om op een drijvende boomstam de rivier af te zakken. Ze is op zoek naar blanken die ons kunnen komen redden.'

'Is ze weg? En Klaus, is die met haar mee?'

'Nee, die blijft gewoon bij ons.'

'Maar waarom is ze weggegaan?'

'Dat zeg ik je toch net? Ze is al een hele tijd in de war, en nu dacht ze opeens dat ze hulp kon vinden, dus is ze op een boomstam geklommen en drijft stroomafwaarts.'

‘En gaat dat haar lukken?’

Typisch Zeppi, zo’n stomme vraag, maar ik begon medelijden met hem te krijgen, en spijt van wat ik had gezegd. ‘Wie weet, Zeppi. Hopelijk wel, maar misschien ook niet.’ Het was pijnlijk om zo tegen hem te liegen, om hem verzinsels te voeren die zijn kinderlijke geest bevatten kon. Hij zou de gedachte niet kunnen verdragen dat moeder verslonden was door vissen met vlijmscherpe tanden, dus moest ik wel iets uit mijn duim zuigen, zoals Wentzler zich genoodzaakt zag om de Jajomi met bakerpraatjes tevreden te houden. Of was dat óók een leugen, om mezelf mee te sussen? Ik wilde er niet meer over denken, draaide me om en liep terug naar de sjabono.

‘Wanneer is ze weer terug?’ riep Zeppi me na.

‘Hoe moet ík dat nou weten,’ snauwde ik over mijn schouder.

‘Heeft ze nog wel afscheid genomen? Had ze nog een boodschap voor mij?’

‘Nou, wat dénk je?’ schreeuwde ik zonder mijn pas in te houden. De zon zakte al naar de boomtoppen. Dit was de beroerdste dag van mijn leven geweest, maar ik was nog steeds op de been, lag niet in mijn hangmat te snotteren. Dat zou de oude Erich niet gekund hebben. De oude Erich was net zo dood als moeder. Hier liep de nieuwe Erich, zonder enig idee van hoe het verder moest, vol vragen en onzekerheden, met een gevoel alsof de aarde elk moment voor hem kon opensplijten, maar dat leek hem niet te deren. En daar was hij niet eens verbaasd over.

Halverwege de sjabono kwam Awomé me tegemoet. Ze was nog te ver weg om haar gelaatsuitdrukking te zien. Misschien wilde ze spijt betuigen omdat ze me niet had verzorgd terwijl ik bewusteloos was, maar voor mij hoefde dat niet, want het kon me niets schelen. Toen ik haar bereikte, greep ik haar arm en trok haar mee de struiken in. Eenmaal uit het zicht pakte ik haar bij haar schouders, duwde haar voorover en nam haar van achteren. Toen het voorbij was en ze zich weer oprichtte, keek ze me neutraal aan, alsof er niets gebeurd was. Maar waarom zou er ook iets gebeurd zijn?

Wat kon je bewerkstelligen door je vrouw te neuken? Niets, natuurlijk. Maar ook dat kon me niks schelen.

Na het avondeten zocht ik Klaus en Wentzler op. Ze konden elkaar eigenlijk niet meer uitstaan, maar bleven toch elkaars gezelschap zoeken. Niet verwonderlijk voor twee blanke mannen in een bruine omgeving. Klaus zat te mopperen dat hij zijn sigaretten miste. Van de tabak van de indianen wilde hij niets weten, hoezeer hij ook naar nicotine hunkerde. De Jajomi rookten hun tabak niet, maar staken een prop achter hun onderlip, lieten die weken in hun speeksel en spuugden het sap dan in een straaltje uit. Bijna elke man pruimde op deze manier, de meeste jongens ook, en er waren zelfs vrouwen die het deden. Awomé had er gelukkig geen behoefte aan, en dat terwijl haar vader er niet buiten kon. Noroni liep altijd te sabbelen en te spugen. Walgelijk.

Klaus zanikte maar door hoe erg hij zijn rokertjes miste. Vooral Sobrany, zijn lievelingsmerk uit de Balkan, dat na '43 onverkrijgbaar was geworden. Ik wisselde een blik van verstandhouding met Wentzler, die zich er ook aan ergerde dat hij over zoiets onbenulligs zat te zeuren terwijl zijn vrouw een gruwelijke dood was gestorven. Ik besloot hem het zwijgen op te leggen met de vraag die Wentzler eerder aan mij had gesteld.

'Zeg, Klaus, vertel eens.' Mijn toon deed hem verbluft opkijken. 'Wat hadden de joden nu precies misdaan?'

'Hoe bedoel je? Wat hadden ze niét misdaan?'

'Nee, word nou eens concreet. En niet over het vermoorden van Jezus beginnen, want die was zelf ook een jood.'

'Daar heb je gelijk in. De traditionele argumenten zijn van ondergeschikt belang. Ze vallen ook in het niet bij wat de moderne jood op zijn kerfstok heeft.'

'Maar noem dan eens wat op,' zei Wentzler.

'Moet ik daar werkelijk nog woorden aan vuilmaken?' Klaus leek oprecht verbaasd. 'Zó lang heb je toch niet in de rimboe gezeten?'

'De joden die ik gekend heb,' zei Wentzler, 'waren zo beroerd nog niet. Wat is het grote verschil dan met ons? Een besneden piemel kan het niet zijn, want die hebben Erich en Zeppi ook.'

Klaus schudde zijn hoofd om zoveel onnozelheid. 'Goed, kinderen, meester zal het nog één keer uitleggen, maar dan moeten jullie wel opletten. Kijk, de joden moeten gewoon van de aardbodem worden weggevaagd, tot de laatste smous, zodat we weer vrij kunnen ademen.' Hij slaakte een zucht, leek nu al de draad van zijn betoog kwijt. 'Gods uitverkoren volk, laat me niet lachen. In de laatste jaren van de oorlog werden ze van overal uit Europa afgevoerd. In één grote jodenrivier stroomden ze naar de afgrond. Eén onafzienbare jodenlawine. Het was een ontzagwekkende opgave, en het werk is helaas ook onvoltooid gebleven, maar we zijn een heel eind gekomen! Mijn hemel, wat een aantallen zijn er verwerkt. Hele stadswijken, dorpen en streken... van overal gingen ze op transport met hun schamele bezittingen.'

Hij zweeg even, en genoot zichtbaar van de herinnering. 'Als vee stroomden ze de wagons uit. Verwilderd met hun ogen knipperend, slaafs bevelen opvolgend. Voorwaarts, opschieten! De doden bleven achter, en de levenden en bijna-doden sjokten in eindeloze rijen hun lot tegemoet. Op het eind waren het weinig meer dan vogelverschrikkers. Levende lijken, uitgemergeld. Maar we hadden er nog volop werk aan, en als het voorbij was, moesten we ze op de schop nemen, bij duizenden, om ze in het vuur te werpen en tot het laatste atoom te vernietigen. Heb ik al verteld dat we drie immense ovens hadden, die dag en nacht brandden? Sadrach, Mesach en Abed-nego noemden we die, ha ha. En denk maar niet dat God er ook maar één voor het vuur behoed heeft.'

Ik keek naar Wentzler, die in de vlammen van ons eigen vuur zat te staren. Ik dacht even dat hij niet eens luisterde, maar hij zei: 'Zoveel, Klaus? Overdrijf je nu niet een beetje?'

'Geloof me, Wentzler, wat daar gebeurde kan onmogelijk overschat of overdreven worden. Dante zelf had die hel niet kunnen beschrijven. Het waren er gewoon te veel, veel te veel, voor conventionele methoden. In een zaal met miljoenen vliegen richt je niets uit met een vliegenmepper. Nee, dan steek je die hele zaal in brand. Goedkoop, praktisch, effectief. En dan nog zul je na afloop alle as moeten opruimen. Het was en bleef een gigantische taak waar wij voor stonden.'

'En jij hebt zelf meegewerkt aan die slachting?'

'Natuurlijk. Dat was mijn plicht als Duitser en nationaalsocialist.'

'Maar als arts had je toch een eed gezworen die er haaks op staat?'

'Integendeel, als arts heb ik de mensheid te dienen, en hoe zou ik dat beter kunnen dan door joden uit te roeien? Die plaag heeft de wereld al veel te lang geteisterd. Onze Führer had de moed hen eindelijk een halt toe te roepen, een einde te maken aan hun beursmanipulaties en al die andere zwendelpraktijken die hen in het bloed zitten. En dát is wel degelijk gelukt. Ze mogen de oorlog dan in onaanvaardbaar hoge aantallen overleefd hebben, hun macht is wél gebroken. Natuurlijk zullen ze zich de komende generaties hergroeperen om een nieuwe greep naar de macht te doen. Maar dat, mijne heren, is ook óns voornemen!'

Zijn stem klonk heel anders nu, vol opwinding. 'In Argentinië werken reeds tal van eersteklas mannen aan de stichting van een Vierde Rijk. Dat heb ik uit de best denkbare bron. Ook al zijn we momenteel uiteengeslagen en opgejaagd, ieder van ons kent een medestander, die weer andere medestanders kent, enzovoort. Een wereldwijd netwerk, wachtend op de dag waarop we uit de schaduw zullen treden en alsnog ons ideaal zullen verwezenlijken. Ik vertrouw erop, Erich, dat jouw generatie de Arische heerschappij zal vestigen. Het begin is bepaald veelbelovend, al wacht ons nog veel werk. Maar jijzelf, kun jij de uitdaging aan? Ik trouwde je moeder zodat ik je onder mijn hoede kon nemen. Niet uit mededogen, maar omdat ik je altijd al bewonderde om je geestkracht, je intelligentie, al die Arische eigenschappen die jij in zo ruime mate bezit.'

Hij straalde nu van geestdrift. 'Denk er maar eens goed over na, mijn jongen. Dan zul je net als ik inzien dat je ertoe bent voorbestemd om de strijd tegen het jodendom voort te zetten. Klinkt dat te hoogdravend? Nee, zeg ik! Er is een grote toekomst voor jou weggelegd. Je antecedenten zijn ernaar: een vader die door de Führer zelf werd onderscheiden, een moeder die na grote ontberingen als heldin het leven liet, een oom met een aanzienlijke staat van dienst bij de tenuitvoerbrenging van de Endlösung. Dat IJzeren Kruis op je borst is meer dan een decoratie, Erich. Het is een amulet, een heilige reliek uit de oorlog tegen de joden. De rest van het uniform wacht je ook, en het zal je perfect passen!'

Wentzler viel hem in de rede. 'Heb je in je hoedanigheid van arts ooit joden bijgestaan? Ik vraag het puur uit nieuwsgierigheid, hoor, niet om je in verlegenheid te brengen.'

'Ik vat de vraag op zoals hij bedoeld is, waarde vriend. Jazeker, in ons kamp heb ik menige jood behandeld. Ik herinner me het geval van een kerel die nog magerder was dan de rest en botkanker in zijn arm had. Gruwelijk verminkt, en de pijn moest ondraaglijk zijn. Hem heb ik een nieuwe arm gegeven. Ja, je hoort het goed, een nieuwe arm! En toonde hij énige dankbaarheid? Vergeet het maar.'

'Een nieuwe arm? Daar hoor ik van op, moet ik zeggen. Ongelooflijk. Heeft de medische wetenschap dan zoveel vorderingen gemaakt in mijn afwezigheid?'

'Die vorderingen kon ik zelf maken, Gerhard! De mogelijkheid tot experimenteren was er vrijwel onbeperkt, en ik maakte er naar hartenlust gebruik van. Ik zette de zieke arm af en verving hem nog in dezelfde operatie door een gezonde. Een sterk staaltje, al zeg ik het zelf. Ongehoord complex, al die zenuwen en bloedvaten. Ik was zeven uur onafgebroken in touw, maar het lukte! Voor het eerst in de geschiedenis, en ik betwijfel of het sindsdien iemand gelukt is.'

'En was het een succes?' vroeg ik. 'Werkte die nieuwe arm echt?'

'Aanvankelijk wel, maar er trad al snel verrotting in. De procedure bleek gewoon té ingewikkeld voor het instrumentarium waarover ik beschikken kon. Toch voorzie ik spectaculaire ontwikkelingen op dit terrein. Het is een volstrekt nieuwe vorm van chirurgie, dus je kunt nog geen blijvende resultaten verwachten.'

'Die gezonde arm,' zei Wentzler, 'was dat er ook een van een jood?'

'Uiteraard! Wat dacht je dan?'

'En je had hem weggehaald bij een overleden jood?'

'Maar Gerhard, met dood weefsel kun je toch niets meer uitrichten? Voor een optimale kans van slagen was een verse arm vereist, als ik het zo mag uitdrukken. Dus nam ik er een van een levende, relatief gezonde jood.'

Zelfs bij het zwakke schijnsel van ons vuurtje kon ik het enthousiasme op zijn gezicht zien, de gloed in zijn ogen. Hij wilde mijn bewondering voor zijn bekwaamheid, en mijn dank voor zijn inzet bij het uitroeien van de joden, en mijn toezegging dat ik in zijn voetspoor zou treden. Ik was met stomheid geslagen, kon hem alleen maar aanstaren. Hij zat daar als het standbeeld van een nobel man, een bronzen held die moedig in de toekomst keek, belust op nieuwe uitdagingen. Maar het beeld was hol, en in de duisternis roerde zich een afzichtelijk wezen, een opgezwollen, oververzadigde bloedzuiger.

Hij sprak verder. 'Ons hoofddoel was een algehele zuivering van het Europese genetische patroon, onder meer door het uitwieden van geestelijke en lichamelijke gebreken. Als de staat voorkomt dat zwakzinnigen en mismaakten zich voortplanten, zal de bevolking als geheel gezonder worden. En behalve de volksgezondheid is ook de esthetiek hiermee gediend. Wie vindt het prettig om over straat te lopen en mormels of gekken te zien? Niemand, en dat is een volstrekt normale reactie op afwijkingen.'

'Maar wat noem je mismaakt?' vroeg Wentzler. 'Hoe zit het met flaporen, of met mensen die gewoon oerlelijk zijn?'

'Voor die ongelukkigen is er cosmetische chirurgie. Alles wat met een scalpel kan worden verholpen, valt buiten het programma voor genetische zuivering. Sterker nog, ik acht het een staatsplicht om zulke mensen een kosteloze behandeling te bieden. In een notendop: wie genormaliseerd kan worden, mag blijven leven.'

'Mensen met vergroeide vingers?'

'Gerhard toch... dat is tegenwoordig een heel eenvoudige ingreep. De chirurgie heeft op dit vlak grote vooruitgang geboekt. Je moest eens weten wat er aan het lichaam van mensen verbeterd kan worden. Het is hun aard die zich niet veranderen laat. Vandaar de noodzaak om de joden uit te roeien.'

'Mensen met een horrelvoet?'

'Bestaan tegenwoordig ook behandelingen voor. Reichsminister Goebbels had die aandoening!'

'Mensen met te veel vingers of tenen?'

'Amputeren, heel eenvoudig. Liefst kort na de geboorte.'

'Mensen die met twee hoofden worden geboren?'

'Da's vragen naar de bekende weg. Zo'n gedrocht moet natuurlijk meteen worden opgeruimd.'

'En... Zeppi?'

Er viel een lange stilte, en toen lachte Klaus dat nare lachje weer, als een lekke voetbal. 'Ah ja, de kleine Zeppi met zijn blonde haar. Nu probeer je me uit de tent te lokken, nietwaar? Nu wil je me horen zeggen dat hij ook moet worden opgeruimd. Maar luister goed, m'n beste, ik vind dat Zeppi er recht op heeft dat we hetzij een man hetzij een vrouw van hem maken. En dat is niet ondenkbaar meer. Er zijn al pogingen toe gedaan. In Berlijn werkte Ernst Müller aan de ontwikkeling van een procedure. Een genie, deze Müller, een sieraad voor het Reich. Maar helaas, de oorlog kwam ertussen.'

'Dus in feite wil je zeggen dat er niets voor Zeppi gedaan kan worden?'

'Nee, op dit moment niet, helaas.'

'Maar wel in de toekomst, als de wetenschap ver genoeg gevorderd is?'

'Ja, dan misschien wel. En in de tussentijd zou het beter zijn, beschaafder, om zulke mensen uit hun lijden te verlossen. Wat abnormaal is, verdient het niet te leven, daar ben ik rotsvast van overtuigd.'

'Ik begrijp het.'

'Begrijp je het? Dat betwijfel ik in hoge mate. De oorlog is aan jou voorbijgegaan, Gerhard, dus kun je de dingen onmogelijk in het juiste perspectief zien. Om de wereld te kunnen veranderen, moet je er middenin staan en niet ergens in de rimboe in een hangmat liggen, met vage plannen voor een boek over een stel bananeneters.'

'Het zal je toch niet ontgaan zijn, beste Klaus, dat de Jajomi meer doen dan bananen eten?'

'Ga jij nu maar eens nadenken over wat jóú zoal ontgaat, Gerhard. Ik wens je goedenavond.' Hij stond op en liep naar zijn hangmat.

Wentzler keek hem na. 'Wat een... interessante man is het toch.' Hij draaide zich naar mij. 'En jij bent zijn neef.'

'Daar heb ik niet om gevraagd.'

'Niemand vraagt om zijn plaats in deze wereld. Mensen zijn gewoon... wie ze zijn.'

Ik had geen idee wat hij daarmee bedoelde, maar het leek me verstandig om er niet naar te vragen. Hij staarde nog een tijdje in het vuur, wenste me welterusten en liep ook weg. Ik liep naar Zeppi's hangmat. Hij sliep al. Mitzi lag in zijn armen, ook diep in slaap, met haar donzige kopje op zijn borsten. Een vertederend tafereel, en verre van abnormaal.

De volgende dag nam ik een besluit waarmee ik Klaus voor het hoofd wilde stoten. Hij hoopte dat ik op een dag een of andere politicus zou worden, maar zelf wilde ik dat allerminst, en een tatoeage leek me de beste manier om hem zijn hoop te ontnemen en van hem af te zijn. Met een getatoeëerd gezicht was een politieke carrière uitgesloten, dus liep ik naar Noroni, wees op mijn kin en vervolgens naar de tatoeages op zijn jukbeenderen. Hij begreep het onmiddellijk.

Het duurde niet lang of ik lag op mijn rug in de schaduw, terwijl Noroni zijn spullen in gereedheid bracht: een kom water, twee korte stokken, waarvan er één van een scherpe doorn was voorzien, en een hoopje verse houtskool. Hij pakte de stok met de doorn, die haaks op het uiteinde stond, hield hem boven mijn kin en gaf er met de andere stok een tik op. Ik wipte op toen de doorn mijn vlees binnendrong. Noroni grinnikte en mompelde iets wat waarschijnlijk betekende dat ik me niet zo moest aanstellen en dat dit nog maar het begin was.

Hij bleef met de ene stok op de andere slaan, steeds sneller, tot het klonk alsof er iemand met castagnetten klepperde. De doorn danste over mijn kin, stekend als een dol geworden wesp. Ik voelde bloed in mijn hals lopen en het was alsof de hele onderkant van mijn gezicht in brand stond. Na een tijdje werd de pijn zo erg dat ik hem nauwelijks meer voelde. Dat klinkt misschien raar, maar zo was het echt. Ik stelde me een knaagdier voor dat zich in mijn kin had vastgebeten – om te voorkomen dat hij doorbeet, moest ik zo stil mogelijk blijven liggen.

Noroni spoelde af en toe mijn kin schoon met water en smeerde er dan een papje van natgemaakte houtskool overheen, opdat die de gaatjes binnendrong die de doorn had gemaakt. Ik wist niet wat voor patroon hij aanlegde, maar vertrouwde op zijn bekwaamheid. De meeste Jajomi hadden tatoeages, opgebouwd uit lijntjes, zigzagjes en krullen, die ik zonder uitzondering mooi vond. De gedachte bekroop me dat moeder het verschrikkelijk zou hebben gevonden om mij ermee te zien, dus concentreerde ik me op het denkbeeldige knaagdier dat aan mijn kin hing, tartte het om zo hard mogelijk te bijten, om niet aan haar dood te hoeven denken.

Het duurde de hele ochtend, maar uiteindelijk was Noroni klaar. Ik wilde Klaus om zijn spiegeltje vragen, zodat ik het resultaat kon bekijken, maar hij was nergens te bekennen, dus liep ik naar Wentzler om hem te laten beschrijven wat hij op mijn kin zag.

'Een enorme bloedkorst,' zei hij.

'Maar wat zit eronder?'

'Geen idee. Je zult moeten wachten tot je huid geheeld is en die korst eraf valt.'

'Maar dat duurt nog dagen!'

'Geduld is een schone zaak, Erich. Weet je trouwens zeker dat je geen spijt krijgt?'

'Ja. Waarom neemt u er ook niet een?'

'Tja, ik moet zeggen dat ik vaak genoeg in de verleiding heb gestaan. De Jajomi zijn er wel niet zulke meesters in als de Japanners, maar in hun eenvoud zijn het fraaie tatoeages.'

'Nou, laat er dan ook een zetten. Dan neemt u iets van de Jajomi mee als we hier weggaan.'

'Toch maar niet. Ik ben er veel te conservatief voor.'

'Neem er dan een op uw borst of rug, waar niemand het hoeft te zien als u weer in Duitsland bent.'

'Ik zal erover nadenken. Doet het geen pijn?'

'Ja, maar daar wen je aan.'

'Wat bracht je ertoe?'

'Ik, eh, ik had er gewoon zin in. Het geeft me het gevoel dat ik anders ben.'

Hij keek naar de bloedkorst op mijn kin, en vervolgens diep in mijn ogen. 'Die dingen waar Klaus over vertelde, heb je daar nachtmerries van gehad?'

'Natuurlijk niet. Hij kan me nergens bang mee maken.'

'Hoe denk je ondertussen over hem, afgezien van zijn verhalen?'

'Klaus? Die laat me koud.'

Hij leek niet overtuigd. 'Je gaat toch niet zwemmen met die kin, hè?'

'Nee, zo stom ben ik nou ook weer niet.'

'Mooi zo. Heb je plannen voor vandaag?'

'Niet echt, nee.'

'Heb je zin om met Isiwé en mij mee te gaan?'

'Wat gaan jullie doen dan?'

'Op zoek naar een bepaald soort boombast, die bijzondere eigenschappen heeft.'

'Wat voor eigenschappen?'

'Dat leg ik onderweg wel uit. Ga je mee?'

Het was een welgemeende uitnodiging, dus ging ik erop in, al had ik eigenlijk met Awomé de struiken in gewild om de pijn in mijn kin te verdrijven.

Niet lang daarna gingen we op pad, met Isiwé voorop. Hij droeg het kapmes waarmee ik hem eerder de oren van zijn vrouw had zien afhakken, maar vandaag maakte hij geen gevaarlijke indruk. Hij babbelde aan één stuk door met Wentzler, en op een gegeven moment voelde ik dat het over mij ging.

'Isiwé zegt dat je eruitziet alsof je een dikke bloedzuiger doormidden hebt gebeten, met al dat bloed op je kin. Volgens hem hoef je vandaag niet bij je vrouw aan te komen, zo verschrikkelijk zie je eruit.'

'Bedank hem maar voor het compliment, en zeg hem dat zijn vrouw er zonder oren ook niet zo geweldig uitziet.'

Hij praatte wat tegen Isiwé, die smakelijk begon te lachen.

'Vond hij het grappig?' vroeg ik.

'Ik ben maar zo vrij geweest om je boodschap iets aan te passen. Ik heb er een variant op gemaakt van dat oude mopje: waarom stak de kip de straat over? Ik vroeg hem waarom de miereneter de rivier overzwom, met als clou natuurlijk: om aan de overkant te komen. Vond hij kostelijk, zoals je gemerkt hebt. Hij gaat het de hele sjabono vertellen, let maar op.'

Isiwé bleef de mop voor zichzelf herhalen en schoot elke keer kakelend in de lach. Hij vond me nu een ware humorist, terwijl het niet eens mijn mop was. Het was eigenlijk triest dat Wentzler voortdurend als mijn spreekbuis moest fungeren. Kwaitsa, Noroni en Awomé waren intussen dierbaren van me, maar ik kon geen woord met ze wisselen, en het leek niet de moeite om nu nog de taal te leren, met de regentijd in aantocht. Ik hoorde de stem van Klaus in mijn hoofd, die zei dat ze me helemaal niet zo dierbaar waren, en dat dat niets met hun taal te maken had, maar met hun ras. Ik wist zeker dat hij het mis had, maar schuldig voelde ik me wel, vooral jegens Awomé.

Zij was mijn vrouw, dus wat moest ik met haar aan als we vertrokken? Toen we trouwden, had ik daar geen seconde bij stilgestaan. Ik had haar alleen maar willen hebben, en nu ik haar had, zag het ernaar uit dat ik zonder haar zou vertrekken. Dat klopte gewoon niet. Wentzler, die strenge opvattingen over goed en fout leek te hebben, had me er nog niet op aangesproken, maar het leed geen twijfel dat hij er zijn bedenkingen bij had. Of misschien vergiste ik me. Misschien vond hij het geen punt dat ik mijn indiaanse bruid zou achterlaten. Klaus zou er in elk geval geen problemen mee hebben, zoveel was zeker.

We liepen al lange tijd door de jungle toen Isiwé opeens halt hield en met zijn kapmes op een boom wees die kleiner en dunner was dan de omringende. Afgezien daarvan zag ik er niets bijzonders aan, maar Isiwé leek verheugd over zijn vondst en begon direct op de slanke stam in te hakken. Hij verwachtte kennelijk niet dat Wentzler en ik iets deden, dus gingen we zitten en keken toe terwijl hij noest bleef voorthakken. Hij stopte maar één keer, om zichzelf de mop van de miereneter te vertellen, en te gieren van de lach. Het was zo kolderiek dat Wentzler en ik met hem meelachten.

'Herr Wentzler, ik heb een vraag.'

'Wordt het niet eens tijd dat je me Gerhard gaat noemen?'

'Oké, Gerhard. Wat moet ik met Awomé?'

'Erich, als ik jouw leeftijd had en een vrouw met haar riante vormen, zou ik niemand hoeven vragen wat ik met haar doen moest.'

'Nee, als we hier weggaan bedoel ik. Moet ik vragen of ze mee wil komen?'

'Aha. Nou, ten eerste wordt Jajomivrouwen nooit iets gevraagd. Hun man zegt ze wat hij van ze wil, en dat doen ze vervolgens braaf. Ze zou het hoogst merkwaardig vinden als je haar een keuze bood. Ten tweede moet ik je op de loslippigheid van de vrouwen wijzen. Onder de Jajomi bestaan weinig geheimen, en onder de vrouwen al helemaal niet. Als je haar van onze plannen vertelt, zal ze dat niet voor zich kunnen houden. En ten derde: aangezien je de taal niet spreekt, zou ik als tolk moeten optreden, en in dit geval weiger ik dat categorisch. Kortom, je zult haar van het ene moment op het andere moeten achterlaten. Als ons plan niet tot het allerlaatst geheim blijft, valt het in duigen. Heb ik je vraag daarmee beantwoord?'

'Volgens mij wel, ja.'

'Kijk maar niet zo bedrukt, Erich. Zodra jij hier weg bent, zal Awomé volop in de belangstelling staan van iedere huwbare man. Zelfs als ze zwanger mocht zijn. Normaal zal een Jajomi er weinig voor voelen om andermans kind op te voeden, maar dit kind zou half mens en half dolfijn zijn, met alle status van dien voor Awomé. Haar toekomst is rooskleurig, geloof me.'

'Wat doen we trouwens als ze ons achterna komen?'

'Als we er ongezien tussenuit kunnen knijpen, betwijfel ik of de achtervolging wordt ingezet. Ik verwacht eerder dat onze verdwijning hun fantasie prikkelt, en dat ze een verhaal bedenken in de trant van dolfijnen die naar hun eigen wereld terugkeren als er te weinig droge grond is om in mensengedaante te blijven. Awomé zal aanvankelijk wel bedroefd zijn, maar dat duurt vast niet lang. Aanbidders genoeg. Zit er dus maar niet over in, Erich. We zetten ons plan door zoals we het bedacht hebben.'

Wat hij zei leek aannemelijk genoeg, dus besloot ik er maar niet meer over te dubben. Isiwé had het boompje intussen neergehaald. Hij maakte een paar kerven in de schors en trok die van de stam.

'Laten we maar eens een handje gaan helpen,' zei Wentzler. Hij hurkte bij de ontschorste stam neer en begon er de gele bast vanaf te pulken. Ik volgde zijn voorbeeld en het bleek licht werk, want het was een sappige, gladde laag die zich in lange stroken los liet trekken. Isiwé rolde de stroken op en stopte ze in een buidel van gevlochten vezels. Toen die gevuld was, ging hij ons weer voor op weg naar huis.

Het was middag toen we de sjabono betraden. Isiwé legde de boombast in een trog en stampte hem fijn met een dikke stok. De vezelige pulp bestrooide hij met een laag groene vlokken (geplette zaden van een andere boomsoort, zei Wentzler), waarna hij het geheel opnieuw begon te stampen, onder toevoeging van een paar fikse klodders spuug. Toen het mengsel fijn genoeg was naar zijn zin, spreidde hij het uit over een platte steen die tegen het grootste kookvuur lag. De stoom sloeg er in dikke wolken vanaf en er bleef uiteindelijk een gummiachtige substantie over, die Isiwé op een andere steen legde en als deeg begon te kneden en te stompen. Tegen het einde van de middag leek hij tevreden met het resultaat: een droge, vuilgroene koek die in niets meer aan sappige bast deed denken.

Gerhard had me nog steeds niet verteld wat hier werd bereid. 'Wacht maar af,' was alles wat hij zeggen wilde, dus verloor ik mijn geduld en ging op zoek naar Awomé. Ik ontdekte haar in een groepje vrouwen. Toen die me aan zagen komen, stootten ze elkaar giechelend aan. Awomé draaide zich om en keek verwachtingsvol in mijn richting. Ik had Gerhard niet nodig om te snappen wat de vrouwen tegen haar zeiden: 'Daar heb je hem weer, hij kan zijn handen maar niet van je afhouden, hè?' Ik voelde me opgelaten en liep ze straal voorbij, zonder Awomé zelfs maar aan te kijken. Als ik haar toch in de steek ging laten, moest ik leren mijn verlangen te beteugelen, al viel het niet mee om haar te negeren. Ik had al gevoeld hoe ik in haar zou glijden.

Ik verliet de sjabono en liep naar de plek waar ik moeder in de rivier had zien verdwijnen. Het wemelde er nu van de bontgekleurde libellen, en er viel me iets op dat me ontgaan was tijdens het drama – het water was hier rimpelloos en stroomde blijkbaar nauwelijks. Het lag waarschijnlijk achter een zandbank die het afsneed van de hoofdstroom. Als moeder was gaan baden waar iedereen dat deed, was haar bloed verdund en weggevloeid voor de piranha's haar als de bron hadden kunnen vinden. Haar behoefte aan privacy was haar dood geworden. Ik ging verslagen op de grond zitten en staarde naar de libellen die boven het oppervlak dansten.

De korst op mijn kin was al hard en kriebelig, maar pulken deed nog te veel pijn. Al met al was het een frustrerende dag. Ik bleef zitten en sjokte pas tegen zonsondergang terug naar de sjabono.

Toen ik door het gat in de wand stapte, zag ik Gerhard, die mij ook zag en me gebaarde te komen. Klaus was er ook en ze keken beiden naar Isiwé, die met een andere Jajomi de groene koek in stukken brak. Ze verpulverden de brokken tussen hun vingers, waarna ze de kruimels tussen twee platte stenen tot een poeder maalden dat fijner was dan zand. Ik slikte al mijn vragen in en keek ook alleen maar toe, anders zou Gerhard toch maar weer zeggen dat ik moest afwachten en het vanzelf wel zou zien.

De opening in het sjabonogewelf was al donker toen Isiwé het groene poeder omzichtig in een buideltje veegde. In die buideltjes droegen ze ook hun giftige blaaspijltjes, dus meende ik te begrijpen wat voor poeder het was. 'Het is hun gif, nietwaar?' zei ik tegen Wentzler. Hij schudde grijnzend zijn hoofd en zei: 'Nee. Wacht maar af. Morgen zie je vanzelf wat het wél is.'

Ik liep geërgerd naar mijn hangmat en ging me daarin zitten wiegen door me met één voet af te zetten. Zeppi kwam met zijn aapje naar me toe en vroeg hoever moeder intussen de rivier zou zijn afgezakt. Ik verjoeg hem met een snauw, waarop Awomé naar me toe kwam en naast me in de hangmat kroop. Met haar zachte huid tegen me aan kreeg ik direct een stijve, tot mijn grote verlegenheid, want hoewel het enige licht van de vuurtjes kwam, waren er toch tientallen mensen om ons heen. Mijn toestand ontging haar natuurlijk niet, en ze pakte hem beet en kneep er zachtjes in, wat me zowat flauw deed vallen van genot.

Ze begon eraan te trekken, dan weer zachtjes en dan weer niet zo zachtjes, en af en toe zo ruw dat ik naar adem hapte, waar ze dan smakelijk om lachte, die kleine plaaggeest. Ze deed het te onregelmatig om me te laten komen, en ik stierf liever dan dat ik het zelf afmaakte, dus draaide ik me ten slotte maar om en ging liggen wachten tot hij weer verslapte. Ze begon nu mijn rug te strelen, maar dat irriteerde me alleen maar, dus schoof ik bij haar vandaan. Ze siste van boosheid, gaf me een klap tussen mijn schouderbladen en sprong de hangmat uit.

Ik keek haar niet na. Binnenkort zou ik haar voorgoed verlaten, dus was het maar beter om me van haar te vervreemden. Ik kon wel huilen. Na moeders dood had ik geen traan gelaten, maar nu kreeg ik een brok in mijn keel van zelfmedelijden. Mijn kin deed pijn, Gerhard wilde niet op mijn vragen ingaan en het duurde niet lang meer of ik was mijn plaagzieke vrouwtje kwijt – het was meer dan ik verdragen kon. En daar schaamde ik me om. En de schaamte werd zo diep dat die omsloeg in woede. Dus toen Zeppi opnieuw mijn kant op kwam drentelen met een stomme vraag, beet ik hem toe dat hij op moest hoepelen, anders greep ik Mitzi en rukte haar kop eraf. Hij drukte haar geschokt tegen zijn tietjes en zei dat hij mijn kop er dan ook af zou rukken.

Dat bezorgde me een lachbui, en die bracht verlichting, maar ik bleef de rest van de avond in mijn hangmat liggen. Het viel me zwaar om met niemand te praten, zo zwaar dat ik bijna in de verleiding kwam om te bidden. Het leek opeens heel aantrekkelijk, zo'n stil gesprek met iemand die alles wist en begreep. Het probleem was alleen dat ik niet in die iemand geloofde, dus bleef ik maar gewoon zo liggen, alleen, terwijl het om me heen steeds stiller werd, en er uiteindelijk slechts het geluid van ieders ademhaling was.

TIEN

Die ochtend waren alle mannen in de weer met rode en zwarte lichaamsverf. Kwaitsa beschilderde mij, en gebaarde dat ik hetzelfde met hem moest doen. Ik gebruikte mijn vingers voor de brede strepen en een stokje voor het fijnere werk, waarbij ik het voor de zekerheid op de geijkte patronen hield, maar op het laatst bezweek ik voor de verleiding om zijn borst een band van ineengehaakte zwarte blokken te geven, die ik me herinnerde van de lessen op school over de oude Grieken.

Kwaitsa was er gelukkig verrukt over en liet het vol trots aan iedereen zien, maar mijn opluchting was van korte duur. Ik begon me af te vragen of de schilderpartij de inleiding was voor een of andere krijgshandeling. Ik was de Jajomi dankbaar voor hun gastvrijheid, maar voelde er weinig voor om het oorlogspad met ze op te gaan.

Ik zocht Wentzler op. 'Wat is er eigenlijk gaande, Gerhard? Waarom is iedereen beschilderd?'

'Iedereen? Ik niet, hoor,' zei hij met een grijns. 'En Klaus ook niet.'

'Oké, maar wij allemaal wel, en waarom is dat? We gaan toch niet een andere sjabono aanvallen, hè?'

'Als dat het voornemen was, zouden ze nu hun wapens strelen en ertegen praten. Dus maak je geen zorgen, er staat heel iets anders te gebeuren.'

'Iets wat met dat groene poeder te maken heeft?'

'Jazeker. Wacht maar af, je geduld zal nu snel beloond worden.'

Sommige mannen vonden verf niet genoeg en staken papegaaien- en toekanveren in hun armbanden. Weer anderen zetten een veren hoofdtooi op die hen een meter langer maakte. En toen iedereen eindelijk tevreden was over zijn uitmonstering, ging Manokwo in het midden van de sjabono staan en hield het buideltje omhoog waar Isiwé het groene poeder in had gestopt.

Het gebaar werd met kreten van opwinding begroet, waarna de mannen zich in een grote kring op hun hurken lieten zakken. Mapiwé, de man die het paalgevecht met Isiwé had verloren, kwam naar voren met een voorwerp dat ik eerst voor een stok hield, maar het was een korte zabatana. In een van de uiteinden was als een soort tuitstuk een doorgesneden holle zaadpeul gestoken. Hij overhandigde het ding aan Manokwo en hurkte met een verwachtingsvolle blik voor hem neer. Gerhard gaf me een geamuseerde knipoog.

Manokwo schepte met een vingertop wat poeder uit de buidel, tikte het in de pijp en stak Mapiwé de kant met de zaadpeul toe. Mapiwé schoof die in zijn linker neusgat, en Manokwo zoog zijn longen vol lucht en blies uit alle macht in de pijp, waarop Mapiwé's hoofd achteruit schokte alsof hij door een kogel was geraakt. Het groene poeder was diep in zijn neus geblazen, en aan Mapiwé's ogen te zien deed dat behoorlijk veel pijn, al weerhield dat hem er niet van om de zaadpeul nu in zijn andere neusgat te stoppen. Manokwo had de pijp alweer met poeder geladen en blies opnieuw.

Mapiwé tuimelde op zijn rug en rolde om en om. Hij kreunde alsof hij in doodsnood verkeerde en er stroomde groen snot uit zijn neus.

Een andere man nam zijn plaats in en onderging dezelfde behandeling: hij kreeg poeder in zijn neus geblazen, viel omver en rolde kreunend en hevig snotterend over de grond. Ik stootte Gerhard aan. 'Is dit een of andere strafvoltrekking? Waarom krijgen ze dat helse poeder ingeblazen?'

'De pijn is maar tijdelijk, en er volgt doorgaans een genot op dat vele malen groter is.'

'Genot?' De beide mannen waren nu buiten de kring gesleept. De tweede lag kronkelend op zijn rug. Mapiwé kroop op zijn knieën in het rond. Hij keek verdwaasd voor zich uit en dat groene snot bleef rijkelijk vloeien. 'Wat voor genot?'

'Een narcotische roes, Erich. Dat poeder verwekt hallucinaties. Die twee lijken zich niet al te best te voelen, maar geloof me, ze genieten met volle teugen. Ze zien de meest fantastische dingen, en in gedachten spreken ze daar ook mee.'

'Is het net zoiets als morfine?'

'Nee. Het wordt ook uit de natuur gewonnen, maar daarmee houdt de overeenkomst op. Ze noemen het joppo. Volgens mij is het niet echt verslavend, maar ze nemen het met grote regelmaat. Zodra iemand een voorraadje aanmaakt, is iedereen van de partij.'

'Moet je Mapiwé eens zien!'

Mapiwé klom in een denkbeeldige boom. De andere man staarde gebiologeerd naar het stof tussen zijn tenen. 'Wat denken ze dat ze aan het doen zijn?'

'Wie zal het zeggen? Als het middel is uitgewerkt, weten ze het zelf misschien ook niet meer.'

'Maar je zult het toch wel eens gevraagd hebben, voor je boek?'

'O zeker, maar ze zijn er niet bepaald openhartig over. Een enkeling had het over gesprekken met wezens uit de geestenwereld, maar het bleef rijkelijk vaag. Maar goed, je hoeft een alcoholist ook niet te vragen wat hij bij zijn laatste zuippartij ervaren heeft. Zulke ervaringen zijn uiterst subjectief.'

'Heb jij het wel eens genomen?'

'Eén keer, en mij beviel het toen maar matig, moet ik zeggen.'

'Hoezo? Wat gebeurde er dan?'

'Da's moeilijk uit te leggen.'

Ondertussen kreeg de ene na de andere Jajomi het poeder in zijn neus geblazen, en ieder reageerde alsof hij een spijker door zijn voorhoofd had gekregen. Het was een potsierlijk gezicht en ik zou in lachen zijn uitgebarsten als Gerhard geen bezwerende hand op mijn arm had gelegd. Maar mijn lachlust trok weg nadat Noroni de pijp had overgenomen om Manokwo zelf een portie in te blazen, want toen het opperhoofd met een kin vol groene slijm wegkroop, gaf Noroni me een teken dat maar op één manier geduid kon worden: het was mijn beurt.

'Wat moet ik nu?'

Gerhard haalde zijn schouders op. 'Je zou kunnen weigeren, maar als Jajomi je iets aanbieden, plegen ze diep beledigd te zijn als je het afslaat. Bedenk wel dat de joppo geen kwaad kan, Erich, al voelt het aanvankelijk verre van prettig. Pijn zonder iets dat pijn doet, zo zou ik het willen omschrijven.'

Ik had er beslist geen zin in, maar kon het risico niet lopen dat ik de Jajomi tegen me innam, dus hurkte ik voor Noroni neer en pakte de zaadpeul, die nu overdekt was met snot. Iedereen die de joppo ingeblazen had gekregen, had intussen een glinsterende groene massa op zijn borst en buik, en het bleef maar bij ze stromen.

Ik stak de peul in mijn neusgat, zag Noroni inademen en... een mokerslag, precies tussen mijn wenkbrauwen, die me pardoes achteruit deed vliegen. Ik zag het vlechtwerk van de sjabono, de hemel in de grote ronde opening. Iemand schoof zijn handen onder mijn schouders, duwde me weer overeind en stak de peul in mijn andere neusgat. Ergens diep vanbinnen gilde een stem *nee nee nee nee*, maar Noroni blies een nieuwe lading joppo in mijn schedel. Ik kreeg geen lucht meer. Mijn longen waren ingeklapt. Lange vingers van vuur kropen door mijn neusholte en steeds dieper naar binnen, krabbelden over het hersenvlies, probeerden erdoorheen te komen, en dat lukte ze ter hoogte van mijn oren, als een leger trokken ze mijn grijze massa binnen, brandstichtend en plunderend, elke herinnering rovend die daar sinds mijn geboorte lag opgeslagen.

Kleine Erich was ik weer, in een korte broek, met een krijsende peuter op mijn knie, mijn broertje, en vader die een foto van ons nam, niet bewegen nu, kijk naar het vogeltje! Maar hoe kon ik ook bewegen? Ik kon niet eens ademhalen. Gelukkig maar, want ik wilde de foto niet verpesten. En nu legde vader zijn fototoestel neer en gaf me het IJzeren Kruis. Het hing al wel om mijn nek, maar hij gaf het me evengoed, stopte het me toe en zei: 'De Führer zelf heeft dit in zijn handen gehad. Zorg dat je het nooit kwijtraakt.' En dat beloofde ik, vol overtuiging, en waarom ook niet, het hing al weken om mijn nek.

'Mooi zo,' zei hij, en hij liet opeens zijn hoofd hangen. 'Ik was het niet eens. Ik heb al die Russische tanks niet vernietigd. Haeckel raakte er veel meer. Zijn tank reed voor de mijne, dus hij had ze voor het uitkiezen. Ik heb er ook wel een paar geraakt, maar Haeckel plaatste de ene voltreffer na de andere. Feilloos was hij die dag. We reden ver voor de rest uit en God zelf moet ons beschermd hebben, want hun granaten kwamen niet eens bij ons in de buurt, terwijl wij wel twintig tanks te pakken namen. We vaagden ze weg, werkelijk waar, alsof het speelgoed was op een vloerkleed. Maar Haeckel raakte er veel meer dan ik, tot hij zelf werd geraakt. Hij en zijn hele bemanning, in één klap dood. En toen mijn tank... ook iedereen dood, behalve ik. En achteraf eiste ik het leeuwendeel van de treffers op. Een leugen, maar geen erge, want ik had wel degelijk raak geschoten, alleen lang niet zo vaak als Haeckel. Het was een spel van vrienden, gezonde wedijver. Hij zou het helemaal niet erg hebben gevonden. We mochten elkaar wel, en hij was dood, en wat moet een dode met een IJzeren Kruis? Ik heb ervoor gelogen, maar de Führer heeft het in zijn handen gehad, en nu is het van jou. Zorg dat je het verdient.' Dat beloofde ik, maar hij was er al niet meer.

Iemand tilde me van de grond. Maar niet vader. Vader was weg. Het was Gerhard, en hij legde me in mijn hangmat. Mijn hoofd zakte opzij. Het zat niet meer aan mijn lichaam vast. Ik zag Klaus. Met de joppo-pijp in zijn neus. Hij viel achterover alsof hij werd afgeschoten uit een kanon. Ontzettend grappig, maar ik kon niet lachen. Mijn kin voelde nat. Was de tatoeagekorst opengebarsten en bloedde ik weer? Het bloed liep over mijn borst, maar het kwam niet van mijn kin, het kwam uit mijn neus. Ik had de ergste bloedneus uit de wereldgeschiedenis, maar niet met rood bloed, het was groen. Het stroomde onafgebroken uit mijn neusgaten.

Vader zou mijn neus voor me hebben afgeveegd, net als vroeger toen ik nog klein was, maar hij had het te druk met het beschieten van Russische tanks, en met het liegen daarover. Ik vergaf het hem. Maar zelf moest ik dat IJzeren Kruis wél verdienen. Als vereffening voor zijn leugen. Ja, nu wist ik het weer, die keer dat hij me over zijn leugen had verteld, en over zijn schaamte. Het was nacht geweest en ik lag in bed te slapen, de nacht voorafgaand aan de dag waarop hij mij het Kruis had gegeven. Ik was diep in slaap toen hij naast mijn bed kwam zitten en mompelend zijn verhaal deed. En omdat ik sliep, wist ik er niets meer van toen ik die ochtend wakker werd. Helemaal vergeten. Tot nu. Goh, wat vreemd.

Klaus kroop op handen en knieën bij de joppo-pijp vandaan. In rondjes kroop hij, als een naakte aap die de staart zocht die hij niet had. Overal zag ik Jajomimannen opstaan en weer neervallen, als balletdansers die met machinegeweren werden neergemaaid door een ontevreden publiek. Ze deden ontzettend hun best om te dansen, maar al wat ze konden was schokkend heen en weer waggelen en tegen palen leunen en snot over hun borst laten vloeien om ten slotte weer neergemaaid te worden. Ik wilde dat vader terugkwam, maar daar had hij het te druk voor, dus riep ik moeder. En zie, ze doemde als een grote roze wolk boven me op, en ze tilde mijn hoofd aan haar grote roze borst, en ik wilde zuigen, maar mijn mond zat vol snot, dus dat ging niet.

Moeder schudde haar hoofd, maar ze glimlachte er teder bij. Ik wilde vragen of het erge pijn had gedaan om verslonden te worden door die vlijmscherpe vissen, maar de woorden bleven in het groene slijm steken. 'Wie is moeders liefste?' vroeg ze, en ik wilde schreeuwen dat ik dat was, *ik ik ik ik*, maar in plaats daarvan sloot ik mijn ogen maar, en haar melk stroomde mijn mond binnen. Warme moedermelk, warm als bloed, vulde me op als een ballon op een waterkraan, almaar voller, tot ik zowat knapte en geen adem meer kon halen, dus liet ik de melk maar uit me gutsen en o wat was het heerlijk om weer te kunnen ademen. Groene, klonterige melk liep over mijn borst en keel naar mijn schouder en vandaar de hangmat in en waarom lag mijn hoofd in zo'n rare knik? Ik wilde het opheffen, maar daar miste ik de kracht voor.

Niemand kon mijn hoofd verplaatsen. Het was te zwaar van al mijn herinneringen. Duizenden herinneringen die in een stortvloed kwamen binnenstromen, zodat ze elkaar in de weg zaten, als twee dikke mannen die tegelijk door een deur wilden, en toen drie dikke mannen, en vier, en de deuropening begaf het en de hele bups viel de kamer binnen als één reusachtig dikke man met vier hoofden en acht armen, die zich langzaam ontwarden tot het weer vier afzonderlijke dikke mannen waren, en toen acht magere, en zij waren allemaal Reichsminister Goebbels, die met de horrelvoet.

Hij hobbelde naar me toe en begon met zijn scheur van een mond in mijn gezicht te schreeuwen, dat mijn vader een held was geweest en dat ik ook maar beter een held kon zijn, want anders zwaaide er wat. Ik vertelde hem dat mijn vader een leugenaar was, een schande voor het Reich, die een onderscheiding had ontvangen die hij helemaal niet verdiende, en Reichsminister Goebbels werd razend. Hij schreeuwde dat hij het IJzeren Kruis terug wilde, dat hij het van mijn nek ging rukken, schreeuwde en schreeuwde en schreeuwde met zijn schelle radiostem dat ik geen haar beter was dan de joden omdat ik met een medaille rondliep waar ik helemaal geen recht op had, een onderscheiding die alleen bestemd was voor echte Duitsers, en het was hem ter ore gekomen dat ik dat niet was, integendeel, ik was een vuile jood, een smous, een leugenaar net als mijn vader, die ze in een trein hadden moeten stoppen bij al die andere rotjoden en hun smerige kinderen, om ze af te voeren naar een andere planeet, de groene planeet Jajomi in het zonnestelsel Amazonas, waar we thuishoorden en waar de wereld ons niet langer hoefde te zien, weg met al die leugenachtige stinkjoden, naar de plek waar ze thuishoorden.

Ik kneep mijn ogen dicht, stopte mijn oren dicht, en hij hobbelde weg. Met een voldane uitdrukking omdat hij me ontredderd had door me een rotjood te noemen. Dat was ik wel niet, maar voor Reichsminister Goebbels maakte dat niet uit. Als hij me maar bang kon maken. Maar ik wilde niet bang zijn, niet voor hem of voor wie dan ook, dus ging ik op zoek naar een vriend, een echte vriend die me bij zou staan als dat manke mannetje met die schelle stem terugkwam om opnieuw tegen me tekeer te gaan.

Waar was Gerhard? Ik zag hem nergens, maar dat gaf niet, want vanaf de andere kant van de sjabono zag ik iemand anders aankomen, iemand die ik onmiddellijk als vriend herkende, hoewel zijn naam me nog niet te binnen wilde schieten, een vriend van heel lang geleden, die me o zo dierbaar was geweest, maar zijn naam lag begraven onder alle dagen, maanden, jaren... Noah! Noah Epstein! Met wie ik oeverloos over Atlantis had gepraat, en over de kans dat er leven was op Mars, en over van alles en nog wat, en we waren het altijd met elkaar eens. Altijd precies dezelfde opvatting over alles onder de zon, die de hele zomer scheen terwijl wij alles bespraken, in de stellige overtuiging dat wij tweeën knapper waren dan wie ook, en zeker knapper dan de mensen in onze stad, al die domoren met hun bekrompen ideeën.

Noah Epstein. Mager en slim en reuze grappig, vooral als hij de Führer nadeed die een redevoering hield, met zo'n stem alsof er een boze leeuw in zijn keel zat. Het was dat er geen joodse kinderen meer op school mochten komen, anders zou Noah naast me in de bank hebben gezeten, zoals dat hoort als je elkaars beste vriend bent. Ik had hem voor het eerst in het park ontmoet, waar hij twee baltsende duiven gadesloeg. Hij zag mij ook kijken en zei: 'Wat een verspilde moeite, hè, al dat geparadeer. Ze weten allebei waar het op uitdraait, dus waarom springt-ie er niet gelijk op?' Zo begon onze vriendschap. Het was ongepast, ondenkbaar zelfs, dat je met joden omging, dus haalden we elkaar nooit van huis af. We zochten elkaar op in het park, waar we er altijd in slaagden om standjes en afkeurende blikken te vermijden. Als we iemand aan zagen komen, hielden we op met praten en gingen een eindje van elkaar af lopen. En dat werkte prima, tot een vriendin van mijn moeder ons zag en het meteen ging vertellen. Toen was het afgelopen. Ik kreeg te horen dat ik geen woord meer met die rotjood mocht wisselen. Als ik hem ooit weer op straat zag, moest ik oversteken en met een afgewend gezicht verder lopen.

En een tijd later kwam die dag, Noah Epstein. Toen zag ik je lopen, met de blik van een hert dat op de snelweg was beland, verward en angstig, niet wetende of je volgende stap je laatste zou zijn. Ik zag je, Noah Epstein, en ik stak meteen de straat over, en keek star de andere kant op, tot ik zeker wist dat ik je voorbij was. Het kostte me niet eens moeite. Veel later pas, toen ik hoorde dat je vader alles verkocht had en jullie naar Polen waren verhuisd, pas toen zag ik in wat ik kwijt was geraakt. Pas toen was er schaamte, omdat het beste in mij, mijn besef van goed en kwaad, gefaald had toen ik over die andere stoep verder was gelopen.

Noah kwam bij mijn hangmat staan. 'Zo zeg, je ziet er beroerd uit,' zei hij.

Hij zag er nog precies zo uit als vroeger, nog geen dag ouder, wat natuurlijk onmogelijk was, maar hij was het toch, echt waar, met zijn gouden brilmontuur, dat dikke golvende haar en die donkere ogen, en die mond waarvan de hoeken altijd omlaag gingen als hij iets snedigs of grappigs over iemand zei.

'Dag, Noah, wat doe jij tegenwoordig?'

'Ik? Ik ben dood.' En we barstten in lachen uit, net als vroeger. Typisch Noah, zo'n antwoord.

'Hoe kan dat nou, man? Je staat hier voor me!'

'Ach, werkelijk?' Hij keek verbaasd om zich heen, alsof hij nu pas zag waar hij was. 'Ik zie dat jij het behoorlijk ver geschopt hebt,' zei hij. 'Een kast van een buitenhuis met een grote binnenplaats, net als in Spanje of Italië, chic hoor.'

Ik lachte opnieuw. Zijn gezicht leek te stralen van intelligentie. Noah was veel slimmer dan ik, altijd geweest, maar dat kon me niet deren, want hij vond me nog steeds aardig en wilde nog steeds met me praten, net als vroeger.

'Hoe is het jullie in Polen vergaan?'

'Niet zo goed. Een nettoverlies, zou mijn vader hebben gezegd.'

'Naar welke stad gingen jullie ook alweer? Ik ben de naam vergeten.'

'Lodz. Maar niet lang daarna kregen we een nieuwe verblijfplaats, op kosten van de overheid. Ben je uitgeschoten met je scheermes?'

'Nee, dat is een tatoeage.'

'O, wat leuk. Ik heb er ook een,' zei Noah. Hij schoof zijn mouw omhoog en liet hem zien, een lange rij cijfers op zijn onderarm. Niet erg fraai, maar dat hield ik maar voor me.

'Hoe ben je hier terechtgekomen?' vroeg ik. Het was heerlijk om hem weer eens te zien, al was er iets vreemds met zijn lichaamshouding. Hij leek voorover te hellen.

'Op de rug van een duif,' zei hij lachend. Hij helde nog verder naar voren. Het was een wonder dat zijn bril niet van zijn neus viel. En nu zag ik pas dat hij voorover in de lucht hing.

'Waarom doe je dat?'

'Omdat ik het kan,' zei hij. 'Jij zou het vast ook wel willen, hè?'

'Ja, leer het me.'

'Goed. Om te beginnen moet je een jood worden...' Daar schoot hij hard om in de lach, en ik lachte met hem mee.

'Nee, echt, hoe doe je dat?'

'Tja, dat is het geheim van de smid,' zei hij met een knipoog. Hij begon te vervagen.

'Hé, kom terug!' riep ik. Tenminste, ik dacht dat ik het riep.

'Ik ben nooit weggeweest.' Weer een knipoog. Hij was bijna onzichtbaar nu. Zijn lichaam was als rook.

'Niet weggaan, Noah, alsjeblieft!'

'Zal wel moeten, Erich. Verkeerde kant van de straat. Straks zien ze ons nog.'

'Noah!'

Hij was verdwenen.

Ik had hem weggejaagd met mijn stomme vragen. Ik had hem gewoon moeten laten praten, zoals hij dat zo graag deed, zonder interrupties. Alles op een rij zetten, had hij dat altijd genoemd. En daar had ik hem in gestoord. Mijn schuld. Maar het lag eigenlijk aan dat groene poeder. Er liep nog altijd snot uit mijn neus, en in mijn keelholte, zo overvloedig dat ik me afvroeg hoe ik had kunnen praten. Had ik wel met hem gepraat? Natuurlijk had ik dat! Dit was Noah, mijn beste vriend... tot ik de straat voor hem was overgestoken.

Ik kon niet huilen, hoe graag ik ook wilde. Tranen zouden nooit volstaan. Hij had niet eens een verklaring voor mijn verraad geëist. Het was als vanouds geweest. Misschien had hij me niet zien oversteken, misschien had hij niet gezien dat ik het was die hem ontliep... maar nee, ik wist wel beter. Mijn hele lijf was gevuld met schaamte. Te laat, zei ik in mezelf. Dat was een van zijn standaardzinnetjes geweest: 'Te laat, zei de man die naar zijn afgerukte been keek.' Daar had ik altijd om moeten lachen. Op een keer had ik het tegen moeder gezegd, maar ze had me alleen maar aangestaard alsof ik gek was geworden.

Ik opende mijn ogen. Vreemd, want ik had niet geweten dat ze dicht waren. De grond onder mijn hangmat stonk naar braaksel en ik wilde weg maar kon me niet bewegen, dus besloot ik mijn ogen maar weer dicht te doen om van alles af te zijn. Het laatste wat ik zag was Klaus die een eindje verderop stond. Hij staarde voor zich uit, maar zijn gezicht maakte duidelijk dat hij van alles zag. Dingen waarvan hij zich niet los kon rukken. En toen waren mijn ogen weer gesloten, en ik zoefde over een lange glijbaan, en belandde in een diep meer. Er zwommen prachtige vissen voorbij, die me vriendelijk begroetten. Ze spraken Jajomi en ik verstond ieder woord.

Het was avond. De dag was al voorbij. Verwarrend, om in slaap te vallen bij het heldere ochtendlicht en wakker te worden bij het schijnsel van de vuren in de sjabono. Gerhard stond bij de hangmat van Klaus en sprak tegen hem. Toen hij zag dat ik wakker was, kwam hij naar me toe. Ik zwaaide mijn benen over de rand voor hij bij me was, wilde er niet zo hulpeloos uitzien als ik me voelde. Hij had een bezorgde blik in zijn ogen.

'Gaat het een beetje?' vroeg hij.

'Natuurlijk. Waarom zou het niet gaan?'

'Omdat het niet altijd een prettige ervaring is. Ook niet voor de Jajomi.'

'Nou, met mij gaat het prima. Hoe gaat het met Klaus?'

'Lichamelijk is hij weer de oude, maar zijn geest is nog dolende, heb ik de indruk.'

'Wat heb ik allemaal gedaan?'

'Heel weinig. Ik heb je in je hangmat gestopt en je bleef roerloos liggen. Je leek in slaap te vallen, dus heb ik je maar niet meer gestoord. Was het boeiend? Wat heb je zoal gezien?'

'Niks. Ik voelde alleen maar... ik werd een beetje misselijk, meer niet.' Ik had geen zin om het te vertellen.

'Meer niet? Dat is tamelijk ongebruikelijk.'

'Misschien werkt dat spul niet bij mij.'

'Hm, Noroni heeft je anders een flinke portie ingeblazen, in allebei je neusgaten. Ik zag het hem doen.'

'Nou, ik heb hem tenminste niet beledigd door te weigeren.'

Hij knikte en keek me onderzoekend aan. Ik kon zien dat hij me niet geloofde. 'Heb je honger?'

'Nee, hoofdpijn.'

'Neem maar wat water. Of nee, neem maar véél water.'

Dat deed ik, en het duurde niet lang of ik knapte wat op. Toen ik een kijkje ging nemen bij Klaus, lag hij ook te drinken als een paard. Hij was erg stil voor zijn doen. Ik vroeg me af wat de joppo hem te zien had gegeven, maar het leek me beter er niet naar te vragen.

Het weer werd steeds regenachtiger. Volgens Gerhard kwam de regentijd sneller op gang dan in andere jaren, dus het zag er goed uit voor ons ontsnappingsplan. Het was een kwestie van afwachten, de tijd doden tot het zover was. Ik ging regelmatig met Awomé de jungle in, maar niet meer zo vaak als in het begin. Het begon zich te wreken dat we niet met elkaar konden praten. De Jajomi waren lang niet altijd aardig tegen hun vrouwen, maar ze spraken wel met ze, vooral in de avond, met hun kinderen om hen heen. Dan waren het net gezinnen in een huiskamer, vader met zijn pijp, moeder met haar breiwerk en de kleintjes met hun elektrische trein.

Voor Awomé en mij was dat niet weggelegd. Ze probeerde me vaak genoeg woordjes te leren, maar dat wimpelde ik altijd af, hoezeer ze daar ook om pruilde. Ze wilde dolgraag met me praten, maar ik wilde geen woord leren, omdat het me dan veel te zwaar zou vallen om haar achter te laten. En meenemen kon ik haar ook niet. Zonder gemeenschappelijke taal bleven we in zeker opzicht vreemden voor elkaar, ondanks dat we zeer intieme dingen met elkaar deden. Dingen waarover ik voorheen slechts in vieze boekjes had gelezen.

Op een dag viel eindelijk de korst van mijn kin. In één keer, toen ik er lichtjes aan krabde. De huid eronder was zacht en nieuw en uiterst gevoelig. Ik ging meteen op zoek naar Klaus, die nog altijd geen stap deed zonder zijn dokterstas, waar hij ook ging – een naakte arts die visites aflegde zonder een adres te weten. Ik vroeg hem om het spiegeltje en hij gaf het me hoofdschuddend aan.

'Je hebt iets heel doms gedaan, Erich, en de gevolgen zullen ernaar zijn. Ik kan je nu niet meer voorstellen aan de belangrijke mensen over wie ik je vertelde, de vooraanstaande heren in Argentinië. Zij hadden je een glorieuze toekomst kunnen bieden... maar daar kan nu geen sprake meer van zijn.'

Ik snapte pas wat hij bedoelde toen ik in het spiegeltje keek. Noroni had drie evenwijdige zigzaglijntjes op mijn kin getatoeëerd, die een verbluffende overeenkomst vertoonden met het symbool van de ss, de dubbele bliksemschicht. Dit waren er drie in plaats van twee, maar voor de rest was mijn tatoeage identiek – precies dezelfde hoeken, precies dezelfde verhoudingen.

Ik gaf Klaus het spiegeltje terug en zei: 'Kan me niet schelen.' En dat kon het me ook niet. Klaus keek me diep ontgoocheld aan, draaide zich om en beende weg.

Ik liep naar Gerhard. 'Godallemachtig,' zei hij, 'daar zul je in Duitsland goede sier mee maken, maar niet heus.'

'Tja, het is niet wat ik wilde.'

'Je had Noroni iets van je gading moeten voortekenen. Nu zit je hiermee opgescheept. Gelukkig zie ik al wat dons op je bovenlip, dus de tijd waarop je een baard kunt laten staan is hopelijk niet meer veraf, ha ha.'

'Het is niet grappig! Wat moet ik nu? Kun jij Noroni niet vragen om er iets bij te tatoeëren waardoor het er anders uitziet?'

'Dat lijkt me geen goed idee. Hij is bijzonder trots op zijn werk, dus daar zou je hem diep mee kwetsen. Laat er maar wat aan doen als we in Caracas zijn. In de haven heb je meer dan genoeg tatoeagestudio's. Misschien kun je er een hoeladanseres van laten maken.'

Even later kwam Awomé naar me toe en aaide me bewonderend over mijn kin, wat me bijna aan het huilen maakte. Ze merkte meteen in wat voor stemming ik was, pakte mijn hand en nam me mee de jungle in, waar we het heel langzaam deden. Zij deed al het zware werk en liet me genieten als nooit tevoren, en juist dat maakte me alleen nog maar droeviger.

Bij tijd en wijle ging ik naar de plek waar ik moeder had zien sterven, en staarde er een poosje naar de libellen die steevast boven het rimpelloze water dansten. Bij de derde keer drong het opeens tot me door dat ik een wees was. Eerst mijn vader, nu mijn moeder. Tot dan toe was het woord 'wees' niet eens bij me opgekomen. Kwam dat omdat Klaus zogenaamd mijn nieuwe vader was? Onwaarschijnlijk. Zo had ik niet meer over hem gedacht sinds hij een massamoordenaar bleek te zijn. Kwam het dan door Gerhard dat ik me tot dusver niet verweesd had gevoeld?

Enerzijds was onze omgang te ongedwongen om iets vaderlijks in hem te zien, maar hij had er wel de leeftijd voor, en het leed geen twijfel dat hij zich op zijn eigen, afstandelijke manier om Zeppi en mij bekommerde. Toch wilde ik geen vader in hem zien, noch in iemand anders. Als je het eenmaal aanvaardde, had het wel voordelen om een wees te zijn. Wie kon me bijvoorbeeld nog iets opdragen? Als Klaus me iets vroeg dat ik niet wilde doen, kon ik gewoon zeggen dat hij naar de hel kon lopen. Ik was vrij! En Zeppi ook, al zou hij dat waarschijnlijk vreselijk vinden. Zeppi had iemand nodig, wie dan ook, die hem zei wat hij doen moest. Zeppi verdroeg geen vrijheid.

Mijn mijmering werd onderbroken doordat zich een vraag aan me opdrong. Waarom zag ik hier altijd die libellen? Wat trok hen zo aan in dit gedeelte van de rivier? Was het omdat het water hier niet stroomde, maakte dat het makkelijker voor ze om te jagen? Ik had geen idee wat libellen aten. Op school hadden ze me alles over Goethe en Schiller geleerd, maar niets over het voedingspatroon van libellen, en dat interesseerde me nu meer dan al die gedichten ooit hadden gedaan. Stilstaand water moest iets aantrekkelijks voor ze hebben. Stilstaand water, waarin mijn moeder ten prooi was gevallen aan vissen die binnen een minuut het vlees van haar botten hadden gevreten.

Maar wacht eens, stilstaand water... dan moesten die botten hier nog aanwezig zijn, ergens op de bodem. Ze konden niet door de stroming zijn meegevoerd, want die ontbrak in deze ondiepe uitstulping van de rivier, waar de libellen zoemend in de lucht hingen. Wat er van mijn moeder was overgebleven, lag hier nog in het troebele water.

Durfde ik het water in te lopen en met mijn voeten de bodem af te tasten? En zou dat zin hebben? Ik begreep direct dat die laatste vraag uit lafheid voortkwam. Ook al ging het slechts om haar geraamte, nu ik bedacht had dat het hier nog liggen moest, was het mijn plicht ernaar op zoek te gaan. Ze zou niet anders gewild hebben, en de wens van een moeder is heilig. Ik vervloekte mezelf omdat ik op de gedachte was gekomen, maar nu was het te laat.

Ik had geen keuze, als haar zoon moest ik het water in om haar te zoeken. Maar ik gruwde bij het idee dat ik met mijn tenen haar botten zou voelen. Ik was als de dood dat ik haar inderdaad zou vinden. Mijn eigen moeder. Wat een lafaard. In gedachten schold ik mezelf uit voor lafbek, mietje en slappeling, maar dat nam mijn weerzin niet weg.

Ik vroeg me af wat Awomé van me zou vinden als ze dit aan de weet kwam, of Gerhard. Zolang ik mijn mond hield, wisten ze weliswaar van niets, maar ik zou het zelf weten, en dat was onverdraaglijk genoeg.

Ik dwong mezelf een voet in het water te zetten, en de volgende, en toen een stapje vooruit. Zo waadde ik schroomvallig naar de plek waar ik moeder onder water had zien verdwijnen, met tenen die als voelsprieten door de zachte modder gingen, stapje voor aarzelend stapje, telkens in de verwachting dat ik iets gruwelijks zou voelen. Het water reikte tot aan mijn knieën, en even later tot aan mijn dijen, en toen tot aan mijn middel. Zo ver had moeder ook in het water gestaan toen ze werd aangevallen. Maar wacht eens, ik was langer dan zij, dus nu was ik voorbij de onheilsplek.

Hoe kon ik haar nu gemist hebben? Had ik niet in een rechte lijn gelopen? Ik deed een zijwaartse stap en mijn voet stootte prompt tegen iets hards, waardoor ik bijna struikelde en kopje-onder ging. Ik herstelde mijn evenwicht en tastte opnieuw met mijn voet. Ja, iets hards, langwerpig, licht gekromd... een rib? Ik bleef tasten, hoorde een vaag, kreunend geluid, en kreeg langzaam door dat dit uit mijn eigen keel opwelde. Nog meer harde dingen. Geen twijfel mogelijk, dit was het geraamte van mijn moeder. Ik waagde een nieuwe stap opzij en mijn voet raakte iets veel groters. Dat kon alleen haar schedel zijn, of haar bekken.

Ik dwong mezelf tot een nieuwe aanraking. Rond, als een vaas of een kom. Haar hoofd. Ik voelde zelfs haar tussen mijn tenen, lange haarslierten. Dus moest haar hoofdhuid er ook nog zijn. Ze was niet tot op het bot afgekloven, althans niet overal.

Ik had mijn moeder gevonden. En nu ik haar gevonden had, moest ik doorzetten en haar restanten op het droge brengen, om haar de begrafenis te geven waar ze recht op had. Ik moest me vooroverbuigen en met mijn handen haar gebeente van de bodem vissen. Botten waar hier en daar nog vlees en kraakbeen aan zat. Ik zou haar hoofd boven water moeten halen, en dan zag ik haar weggevreten gezicht, haar lege oogkassen, haar grijnzende, liploze tanden. En alles zou naar verrotting stinken, slijmerig en glibberig zijn. En wat zouden de piranha's nog meer hebben overgelaten? Misschien graaide ik over de bodem en vond ik een brok vlees dat boven water een borst bleek te zijn.

Nee, ik kon dit niet. Dit kon ik echt niet.

Ik waadde beschaamd en verslagen naar de kant. Dit was te veel gevraagd. Een geraamte in de woestijn, dat had ik aangekund. Droge, gladde beenderen, gebleekt door de zon. Dan wist je wat je oppakte. Maar blindelings in troebel water rondtasten, naar glibberige beenderen en rottende stukken vlees? Het was erg genoeg om haar met mijn tenen te hebben gevoeld. Diep inademen en dan bukken om onder water naar haar resten te graaien... dat kon ik gewoon niet. Ik was een lafbek, immers. Een ellendige wetenschap, maar ik moest ze aanvaarden. Ik zou op andere gebieden minder laf proberen te zijn, als compensatie voor dit verraad aan mijn moeder. Meer zat er niet in.

Toen ik op het droge stond, beefde ik over mijn hele lichaam. En met kou had dat niets te maken. Ik durfde niet eens meer om te kijken naar waar ik geweest was. Kon alleen maar zo snel mogelijk weglopen.

Even buiten de sjabono zag ik Gerhard en kromp ineen van schaamte. Ik moest het hem vertellen.

'Er is weer een forse bui op komst,' zei hij toen ik op hem toe liep. 'Dat merk je hier al voor er een wolk te zien valt, aan de lucht die zwaar en stil wordt. Voel jij het ook niet?'

'Ik heb moeder gevonden.'

'Pardon?'

'Haar gebeente. Het ligt daar nog, op de plek waar ze werd aangevallen.'

'Haar gebeente?'

'Ik ben het water in gelopen en voelde het met mijn tenen. Ik weet zeker dat het haar botten zijn, maar ik durfde ze niet op te pakken.'

'Aha...' Hij keek me even aan, en liet zijn blik naar de rivier dwalen. 'En wat ben je nu van plan?'

'Weet ik niet. Ik kon mezelf er nog net toe brengen om erheen te waden, maar ik wil haar voor geen goud aanraken. Zou jij dat kunnen?'

Het was eruit voor ik het wist.

'Laten we eerst eens rustig nadenken, Erich. Wat zou er gebeuren als we haar op het droge brachten?' Hij sprak op de toon van een vriendelijke, geduldige schoolmeester, die me onmiddellijk kalmeerde. Ik hoopte dat hij een reden bedacht waarom ze daar moest blijven liggen, een overtuigend argument. Dan zou ik hem eeuwig dankbaar blijven.

'De Jajomi weten niet beter of Frau Brandt is stroomafwaarts gezwommen met haar pasgeboren dolfijnenjong. Als we haar gebeente uit het water halen, is de kans groot dat iemand het ziet voor we het kunnen begraven. Of anders zien ze de omgewoelde aarde en graven het uit nieuwsgierigheid op. Ze komen er dus hoe dan ook achter, en dan hebben we heel wat uit te leggen. Opbiechten dat het je moeder is kan niet, want dan weten ze dat we over haar gelogen hebben en dat wordt ons niet vergeven. Hoe maken we hun wijs dat het om iemand anders gaat, die ze niet kennen?'

'Dat kan waarschijnlijk niet. Er zit volgens mij nog haar op de schedel, dus dat zullen ze herkennen.'

'Tja,' zei hij met een zucht, 'in dat geval moet ze onder water blijven liggen, hoe hard het ook klinkt. We kunnen het risico niet lopen dat de waarheid aan het licht komt, ook niet voor je moeder, want het valt niet te voorspellen wat ze in hun boosheid met haar resten doen. Was ze werkelijk zo gelovig?'

'Nee, niet echt. Zo is ze zich hier pas gaan gedragen.'

'Aha, anders had ik willen voorstellen om op de oever een gedenkteken voor haar op te richten. Maar als ze toch niet zo vroom was, zie ik ook daar liever van af, want het zou de Jajomi alleen maar achterdochtig maken. Wat ze niet begrijpen wekt argwaan.' Hij zweeg even, en zei: 'Ik zou het zelfs niet tegen Zeppi of Klaus zeggen, Erich. Om uiteenlopende redenen acht ik die geen van beiden betrouwbaar.'

Hij keek naar de lucht, die groen begon te kleuren.

Ik volgde zijn blik en vroeg: 'Waar komt die kleur vandaan?'

'Dat weet ik niet. Misschien is het de weerschijn van het oerwoud, een atmosferische inversie of iets dergelijks. Maar je weet, ik ben geen meteoroloog.'

Die uitleg leek me onwaarschijnlijk. Het was niet het volle groen van het oerwoud, eerder het bleke groen van de wandtegels bij Herr Bleichroder, onze slager. In zijn slagerij waren alle tegels wit geweest, behalve één enkele rij op ongeveer een meter van de vloer. Door die tegels had ik voor het eerst beseft dat ik groeide – toen ik op een dag met moeder meeging naar de slager, lagen ze ineens op ooghoogte, en niet lang daarna hadden ze zelfs nog maar tot mijn borst gereikt. De lucht was nog warmer en vochtiger dan anders, en dik als stroop, zo leek het. De haartjes in mijn nek stonden rechtop.

'Waarom ben je eigenlijk antropoloog geworden?' vroeg ik.

'Goeie vraag, Erich.' Hij dacht even na en zei: 'Het is niet echt een vakgebied voor joden, ik denk dat dat een voorname rol heeft gespeeld. Ik ben altijd al een dwarskop geweest, van kindsbeen af. Mijn ouders zeiden dikwijls dat ik de minst joodse jood was die ze kenden, en daar hadden ze ongetwijfeld gelijk in. Mijn vader was zakenman, en zakendoen zit in het bloed, dat zegt iedereen, zelfs de joden zelf. Maar ik vond het veel te beperkt, ik wilde iets anders, iets boeienders. Antropologie leek me wel wat. "De wetenschap die zich bezighoudt met de fysieke, sociale en culturele ontwikkeling alsmede het gedrag van de mens." Toen ik die definitie ergens las, was ik meteen verkocht. Mijn ouders zagen er niets in, maar ze wilden me niet in de weg staan en betaalden mijn studie. Tja, ze zullen nu wel dood zijn. Mijn hele familie zal wel dood zijn.'

De lucht leek nog stroperiger te worden terwijl hij sprak, en zijn woorden boorden zich langzaam in mijn hersens. Hij was al even stil toen ik eindelijk begreep wat hij gezegd had.

'Wacht even, jij bent een... jood?'

'Jazeker, zij het de minst joodse jood die je ooit zult meemaken. Ik neem geen enkel gebruik in acht, laat staan de riten. Een seculiere jood noem je zo iemand als ik. In mijn familie waren er velen. Maar een jood ben ik, en zal ik altijd blijven. Schokt dat je?'

'Ja...'

'Ik wilde het je al langer vertellen, maar het goede moment diende zich naar niet aan. Vanochtend overwoog ik het nog, maar dacht opnieuw dat het te riskant was, dat een rechtgeaarde Duitse jongen als jij niet aarzelen zou om het Klaus te melden. Maar nu is het eruit, en als je het vertellen wilt, ga je gang. Ik denk dat ik Klaus wel aankan. Een op een hebben we de nazi's altijd goed kunnen weerstaan, maar de overmacht is kennelijk te groot geworden. Ben jij een nazi, Erich?'

'Ik, eh... nee, dat denk ik niet.'

'Nooit lid geweest van de Hitlerjugend?'

'Ja, maar dat was alleen maar marcheren en tenten opzetten, en naar toespraken luisteren en liedjes zingen. Heel vervelend, eigenlijk. Zelfs toen we aan het eind van de oorlog werden ingezet, maakten de meesten van ons niets mee.'

'En de Führer, vond je dat geen geweldige man?'

Zo had ik inderdaad over hem gedacht, maar het viel me zwaar om dat nu toe te geven. Maar liegen wilde ik ook niet, dus zei ik maar niets.

'Onze ontsnapping wordt een hele onderneming, Erich. Het zal niet meevallen om dat onstuimige vloedwater het hoofd te bieden, en dan moeten we ook nog uit handen van de Iriri zien te blijven. En aan Zeppi en Klaus hebben we weinig, dat weet jij net zo goed als ik, dus het zal van jou en mij moeten komen. Wij tweeën moeten het plan doen slagen, en daar is onderling vertrouwen voor nodig. Dus mogen er geen geheimen tussen ons bestaan. Ik vond het zwak van mezelf dat ik mijn jood-zijn voor je verzweeg, maar ik durfde er maar niet mee op de proppen te komen, zoals jij het gebeente van je moeder niet durfde te pakken. Idioot eigenlijk, hè? Jij kunt niet ophouden Duitser te zijn, en ik kan niet ophouden jood te zijn. Óf we maken elkaar af, óf we helpen elkaar, een tussenweg is er niet. Niet na wat er in Europa is gebeurd. Wat denk je, zou Klaus de verleiding kunnen weerstaan om nog één keer een jood te vermoorden?'

'Geen idee.'

'Als hij het probeerde, zou ik hem moeten doden, dat begrijp je. Joden hangen net zo aan het leven als andere mensen, dus ik zal voor mezelf opkomen, reken maar. Ergens is het ironisch dat ik Europa verliet voor de grote slachting begon, en nu heb ik hier het gezelschap gekregen van een van de ergste beulen. Telkens als ik hem aankijk, vraag ik me af waarom ik niet iemands boog pak en hem een pijl door zijn hart jaag. Wat me weerhoudt, denk ik, is dat hij me fascineert. De man is door en door kwaadaardig, maar die indruk wekt hij allerminst. Als hij me niets over zijn beulswerk had verteld, zou ik het nooit achter hem gezocht hebben.'

'Ga je hem... doden?'

'Hij verdient het te sterven, zoveel is zeker. Vergeet niet wat hij ons verteld heeft, Erich. Hij zou duizenden, nee tienduizenden doden moeten sterven. Maar het zal bij één keer blijven. Of hij door mijn hand sterft, hangt van hemzelf af. Ik zou hem in ieder geval eerst moeten vertellen dat ik jood ben. Dat mag ik hem dan niet onthouden, nietwaar?'

'Maar hoe kun jij nu een jood zijn? Je bent niet eens besneden.'

Hij schoot in de lach. 'Geloof het of niet, maar ik kwam ter wereld in Lapland. Mijn vader verbleef daar voor zaken, en mijn moeder had per se mee gewild om de Lappen hun rendieren te zien hoeden. Ik werd te vroeg geboren, midden in de wildernis met een paar Lapse vrouwen als verloskundigen. Tijdens een gierende sneeuwstorm, is me verteld, maar dat zal een overdrijving zijn. Misschien ben ik daarom ook wel antropoloog geworden, omdat ik geboren ben in een vreemd land, omgeven door vreemde mensen. Enfin, toen we eindelijk weer terug in Duitsland waren, moest de besnijdenis worden uitgesteld omdat mijn vader overwerkt was geraakt en een zenuwinzinking kreeg. En volgens mij wilde mijn moeder het sowieso niet. Zoals ik al zei, we waren allesbehalve orthodox. Moeder stond er ook op dat ik een echte Duitse naam kreeg. Bij wijze van dekmantel, wellicht. Het was een intelligente vrouw, dus misschien voorzag ze alle ellende al. Hoe dan ook, van uitstel kwam afstel en die besnijdenis heeft nooit plaatsgehad. Daar hoor je misschien van op, maar joden zijn lang niet allemaal hetzelfde, zoals Duitsers dat ook niet zijn. Kijk maar naar jezelf, nietwaar, met je joodse piemel. Het kan raar lopen, Erich.'

Ik tuurde naar de rivier, kon het niet opbrengen om hem aan te kijken. Gerhard was een jood... In het begin had ik hem niet gemogen, maar gaandeweg was ik zijn intelligentie en zijn wijze raad gaan waarderen, en het feit dat hij tenminste stabiel was, niet zo grillig als Klaus en moeder. En uiteindelijk was ik hem als een vriend gaan beschouwen, zozeer dat ik in hem wél een vaderfiguur zag, waar Klaus me had teleurgesteld. En al die tijd was hij een jood geweest.

Iedereen wist dat joden onoprecht waren, dat ze vriendelijkheid veinsden totdat ze de kans kregen om je kwaad te doen. En onoprecht was Gerhard zeker geweest. Zelfs toen we bevriend raakten, was hij zich als iemand anders blijven voordoen... maar kwaad had hij me nooit gedaan. En nu had hij zelfs bekend dat hij een jood was. Nee, niet bekend – hij had het me toevertrouwd. Hij had het me recht in mijn gezicht gezegd. En ik kon hem niet verwijten dat hij er niet eerder mee gekomen was, niet nadat Klaus hem over de oorlog had verteld, en over de oorlog bínnen die oorlog, de oorlog waarbij de ene partij wapens had en de andere niet. Een wel heel oneerlijke oorlog, zag ik nu in. Ik kreeg het beeld voor ogen van Gerhard in een kamp, in het gezelschap van Noah Epstein. Die twee zouden elkaar vast graag gemogen hebben, met hun scherpe verstand en hun mensenkennis. En nu kwam Klaus me ook voor mijn geestesoog. Hij hakte hun ledematen af en gaf Noah die van Gerhard en andersom. En Noah zei: 'Handig, nu kunnen we vast ook elkaars kleren dragen.' Moesten ze allebei om lachen, en Klaus werd zo kwaad dat hij ze neerschoot. Maar ze gingen niet dood en bleven gewoon grappen maken. En Klaus hen maar neerschieten, en zij maar sarcastische opmerkingen maken over zijn schutterskunst, en Klaus werd roder en roder en uiteindelijk knalde hij als een voetzoeker uit elkaar en Noah en Gerhard werden besproeid met zijn bloed en ingewanden. 'Kijk toch eens wat een smeerboel,' zeiden ze. 'Geen greintje fatsoen, die nazi's.'

'Waar grinnik je om?' vroeg Gerhard.

Ik was er me niet van bewust en hield er meteen mee op. Ik keek hem aan.

'Ik zal niks over jou en Noah vertellen.'

'Noah? Wie is Noah?'

'O, niemand. Ik zal niks tegen Klaus en Zeppi zeggen.'

'Mooi, daar hoopte ik al op. Maar besef je wel dat we nu een koppel vormen?'

'Ja.'

'Een jood en een Duitser, Erich, een smous en een worstvreter. Wat een stel zijn wij.'

Hij wees naar de hemel, waar uit het niets donkere wolken in opkolkten, aaneengeregen met draden van bliksem. 'Daar zul je het hebben.'

'Ze zien er anders uit dan normaal. Donkerder.'

'Dat betekent dat de regentijd niet veraf meer is.'

'Mooi.'

We keken samen naar de naderende onweersbui. Er was iets nieuws aan de atmosfeer, de geur van iets wat op het punt stond te beginnen. De wolken klommen verbluffend snel op en namen de wonderlijkste gestalten aan. Ze schermden de zon af, kolkende torens van pure duisternis, die binnen enkele minuten oprezen en weer ten onder gingen, om weer opnieuw op te komen, een stad in de hemel, ontzagwekkend en onheilspellend. En toen, voor ik goed en wel doorhad wat er gebeurde, versmolten al die woelige vormen tot één reusachtige tempel, scheefstaand en met wentelende zuilen, en een dak dat meteen weer onder zijn eigen gewicht begon te bezwijken. Er priemde een zonnestraal doorheen, als een boodschap van God. En weg was de tempel, verwoest in luttele seconden, doorkliefd met bliksems en voorgoed verdwenen.

'Zag je dat, Gerhard?'

'Wat zag ik?'

'De wolken, ze vormden een enorme tempel.'

'Vond je? Ik zag er een schelp in, en vervolgens een walvis.'

'Dan heb je naar een ander gedeelte gekeken.'

Het wolkendek trok als een zwarte lijkwade over ons heen. Ik rilde, en voelde een zonderlinge vreugde opkomen. Gerhard stond met zijn hoofd in zijn nek omhoog te kijken, en ik zag een eerste dikke regendruppel op zijn wang spatten, een uiteengereten traan, en nog een, op zijn voorhoofd. En toen werd ik zelf aan een verrassend koud spervuur blootgesteld.

We draaiden ons tegelijkertijd om en holden naar de sjabono, opgejaagd door regen die voelde als hagel.

ELF

Het regende nu elke dag, vaak uren achtereen, alsof daarboven alle sluizen openstonden. De Jajomi kwamen nauwelijks nog hun hangmat uit. Niemand ging meer op jacht en het enige wat we nog aten was bananenpap of geroosterde bananen. Ik liep elke ochtend naar de rivier om te zien of het water al steeg, maar als het dat al deed, was het niet zichtbaar.

De ochtenden waren nog droog, met een blauwe lucht. In die uren werden er bananen geplukt. Gevist werd er soms ook nog, maar de vis had zich in dieper water teruggetrokken, dus moesten er kano's worden gebruikt. Zelfs Kwaitsa, misschien wel de beste boogschutter, kwam meestal met lege handen thuis. Volgens Noroni was het een slecht voorteken dat de vis al zo vroeg in het regenseizoen was weggetrokken, en Manokwo deelde zijn mening.

Manokwo werd steeds ongeduldiger over Zeppi's transformatie van een jongen in een meisje, hoewel we hem verteld hadden dat die pas na de regentijd zou plaatsvinden. Hij liet Wentzler weten dat hij niet snapte hoe zo'n ingrijpende verandering zich van het ene moment op het andere kon voltrekken, alleen maar omdat het niet langer regende. Er moesten toch al tekenen zijn dat er iets ging gebeuren? Alles in deze wereld kwam toch geleidelijk tot stand, behalve de dood door een ongeval of strijd? Elke verandering in mens en dier voltrok zich zo geleidelijk dat je verschillende stadia kon zien, en hoe vaak hij Zeppi's piemeltje ook bekeek, daaraan zag hij niks veranderen!

Hij eiste een verklaring, dus legde Gerhard maar weer eens uit dat dolfijnen nu eenmaal magische wezens waren, mens noch dier, die wél zomaar van gedaante konden veranderen als de tijd daar rijp voor was. Maar Manokwo bleef ontevreden, want het einde van de regentijd was nog veraf en hij wilde Zeppi nu al als zijn geelharige bruid.

Klaus was daadwerkelijk veranderd. Hij ontliep Gerhard en mij alsof we de bron waren van alle tegenspoed die hem getroffen had. Hij was zwijgzaam, sprak soms dagenlang geen woord, maar ik deed ook geen enkele poging meer om met hem te praten. Telkens als er joppo werd gebruikt, en dat was steeds vaker nu er niet meer gejaagd kon worden, was Klaus van de partij. Ik hoefde niet meer na mijn eerste ervaring, en volgens Gerhard was dat maar goed ook, maar Klaus was blij met ieder korreltje dat de Jajomi hem in zijn neusholte wilden blazen, en het werd een normale aanblik om hem op zijn knieën door de modder te zien kruipen, zijn rug gegeseld door de regen en zijn ogen wijd opengesperd, starend naar dingen die alleen hij kon zien.

Het leek me steeds waarschijnlijker dat Klaus door Gerhard zou worden omgebracht, en het verbaasde me nauwelijks dat die gedachte me onberoerd liet. Hij verdiende het te sterven, ook al was hij mijn oom. Onze familieband maakte dat ik hem zelf niets wilde aandoen, maar als Gerhard mocht besluiten toe te slaan, dan zou ik hem niet tegenhouden.

Ik kreeg steeds meer waardering voor Gerhards vrijzinnigheid en zijn onafhankelijke inslag, en ik vond dat ik ook zo iemand moest zijn, en dat Awomé de eerste moest zijn om dat te merken. Ik gedroeg me niet langer als een Jajomi-echtgenoot, maar zoals ik me wílde gedragen – ik was aardig en voorkomend tegen haar, en niet alleen als ik de struiken met haar in wilde.

Ik bracht haar zelfs bloemen, waarmee ze zich aanvankelijk geen raad wist, maar dat veranderde toen ik ze in haar haar begon te vlechten. Als de andere vrouwen me dit zagen doen, sloegen ze giechelend een hand voor hun mond, maar Awomé onderging het met een dankbare waardigheid. Ik kon aan haar ogen zien dat ze zich afvroeg waarom ik opeens zo anders tegen haar deed. Op een dag vroeg ze Gerhard zelfs het aan me te vragen, en of het zo zou blijven, en ten slotte vroeg ze hem namens de andere vrouwen wat zij moesten doen om eenzelfde verandering bij hun man teweeg te brengen. Ik grinnikte toen hij dit overbracht, maar hij liet er een strenge waarschuwing op volgen – ik moest er meteen mee ophouden. Het ging tegen de zeden van de Jajomi in om Awomé op een voetstuk te plaatsen, en ik zou me de vijandschap van de mannen op de hals halen als hun vrouwen ook om een andere bejegening begonnen te zeuren.

Ik nam zijn advies ter harte en werd weer onverschillig tegen Awomé. Ze was zichtbaar teleurgesteld, maar aanvaardde het al snel als een terugkeer naar hoe het nu eenmaal hoorde en hoe het altijd zou zijn. Gerhard zei dat dit de kern van het Jajomibestaan was – de wezenlijke onveranderlijkheid ervan. Ze hielden alles graag zoals het altijd geweest was, want zo kenden ze het en zo was het goed. Nieuwe dingen brachten het risico op verslechtering met zich mee. Het was weliswaar nieuw dat er nu een groepje dolfijnen in hun midden vertoefde, maar dat was aanvaardbaar omdat het iets bovennatuurlijks betrof. Concrete veranderingen waren taboe.

Het regende steeds langer en steeds harder, en de rivier begon eindelijk te zwellen. Het duurde niet lang meer of het water zou zo hoog staan dat we ons plan ten uitvoer konden brengen, en daar mocht geen ophef over een verbroken taboe tussen komen.

Op een ochtend kwam Waneri met veel misbaar de sjabono binnen, beende direct op Manokwo af en begon een tirade. Het trok al snel de aandacht en na een poosje verdrong iedereen zich rond het opperhoofd en Waneri, die luidkeels en met woeste gebaren zijn verhaal deed. Hij was nog niet uitgesproken of de hele meute stroomde door het gat in de sjabonowand naar buiten. Gerhard en ik volgden op enige afstand en zagen de menigte naar de rivier lopen.

'Vanwaar al die ophef?' vroeg ik.

'Ik denk dat Waneri iets interessants heeft gevonden.'

Alle kano's waren hoger op de oever getrokken, uit voorzorg voor het buiten zijn oevers treden van de rivier. Waneri ging de massa voor langs het water, nog altijd schreeuwend en woest gesticulerend. Toen hij eindelijk bleef staan, sloeg de schrik me om het hart. Hier was moeder ten prooi gevallen aan de piranha's. Gerhard en ik werkten ons met onze ellebogen door de menigte. Waneri stond opnieuw over zijn ontdekking te oreren, en ditmaal kon Gerhard hem goed genoeg verstaan om het te vertalen.

'Toen hij gisteravond ging slapen, waarde de joppo van overdag nog in hem rond, kleurde zijn dromen groen en sprak over verraad... de dromen zeiden dat hij moest oppassen voor de leugens van de lange dolfijnenjongen... daar bedoelt hij jou mee, Erich... de jongen die vol list en bedrog is, ondanks de gastvrijheid van de Jajomi... en gelogen heeft over de verdwijning van de dolfijnenvrouw, zijn eigen moeder... en toen zeiden de dromen dat hij naar de plaats moest gaan waar hij de dolfijnenjongen met zijn ogen dicht op de grond had gevonden... en dat hij het water op die plaats moest doorzoeken... voordat de rivier zo hoog en sterk werd dat hij het boosaardige geheim met zich mee zou voeren... dus vandaag is hij, Waneri, naar de rivier gegaan om zijn droom te gehoorzamen... hij liep de rivier in en vond met zijn tenen... het lichaam van de dolfijnenvrouw... en terwijl het water hem omver wilde duwen, bracht hij haar met zijn laatste krachten op het droge... en nu kunnen de Jajomi haar met eigen ogen zien... en dan zien ze dat het waar is wat hij, Waneri, altijd gezegd heeft... dat de dolfijnenjongen zijn eigen moeder heeft vermoord... en toen haar lichaam in de rivier heeft gegooid om zijn vreselijke daad geheim te houden...'

Waneri liep met lange, plechtige passen naar een hoop takken met grote bladeren en trok ze met een theatraal gebaar opzij. Het was alsof er ijswater over mijn rug liep. Daar lag moeder, een paar modderige beenderen aan een wervelkolom en een ribbenkast, met een schedel waarvan de hoofdhuid nog grotendeels intact was, compleet met haar. Een gezicht had ze niet meer, en ze miste een arm en een been. Er ging een rilling van afschuw door de menigte en ik kokhalsde zowat van angst. Dit was het ergste wat ons kon overkomen. Waneri, die me haatte omdat ik zijn neef had gedood, had het geraamte gevonden en kon nu zijn verdachtmakingen staven. Ik geloofde er niets van dat de joppo hem hierheen had gevoerd. Hij moest me hebben bespied toen ik zelf stond te zoeken.

'Niet in paniek raken,' fluisterde Gerhard. 'Toon geen enkele angst, Erich.'

'Wat moeten we nu?'

'Hou je gezicht in de plooi. Ik bedenk wel wat.'

Manokwo liep naar het geraamte toe en tikte het aan met zijn grote teen. Hij hurkte neer en tilde een blonde haarsliert op, liet die weer vallen en stond op. Hij wees naar mij en sprak een paar woorden. Iedereen gaapte me aan, en ik moest vechten tegen de aandrang om weg te rennen. Ik klampte me vast aan Gerhards gefluisterde advies: 'Kalm blijven. Niets laten merken.'

Gerhard nam het woord. Hij sprak eerst Manokwo toe, toen Waneri en ten slotte de menigte. Het werd een redevoering waar geen eind aan leek te komen, en toen hij eindelijk zweeg, begonnen Manokwo en Waneri, en al wie verder een mening had, druk te redetwisten.

'Wat heb je ze gezegd?'

'Dat je onschuldig bent. Je hebt je moeder en je pasgeboren dolfijnenbroertje wel degelijk zien wegzwemmen, en meteen daarna niets meer, omdat je moeder je in slaap toverde om te voorkomen dat je hen zou volgen. Iemand heeft haar vermoord zodra jij in slaap viel, vandaar dat haar gebeente hier nog op de bodem van de rivier lag. Je hebt een sterk vermoeden wie de moordenaar is, en dat zul je ook uitspreken als de beschuldiging niet wordt ingetrokken. Maar eerst ben je bereid om je aan een test te onderwerpen die bewijzen zal dat jij je moeder niet vermoord hebt. Die test zul je vanmiddag nog afleggen, ten overstaan van de hele sjabono. Als dat je beschuldigers de mond niet snoert, zul je de identiteit prijsgeven van de echte moordenaar. Ik hoop van harte dat die test zo overtuigend wordt dat Waneri er verder het zwijgen toe doet, Erich. Dan hoef jij geen tegenbeschuldiging tegen hem te richten. Het staat ze nog heel goed bij wat er met Tagerri gebeurde toen hij zijn hand tegen je ophief, dus ze zullen nog steeds beducht voor je zijn. Dat voordeel hebben we bij dit potje blufpoker.'

'Wat voor test?'

'Tja, ehm... ik ben bang dat je de resten van je moeder zult moeten opeten.'

'Wát?'

'In de wereld van de Jajomi zal een moordenaar dat nooit doen, uit angst dat hij door de geest van zijn slachtoffer bezeten raakt, het gruwelijkste lot dat hem kan treffen. Moedermoord is de ergste aller misdaden, Erich, ook hier. Dus als je meespeelt, zul je de Jajomi er allicht van overtuigen dat je de waarheid spreekt. Doe het, en bedenk dat ze graag in je onschuld willen geloven. Op Waneri na, natuurlijk. Ik heb hem met een veelzeggende blik duidelijk gemaakt dat hij degene is die je zult beschuldigen, dus hij knijpt hem al een beetje, maar ik denk niet dat hij nog uit zichzelf zal terugkrabbelen.'

'Maar dat kan ik toch niet...'

'Je kunt het wel degelijk, en als je je hachje wilt redden, zul je ook wel moeten. Klaus zou degene zijn die je terecht moest stellen voor het vermoorden van zijn vrouw. Weigeren kan hij niet, want dan verdenken ze hem van betrokkenheid. Leg die test af en het zal allemaal overwaaien. Je hebt geen keus, Erich.'

Ik wist dat hij gelijk had. Gerhard had altijd gelijk.

Elke stap in de voorbereiding werd aandachtig gadegeslagen door de hele stam. Eerst droeg Gerhard moeders gebeente naar de sjabono, waar het verbrand werd om de flarden huid en rottend vlees te verwijderen. Toen de verkoolde botten waren afgekoeld, stampten Gerhard en ik ze met stokken tot een poeder.

Zeppi, die ver van ons af met zijn vriendjes had toegekeken, kwam me vragen wat er aan de hand was. Ik vertelde hem dat het de uitvaart van een indiaan was en dat hij op moest hoepelen, wat hij tot mijn opluchting zonder protesten deed. Klaus, die alle commotie had gemist en nu pas kwam kijken, hoorde van Gerhard wat er gaande was. Hij was ontzet toen hij hoorde wat ik doen moest om mijn onschuld te bewijzen. 'Mijn god, Erich, kun je dat wel?'

'Ik zal wel moeten.'

Maar diep vanbinnen vroeg ik me ook af of ik het wel volbrengen kon. Het deed er niet eens zoveel toe dat het om de botten van moeder ging, het feit alleen al dat ik menselijke resten tot me moest nemen was te walgelijk voor woorden. Awomé was ondertussen al bananenpap aan het maken, waar het poeder doorheen gemengd moest worden – met de ijver van een Hausfrau die het avondmaal voor haar man bereidde. Klaus deed een paar stappen achteruit, en dat nam ik hem geenszins kwalijk. Hij kon me toch niet helpen. Ik kon alleen maar hopen dat ik voldoende eetlust zou hebben.

Toen het bottenpoeder fijn genoeg was om door de pap gemengd te worden, was het gelukkig lang niet zo'n hoeveelheid als ik had gevreesd. Twee handenvol grijze as, meer niet. Ik veegde het tot de laatste korrel op een boomblad en droeg het naar de pot met pap. Gerhard had me ingefluisterd dat ik een soort toespraak moest houden om het geheel een plechtig tintje te geven – een beetje theater, zoals hij het uitdrukte. Dus hief ik het blad op naar mijn gezicht en begon mijn moeder toe te spreken.

'Er was eens een man die de oorlog werd ingestuurd, en toen hij sneuvelde, liet hij een vrouw en twee zoons na. De weduwe stond er helemaal alleen voor, dus haar blijdschap was groot toen de broer van haar dode man het aanbod deed om met haar te trouwen, zodat ze de jongens samen konden opvoeden tot mannen die op hun vader en op hemzelf zouden lijken. Ze vertrok met haar zoons naar het verre, vreemde land waar de broer woonde, en hij ging inderdaad een soort van huwelijk met haar aan, maar toen kwamen ze per ongeluk in een onafzienbaar oerwoud terecht, zonder hoop om ooit nog hun bestemming te bereiken. In dat oerwoud woonde een stam die hen opnam in hun sjabono, waar de moeder haar verstand verloor en verslonden werd door vissen, en de jongste zoon bleek voor de helft een dochter te zijn, en de oudste zoon moest de botten van zijn eigen moeder opeten. Dus de moraal van dit verhaal: blijf liever thuis, dat scheelt een hoop gelazer. Amen.'

Ik liet het blad zakken en strooide moeder in de pap. Awomé roerde het om met een bezorgde uitdrukking op haar gezicht. Ik keek om me heen of Noroni en Kwaitsa ook ongerust waren, maar ontwaarde hun gezicht niet in de massa. Waneri zag ik wel. Hij leek nijdig omdat ik zijn plannetje dreigde te verijdelen. Ik knipoogde naar hem, niet om hem nog bozer te maken, maar om mezelf moed te schenken. En toen hurkte ik bij het vuur neer en schepte een nap vol. Ik liet de pap even afkoelen, zette de nap aan mijn lippen, sloot mijn ogen en hoorde een massale zucht toen ik een eerste slok nam.

Ik weet niet hoe vaak ik al bananenpap had gedronken sinds ik in de sjabono woonde, maar de eerlijkheid gebiedt te zeggen dat deze net zo smaakte als alle andere. Hij was wat poederig, natuurlijk, en soms moest ik een korreltje beenderas fijnkauwen, maar voor de rest was er geen verschil. Mijn tweede nap werkte ik al zonder problemen weg, maar nog wel langzaam om de dramatiek van de gebeurtenis vast te houden. Ik voelde me als de beklaagde in een rechtszaak, die een speciale daad moest stellen om de jury te overtuigen.

Ik dronk en dronk, en bleef maar drinken. Ik dronk voor vijf, en na een tijdje kon ik geen slok meer wegkrijgen. Mijn buik was pijnlijk opgezwollen. Gerhard zag dat ik in de problemen dreigde te raken en siste tegen Klaus: 'Ga hem helpen, rouwende weduwnaar.'

Tot mijn verbazing hurkte Klaus meteen naast me neer en nam ook twee nappen, waarmee de pap op was. Ik stond op, blij dat de klus geklaard was, maar misselijker dan ik ooit geweest was.

'Wat je ook doet, niet braken,' zei Gerhard, 'anders denken ze dat je moeder uit je weg probeert te komen. Hou het binnen, koste wat het kost.'

Ik draaide demonstratief om mijn as, met mijn nap omgekeerd voor me uit, en Gerhard hield een toespraak die hij vervolgens in het Duits voor me overdeed. 'Dit bewijst dat je je moeder niet kunt hebben gedood, en het was schandelijk dat de Jajomi je van zo'n wandaad verdachten. Maar je schenkt iedereen vergiffenis, zelfs degene die deze onwaarheid over je verspreid heeft. Het kan gebeuren dat een eerlijk man zich vergist en daarom iets zegt wat niet klopt, en als de waarheid dan uiteindelijk aan het licht komt, is het beter te vergeven dan bloed te vergieten, zeker binnen deze sjabono. Deze sjabono is er een van vrede. Moord en doodslag is voor onze vijanden, de rovers en plunderaars die kwaadaardig zijn, en jaloers op ons goede leven.

Sinds de komst van de witte dolfijnen heeft deze sjabono geen overvallen meer gekend, die in het verleden zo vaak ons leven vergalden en onze vrouwen lieten huilen. Dat bewijst dat de dolfijnen de Jajomi geluk hebben gebracht en hun vijanden angst hebben ingeboezemd. En nu komt de regen en zal geen stam meer op strooftocht gaan, dus we blijven voorlopig veilig, en dat danken we aan de dolfijnen, die op hun beurt blij zijn dat ze onder vrienden mogen vertoeven. Vrienden die ze graag vergiffenis schenken voor de kwalijke leugen waarin zij de afgelopen uren hebben geloofd. Als de Jajomi er langer geloof aan hadden gehecht, zou Eri het hemelvuur op de sjabono hebben laten neerdalen, zoals hij dat eerder heeft gedaan toen hij werd aangevallen, en dan was alles in vlammen opgegaan en hadden de Jajomi geen beschutting gehad tegen de regen. Dat zou een terechte straf zijn geweest, maar nu kent ieder de waarheid en kunnen we weer in vriendschap leven.'

Deze woorden leken iedereen overtuigd te hebben. Manokwo stak een betoog af dat Gerhard voor mij moest vertalen, een lang en onsamenhangend verhaal over de voorname rol die de Jajomi in de wereld vervulden, wat iedereen op de hele wereld wist en wat maar weer eens gebleken was uit de komst van de witte dolfijnen, die grote vrienden waren en voor altijd in de sjabono mochten blijven. Het deed de Jajomi veel verdriet dat de dolfijnmoeder dood was, en ze vonden het nog erger dat dit tot een vreselijk misverstand had geleid, maar dat lag nu allemaal achter ons, vergeven en vergeten, en we waren nu weer één grote familie en dat was het ware geluk.

En daarmee was de kous af. Ik was officieel onschuldig. De hemel zette het moment luister bij door de middaghoosbui te beginnen, en binnen een minuut had iedere sjabonobewoner zich in zijn hangmat teruggetrokken om tabak te kauwen en te suffen of met zijn papegaai te spelen tot het weer droog werd. Zeppi en zijn vriendjes kwamen in volle sprint de sjabono binnen om te schuilen. Mitzi klampte zich aan zijn blonde haar vast en zijn deinende borstjes glommen van de regen. Hij holde opgetogen naar me toe en hijgde: 'We hebben het hele stuk gerend!'

'Grote jongen.'

'Is die begrafenis al voorbij?'

'Het was geen begrafenis, domoor. Het was een crematie.'

'Wie was het?'

'Gewoon, een vrouw.'

'Waarom verbranden ze hier mensen als ze doodgaan?'

'Omdat ze het niet zo beleefd vinden om je te laten wegrotten in de grond.'

'O.'

'En hoepel nu maar weer op, alsjeblieft. Ik heb buikpijn.'

Hij liet me alleen in mijn hangmat, waar ik zachtjes lag te schommelen terwijl de regen neerplensde door de opening in het sjabonogewelf en mijn buik onverminderd opspeelde. Het punt met bananenpap is dat je er enorm gassig van wordt. In de uren die volgden lag ik onophoudelijk scheten te laten. Maar zo ging ik me wel minder opgeblazen voelen, dus dat was weer een voordeel. Ooit had moeder mij in haar buik gedragen en door haar vagina naar buiten geperst. Nu droeg ik haar in mijn buik en zou ik haar, als de tijd gekomen was, door een andere opening naar buiten persen.

Nu ik wist dat we niet lang meer zouden blijven, begon ik alles anders te ervaren. Het leven in de sjabono, de Jajomi en hun gebruiken, het kreeg allemaal iets onwerkelijks. Alleen ons ontsnappingsplan was nog echt. We waren geen gevangenen en werden goed behandeld, maar we moesten er hoe dan ook vandoor. Met de belofte van Zeppi's geslachtelijke transformatie, die nooit kon worden ingelost, hadden we een verder verblijf onmogelijk gemaakt.

Zoals Gerhard al voorspeld had, was de regenval ongehoord hevig. Elke middag brak er een noodweer uit dat de vloer van de sjabono tot één grote modderpoel maakte, en de modder was nog lang niet opgedroogd als de volgende plensbui alweer met veel donder en bliksem losbarstte. Ieders benen zaten constant onder de modder, en ieder had alleen zijn hangmat als toevluchtsoord, dus daar bleef iedereen ook uren achtereen in liggen, met een mistroostige maar gelaten blik. Er werd niet eens gesproken in die uren. Daar was de donder veel te luid voor. En raar maar waar: het was heter en kleffer dan ooit. De regen bracht niet de minste verkoeling, maar maakte de lucht wel veel vochtiger, zodat het ondraaglijk benauwd werd.

Gerhard kreeg weer last van zijn malaria, maar toen hij Klaus om kinine vroeg, kreeg hij als antwoord, zonder dat Klaus zelfs maar in zijn dokterstas keek, dat die pillen op waren. Ik kon mijn oren niet geloven, en aan Gerhards gezicht te zien was hij ook verbijsterd, maar hij hield zich groot en zei schertsend: 'Geeft niet, dan ga ik straks wel naar de apotheek als het even opklaart.' Klaus glimlachte niet eens.

Gerhard sjokte weer naar zijn hangmat en ging er met zijn overvloedige zweet aan de vochtigheid liggen bijdragen. Ik speelde met de gedachte om de pillen uit Klaus' tas te pikken, maar herinnerde me dat alle potjes en flesjes een etiket in het Portugees hadden, dus kon ik niet weten welke ik moest hebben. Bovendien hield hij die tas nog altijd onder handbereik, dag en nacht. Ik had met Gerhard te doen. Hij lag te steunen en binnensmonds te mompelen, en zijn zweet drupte in de modder onder zijn hangmat. Ik had Klaus al een hele tijd veracht, maar nu walgde ik van hem.

Op een ochtend, ongeveer een uur voordat de regen zou losbarsten, kwam Zeppi naar me toe. Hij was rood aangelopen en hield angstvallig zijn handen voor zijn kruis.

'Erich, mijn plasser doet zo zeer.'

'Laat eens kijken.'

Hij deed zijn handen uit elkaar. Zijn piemeltje was helemaal vurig en opgezwollen, wel tweemaal zo dik als anders.

'Het doet vreselijk pijn,' zei hij, en er blonken tranen in zijn ogen.

'Ben je er gebeten, door een insect of een spin of zo?'

'Ik geloof het niet. Laat het ophouden, Erich.'

'Kom mee.'

We liepen naar Klaus, die in het niets lag te staren.

'Klaus, er is iets met Zeppi.'

Hij draaide lusteloos zijn hoofd naar ons toe. 'Wat dan?'

'Zijn piemel is helemaal opgezwollen.'

Hij veranderde prompt in de dokter die hij voorheen geweest was, sprong zijn hangmat uit en hurkte voor Zeppi neer om hem aandachtig te bekijken.

'Geen idee wat dit is, jongens. Vertel eens, Zeppi, doet het alleen pijn waar het is opgezet?'

'Nee, ook in mijn buik...' zei Zeppi, wiens gezicht nu vertrokken was van ellende.

'Ga Wentzler eens halen,' zei Klaus tegen mij.

Gerhard lag in zijn hangmat en rilde van de koorts. Hij zag bleek en glom van het zweet. Toen ik verteld had wat er met Zeppi was, richtte hij zich moeizaam op en liet zich op de grond glijden. Hij wankelde en ik moest hem ondersteunen toen we naar de anderen liepen.

Hij wierp één blik op Zeppi's piemel en zei: 'O, nee toch...' op een toon die me deed verkillen. 'Zeppi, luister naar me. Heb je onder het zwemmen in de rivier gepiest?'

'Af en toe...'

'Daar had ik je nog zo tegen gewaarschuwd, joh. Verdomme.'

'Is het zo'n visje dat op urine afkomt?' vroeg ik.

'Een candiru. Ja, ik vrees dat dat geen twijfel lijdt. Ga Noroni halen, Erich.'

Ik rende weg om mijn schoonvader bij zijn arm te pakken en mee te trekken. Toen Noroni Zeppi's piemel zag, schudde ook hij geschrokken zijn hoofd. Gerhard sprak kort met hem en zei: 'Het enige wat hij kan aanbevelen is joppo, tegen de pijn.'

'Dat volstaat niet,' zei Klaus. 'We moeten iets doen.'

Gerhard nam Klaus en mij apart en fluisterde: 'Er ís niets aan te doen. Dat visje valt met geen mogelijkheid uit zijn penis te halen. Het bijt zich vast, sterft en blijft daar zitten tot Zeppi... bezwijkt. Noroni heeft nog nooit gezien dat iemand een candiru overleefde. Het zijn altijd jongetjes, die de waarschuwing in de wind slaan...'

'Hoor ik je nu zeggen dat hij geen kans heeft?' zei Klaus.

'Geen enkele. Noroni heeft nog wat joppo, maar meer kunnen we niet voor hem doen. Tenzij jij morfine in je tas hebt, Klaus.'

Klaus negeerde deze steek onder water en wendde zich tot mij. 'Erich, ik heb niets tegen de pijn, maar wel mijn instrumenten. Het is jouw broertje, jij bent zijn naaste verwant, dus moet ik jou om toestemming vragen voor een chirurgische ingreep. Denk snel na, want hij lijdt verschrikkelijk.'

'Een operatie? Zonder narcose?'

'Als hij genoeg joppo krijgt, zal dat hem voldoende verdoven. Dat spul kan de pijn niet wegnemen, maar wel... verdringen. Je hebt die roes toch zelf ook ervaren?'

'Ja, maar toen had ik geen pijn.'

Klaus' geduld was op. 'Nu beslissen, Erich. Ik opereer, of hij sterft een helse dood.'

'Goed, doe dan maar.'

Wat kon ik anders zeggen? Noroni kwam aanhollen met een buideltje joppo en zijn neuspijp. Zeppi lag intussen op zijn knieën, dubbelgeslagen van de pijn. Ik knielde bij hem neer en sloeg mijn arm om hem heen. Hij was glibberig van het zweet en beefde over al zijn leden. Klaus zei tegen Gerhard dat hij de vrouwen opdracht moest geven om water aan de kook te brengen.

'Luister, Zeppi,' zei ik, 'oom Klaus gaat het visje eruit halen, maar dat kan wel een beetje pijnlijk zijn, dus we geven je wat indianenmedicijn. Dat spul dat ze in je neus blazen, weet je wel? Ik heb het zelf ook wel eens gebruikt, en Gerhard en oom Klaus ook. Het voelt eerst een beetje raar, maar daarna helpt het echt, oké?'

'Ja...' kreunde hij.

'Kijk, daar is Noroni al met de blaaspijp. Hou je hoofd goed omhoog en blijf stilzitten als hij het erin blaast, dan komt alles snel weer goed.'

Ik geloofde er zelf niks van, maar Zeppi hief gedwee zijn gezicht naar Noroni op. De halve sjabono stond intussen om ons heen. Ik stopte de pijp in Zeppi's linkerneusgat, en Noroni blies uit alle macht. Er ging een schok door Zeppi heen, maar hij bleef op zijn knieën zitten en ontspande zich weer iets. Ik stopte de pijp in zijn andere neusgat, en bij de tweede keer blazen veerde hij met een ruk op, verstijfde en sperde zijn ogen wijdopen – een goed teken, vond ik, omdat hij ze eerst nog had dichtgeknepen van de pijn.

Klaus bekeek Zeppi's pupillen. 'Nu een minuutje wachten,' zei hij, 'en dan opnieuw een dosis, in beide neusgaten.'

'Maar dat is te veel,' protesteerde Gerhard.

'Ik bepaal of het genoeg is, Wentzler,' zei Klaus kortaf. 'Ik sta op het punt zijn penis open te snijden.'

Gerhard zei niets meer. Zijn koorts maakte hem te zwak voor een woordenwisseling. Ik hielp Noroni bij het inblazen van nog meer groen poeder, en Zeppi's lichaam werd helemaal slap. Zijn ogen bleven star geopend, zelfs toen ik mijn hand ervoor heen en weer zwaaide. Hij was er klaar voor. Klaus haalde wat instrumenten uit zijn tas en stopte ze met een tang in het water, dat inmiddels kookte, waarna hij een flesje met ontsmettingsmiddel opende, dat hij over zijn handen en onderarmen goot. 'Dit zijn abominabele omstandigheden,' mopperde hij. 'Maar enfin, leg hem maar in zijn hangmat.'

Ik tilde Zeppi van de grond, vlijde hem in zijn hangmat en liet zijn benen op aanwijzing van Klaus aan weerszijden neerhangen. Zijn opgezwollen piemeltje stond als een radijs overeind. 'Hm, dit is geen alternatief voor een operatietafel,' zei Klaus hoofdschuddend. 'Die hangmat zal evengoed heen en weer schommelen en hij moet volstrekt stil liggen.'

Ik kroop op handen en knieën onder de hangmat en duwde mezelf omhoog om Zeppi op mijn rug te nemen. 'En zo?'

'Heel inventief, Erich. Blijf zo zitten, niet bewegen, dan desinfecteer ik zijn kruis.'

Ik hoorde geklok en gespetter en rook de scherpe geur van het ontsmettingsmiddel.

'Zeg die wilden dat ze een stuk achteruit gaan. Zo kan ik niet werken.'

Gerhard sprak enkele woorden en ik zag een woud van benen achteruit stappen.

'Jij zult me moeten assisteren, Wentzler. Pak de kleine scalpel voor me. Gebruik de tang.'

Ik hoorde hoe Gerhard zich naar de kookpot haastte en weer terug kwam schuifelen.

'Goed, de eerste incisie,' zei Klaus monter, en het volgende ogenblik voelde ik hoe er een schok door Zeppi heen ging. Hij verslapte vrijwel meteen weer. Ik vroeg me af of hij doorhad wat er met hem gebeurde. Hopelijk had hij er geen benul van en droomde hij van thuis, van een bezoek aan de snoepwinkel van Frau Ulrich of aan de bakkerij verderop in onze straat, en dreef hij, zijn mond vol ulevellen of roomsoesjes, weg op een roze wolk van zoetigheid.

Klaus werkte kordaat en vol zelfvertrouwen. Hij voorzag alles wat hij deed van commentaar, alsof er een groep studenten om hem heen stond.

'We kunnen slechts gissen waar het visje zich in de urethra bevindt, dus beginnen we halverwege de penis en werken van daaraf naar binnen toe... Niets... verder terug dus maar... ik ben bang dat dat beestje dieper zit dan ik dacht... Wentzler, de klemmen, als je wilt... Goed, dan gaan we nu dieper naar binnen... het kan onmogelijk voorbij de prostaat zijn geraakt... Wat is er, Wentzler, je gaat toch niet flauwvallen, hè... Wentzler?'

Gerhard plofte naast me neer. Het gezicht boven zijn baard was lijkbleek en bezweet, zijn ogen waren dicht.

'Wil je dat ik opsta om te assisteren?'

'Nee, in je huidige functie heb ik meer aan je. Dankzij onze flauwgevallen vriend heb ik voorlopig alles wat ik nodig heb. Verroer je niet, Erich.'

Hierna werkte hij in stilte. Na een tijdje begonnen er weer schokken door Zeppi's lichaam te gaan, waardoor hij van mijn rug dreigde te glijden. 'Dit is geen doen,' foeterde Klaus. 'Joppo! Joppo!' Ik zag de hollende benen van Noroni, hoorde hoe hij meer poeder inblies, en Zeppi viel weer slap. 'Mooi,' zei Klaus, en hij toog weer aan het werk. Gerhard lag er net zo roerloos bij als Zeppi. Ik hoorde alleen zijn adem fluiten in zijn neus. Ik had hem nog nooit zo ziek en koortsig gezien.

Mijn rug was glibberig van het zweet, dat van mezelf en van Zeppi. En van zijn bloed, dat rijkelijk vloeide. Het liep in straaltjes langs mijn lendenen, volgde de welving van mijn ribbenkast en drupte in de modder onder me. Mijn armen en dijen deden pijn van de inspanning om Zeppi te torsen en geen vin te verroeren. Mijn hoofd hing omlaag als een loden gewicht. Ik zag niets meer door het zweet dat in mijn ogen prikte, hoorde alleen Klaus nog, die stond te neuriën. De Jajomi keken in volstrekte stilte toe. Na een eeuwigheid hoorde ik de donder rommelen, en het ruisen van een beginnende regenbui. Klaus neuriede harder om erbovenuit te komen, en toen het noodweer aanzwol, begon hij te zingen. Gedeelten uit liederen die ik niet kende, maar het leek me operette. Hij had een krachtige, verrassend goede stem.

'Klaus, heb je de candiru al gevonden?'

'De wat? O, dat visje. Ja ja, een tijdje geleden al. Neem me niet kwalijk, Erich, dat had ik wel even mogen zeggen. Maar ik verlies me altijd in mijn werk, was helemaal vergeten dat je daar op je knieën zit, ha ha! Enfin, dat visje is eruit. Piepklein, maar wat een monstertje!'

'Ben je bijna klaar?'

'Ja, het duurt nu niet lang meer. Moest nog wat overtollig weefsel weghalen en de randen van de wond afwerken. Hou je het nog even vol?'

'Ja.'

'Mooi. Ik heb nu hechtdraad en een naald nodig, maar die kan ik zelf wel even pakken. Zo terug.'

Hij liep naar het kookvuur en floot een vrolijk deuntje toen hij weer terugkwam.

'De laatste fase, Erich, nog wat hechtinkjes en het zit erop. Graag nog even je geduld.'

'Geen probleem.'

Hij neuriede en zong en floot. Gerhard lag nog steeds waar hij was neergeploft. Diep in slaap, leek het wel. Zijn gezicht was niet zo bleek meer, dus het leek me niet nodig om hem wakker te schudden, wat ik ook niet zou hebben gekund, zo verstijfd was ik ondertussen. 'Bijna klaar, Erich.'

De omslag in Klaus was indrukwekkend. De bemodderde zombie had opeens weer plaatsgemaakt voor de oom die ik altijd had gekend, een daadkrachtige, zelfverzekerde man, luchtig en bekwaam. De reden liet zich raden: hij had de kans gekregen om weer dat te doen waarin hij goed was – iemands lijden te verlichten door de oorzaak ervan weg te snijden. Als we díé man terug konden krijgen naar de beschaafde wereld, zou hij weer een echte dokter kunnen zijn die mensen hielp, in plaats van een verdwaasde jopposnuiver. Dit kon een nieuw begin voor hem zijn, als ik hem op het rechte pad kon houden. En hij was en bleef mijn oom, dus die plicht had ik eigenlijk wel, ondanks alles wat ik over hem aan de weet was gekomen.

'Ziezo!' riep hij uit, en hij deed een stap terug van de hangmat. 'Sta op, Erich, en aanschouw het wonder.'

Ik liet me zakken en de hangmat liet los als een vervellende huid. De modder om me heen zag helemaal rood. Ik werkte me stram en pijnlijk overeind, wankelde bij het opstaan en het duurde even eer ik weer scherp zag. Van zijn borst tot zijn knieën was Zeppi overdekt met bloed. Ik had me op een bloederige aanblik ingesteld, maar dit benam me de adem. Zelf zat ik ook onder. De lucht stonk naar bloed. De Jajomi staarden naar Zeppi, naar Klaus en naar mij, met verbijsterd onbegrip, onbekend als ze waren met chirurgie. Als Zeppi straks bijkwam, verlost van de candiru, zouden ze helemáál niet weten wat ze zagen. Klaus porde Gerhard wakker met zijn voet.

'Het is voorbij, Wentzler. Durf je een kijkje te nemen, of val je dan weer in katzwijm?'

Ik had zelf ook nog niet goed gekeken, was bang dat ik misselijk of duizelig zou worden. Ik wilde hem samen met Gerhard bekijken, zodat we steun aan elkaar hadden. Hij krabbelde bedremmeld overeind.

'Het spijt me. Ben ik lang... weggeweest?'

Hij draaide zich naar Zeppi en zijn mond viel open.

'Niet schrikken,' zei Klaus. 'Het is lang niet zo erg als het eruitziet. Ik had geen verpleegster om het bloed af te zuigen, dus dan krijg je dat. Kijk,' zei hij met een uitnodigend gebaar, als een bakker die een bruidstaart van drie verdiepingen presenteerde. 'Zie wat hier tot stand is gebracht. Een unieke prestatie, mijne heren.'

We deden een stap en keken naar Zeppi's onderlichaam, dat aan iets uit een slachthuis deed denken. Het enige wat ik kon ontwaren was een enorme snee tussen zijn benen, gehecht met zwart paardenhaar. Een gekliefde meloen, bezaaid met dode insecten. Mijn maag kwam omhoog. Ik keek, maar kon niet bevatten wat ik zag.

'Waar... waar is zijn piemeltje, en zijn ballen?'

'De uitwendige geslachtsorganen zijn verwijderd,' zei Klaus afgemeten, als een professor in de chirurgie die uitleg gaf over zijn laatste meesterstuk. 'Alle mannelijke organen, mijne heren, tot de prostaat aan toe. Hier is medische geschiedenis geschreven.'

'Het visje...' bracht Gerhard met moeite uit.

'Het visje, juist. Dat vormde natuurlijk de directe aanleiding. Zonder dat beestje zou ik nooit in de gelegenheid zijn gekomen, maar zo gaat het vaker in de heelkunde, grote vorderingen die uit toeval worden geboren. Vandaag was het niet anders.'

'Maar... wat heb je gedáán?'

'Wat ik gedaan heb? Ik heb voltooid wat Moeder Natuur met Zeppi voorhad. Ik heb een jongedame van hem gemaakt!'

Hij straalde, deze naakte, met bloed besmeurde man. Trots als een pauw op wat er voor hem in de hangmat lag. De regen hamerde op het vlechtwerk van de sjabono, op de modderige grond, op mijn hersens.

'Maar... je... je hoefde alleen maar dat visje weg te halen... een heel klein visje.'

'Een doorsnee chirurg zou het daar inderdaad bij hebben gelaten. Maar ik had oog voor de ware nood van deze patiënt. Ik zag een kans die gegrepen móést worden, hier en nu, de omstandigheden ten spijt. Ik nam de stap, en ik slaagde, als eerste in de geschiedenis! Zelfs Müller heeft zich nooit aan de hele procedure gewaagd, daar in zijn goed geoutilleerde kliniek in Berlijn. Zeppi heeft nu een vagina, vrienden. Ik heb hem herschapen in háár. Hier zien we een jonge vrouw zoals ze hoort te zijn, niet langer een gedrocht. Dankzij ondergetekende. De natuur gaf haar net iets te veel, maar ik heb het verwijderd. Stel je haar dankbaarheid voor als ze straks bij kennis is. Dat kan nog wel even duren, overigens, want ik moest improviseren met de narcose, nietwaar? Zie haar daar liggen, onze schone slaapster. Een jongetje toen ze insliep, een jongedame als ze straks ontwaakt.'

Ik bleef als aan de grond genageld staan, maar Gerhard deed nog een stapje. 'Zeppi is dood,' zei hij.

'Welnee,' lachte Klaus. 'Onder narcose.'

Ik dwong mezelf nu ook tot een stap. Zeppi haalde geen adem. Niet de minste beweging in zijn borstkas. Zijn ogen stonden half open en de pupillen waren naar boven weggedraaid. Hij was dood. Een hele tijd al, misschien. Misschien was hij al gestorven voordat Klaus, fluitend en neuriënd, zijn gruwelijke wond was gaan hechten. Ik verstarde. Dit ding hier voor me was Zeppi niet meer. Het was een gemangeld stuk vlees, kapotgesneden en weer dichtgenaaid door een krankzinnige die gefantaseerd had dat hij een operatie uitvoerde.

Ik wankelde achteruit, onder de beschutting van het gewelf vandaan, de regen in die door de opening naar binnen sloeg, en daar vouwde ik dubbel en kotste mijn hart uit mijn lijf. Toen er niets meer uit kwam, richtte ik me op en liet Zeppi's bloed van me afspoelen door de regen. Mijn hoofd tolde. Daar achter me bevond zich een tafereel dat onmogelijk echt kon zijn. Zeppi leefde nog. Hij speelde hier vlak in de buurt met zijn vriendjes, met zijn aapje op zijn schouder, lachend en joelend. Want het kón gewoon niet waar zijn. Het was ondenkbaar dat Klaus dit met zijn neefje en aangenomen zoon gedaan had. Niemand kon zo waanzinnig zijn dat hij een lichaam aan stukken sneed om het vervolgens trots aan anderen te tonen. Wat hij gedaan had kón niet worden geloofd. Laat staan begrepen. Laat staan vergeven.

Mijn hart huilde om Zeppi, maar mijn gedachten waren bij de manier waarop ik mijn oom zou doden. Klaus Linden moest sterven voor wat hij mijn broertje had aangedaan. Hij verdiende het ook voor dat andere beulswerk waar hij zo prat op ging, maar die slachtoffers waren het verlies van anderen. Zeppi was míjn verlies, míjn tragedie. Ik had hem nooit genoeg liefde gegeven, en nu was hij dood, bij me weggerukt door een massamoordenaar. Ik liet de regen mijn gezicht geselen, maar er waren geen tranen om weg te wassen. Zeppi's lot was te gruwelijk voor tranen.

Achter me hoorde ik Gerhard en Klaus bekvechten.

'Kijk dan maar eens goed, Herr Doktor, uw patiënt is wel degelijk overleden.'

'De patiënt is verdoofd, Herr Wentzler. U hoeft mij niet te vertellen hoe ik mijn werk moet doen.'

'Maar de dood ís toch juist uw werk?'

'Blijf bij hem... haar uit de buurt. Er is nog steeds infectiegevaar.'

'Ach, maar natuurlijk, Herr Doktor. Maar verder is de prognose gunstig volgens u? Wordt Zeppi straks weer wakker en zal hij zijn aapje roepen? En hoe zit het met zijn kansen om zwanger te worden? Heeft u een baarmoeder bij hem ingebracht?'

'Dat is helaas niet mogelijk.'

'Och, een volgende keer wellicht.'

'Ja, je weet maar nooit.'

Gerhard kwam naar me toe. 'Erich, wat moet ik zeggen...'

'Niets. Ik maak hem af.'

'Luister, ik begrijp je gevoelens, maar probeer hem voorlopig uit je gedachten te bannen. Hij vertoeft nu in zijn eigen denkbeeldige kliniek, waar hij denkbeeldige lof krijgt toegezwaaid en op een denkbeeldige Nobelprijs hoopt. Ons probleem is nu meer dat er eerst vier witte dolfijnen waren en nu nog maar twee, omdat een van hen door een andere dolfijn is afgeslacht, voor de ogen van de Jajomi. Ze zullen geen idee hebben wat ze daarmee aan moeten. Ik zal ze wel weer een verhaal opdissen, maar het is de vraag of ze me nog willen geloven. Ze zullen eerder denken dat ze getuige zijn geweest van een welbewuste brute moord, en Manokwo is ongetwijfeld woedend omdat hem opnieuw een geelharige bruid door de neus is geboord. Daar zal hij bloed voor willen zien vloeien, en dat hoeft niet alleen het bloed van Klaus te zijn. Ik heb het akelige gevoel dat de magie er nu wel af is voor ze, en dat wij groot gevaar lopen, alle drie.'

'Kan me niet schelen. Ik maak hem af en het kan me niet schelen wie het ziet.'

'Denk goed na, Erich. Daarmee teken je waarschijnlijk ons doodvonnis.'

'Bemoei je er niet mee.'

'Luister, begrijp één ding goed: als je ons nog verder in gevaar brengt, laat ik je in de steek om mijn eigen hachje te redden. Ik heb nooit veel geduld gehad met onredelijke mensen. Als wij het hoofd koel houden, is er een kans dat we het er levend afbrengen. Zo niet, dan zijn we de sigaar. Stel je wraak dus maar uit voor later, als we hier ver vandaan zijn. Denk na over wat ik je gezegd heb, dan probeer ik of ik Manokwo weer eens in de luren kan leggen, en daarna moet ik een vuur aanleggen voor Zeppi. We zullen moeten doen wat ze verwachten, dus dat wordt vanavond weer een hoop bananenpap, Erich, met dat speciale ingrediënt.'

Hij liep weg en ik hoorde hem van wal steken om de laatste gedragingen van de dolfijnen uit te leggen. De menigte die zich om Zeppi's hangmat had verdrongen, brak al snel weer op. Ik zag twee vriendjes van Zeppi huilen, en Mitzi scharrelde ontdaan door de sjabono, van paal tot paal, alsof ze begreep wat er met haar baasje was gebeurd. Klaus stond over Zeppi's lijk gebogen en oogde al minder hautain dan tijdens zijn ruzie met Gerhard. Er leek zich een besef van hem meester te maken, een wolk die voor de zon van zijn grootheidswaan schoof.

Ik zag het tot hem doordringen dat hij alleen maar een naakte man was, die zich over een dode jongen boog. Een jongen die híj gedood en verminkt had.

'Zie je nu wat je gedaan hebt?' zei ik. Ik meed de aanblik van Zeppi, durfde niet eens naar hem te wijzen.

'Het was die... het was die tandenstokervis.'

'Jij was het, *oom*.'

'Als ik niets had gedaan, was dat beest hem fataal geworden. Wentzler zei het zelf, en de indianen ook.'

'Als je alleen dat visje had weggesneden, had hij het overleefd. Met een lelijk litteken misschien, maar dan was hij er nog geweest. Je overmoed, díé is hem fataal geworden.'

'Oordeel niet over wat je niet begrijpt, Erich. Je bent niet ter zake kundig.'

'Nee, da's waar, oom, ik ben geen dokter. Wij gaan Zeppi nu verbranden. Doe geen moeite ons te helpen.'

Ik voegde me bij Gerhard, die met Manokwo had gesproken. Het opperhoofd liep net bij hem weg en hij stond hem zorgelijk na te kijken. 'Wat heb je hem verteld?' vroeg ik.

'De waarheid maar eens, zij het in afgezwakte vorm. Ik zei dat Klaus de candiru eruit probeerde te snijden, maar dat Zeppi gestorven is door bloedverlies. Het spijt Klaus enorm dat hij Manokwo van zijn tweede bruid beroofd heeft, maar er was niets aan te doen.'

'En wat zei hij daarop?'

'Niets, en dat baart me zorgen. Ik denk dat we vannacht nog moeten maken dat we wegkomen. Ze zullen ons met rust laten bij de verbranding en het eten van de pap met Zeppi's as, en dat kunnen we lang rekken, maar ik kan slechts gissen naar wat ze morgenochtend doen. We zullen er vannacht nog vandoor moeten, overstroming of geen overstroming. Hun gastvrijheid is ten einde, vrees ik. Akkoord?'

'Ja.'

'Wie moet het Klaus gaan zeggen, jij of ik?'

'Jij. Ik wil geen woord meer met hem wisselen.'

'Goed. Maar laten we nu eerst maar eens een vuur zien aan te leggen.'

Toen we met de brandstapel begonnen, hield het net op met regenen. Het meeste brandhout in de sjabono was nat, maar we stapelden het toch op de traditionele manier op, zoals eerder voor moeder en Tagerri. We legden Zeppi er met hangmat en al op, en stapelden verder tot hij aan het zicht onttrokken was. Ik trok een brandende tak uit een van de kookvuren en hield hem bij de brandstapel, maar die wilde geen vlam vatten. Pas nadat Gerhard er nog meer hout op had gelegd, en het geheel een beetje was opgedroogd, kregen we de brand erin en lag mijn broertje in een wieg van vlammen.

Ik keek toe hoe hij verbrandde. De geur van schroeiend vlees was een verademing vergeleken bij de stank van zijn bloed, die ook nog in de lucht hing. De avond viel en het vuur had iets kalmerends, zoals het de duisternis terugdrong en een gouden gloed door de sjabono wierp.

Anders dan bij de vorige lijkverbrandingen toonden de Jajomi geen enkele belangstelling. Integendeel, ze bleven zo ver mogelijk bij Zeppi uit de buurt. Ik had Gerhard niet nodig om te snappen dat dit een slecht teken was. Terwijl ik het vuur brandende hield, trof Awomé de voorbereidingen om bananenpap te maken, maar ze was nog maar net bezig toen Manokwo haar gebiedend kwam toespreken. Het was duidelijk dat ze moest ophouden. Ze kon niet anders dan gehoorzamen en wierp me een smekende blik toe, en ik knikte om haar te laten weten dat ik het begreep. Manokwo gebaarde dat ze naar haar hangmat moest gaan, en de bananen werden weggehaald voor het avondmaal van anderen. Geen pap voor Zeppi, was de onmiskenbare boodschap – noch voor de levende dolfijnen.

Klaus kwam bij Gerhard en mij staan. Ik vond zijn nabijheid onverdraaglijk, maar het zou dwaas zijn om tegen hem te snauwen waar de Jajomi bij waren.

'Wat is er aan de hand?' vroeg hij. 'Waarom doen ze opeens zo stuurs?'

'Tja, weet je,' zei Gerhard koeltjes, 'er is hier vanmiddag een kind gestorven.'

'Die dingen gebeuren nu eenmaal,' zei Klaus.

'Vooral waar jij bent, heb ik de indruk.'

'Je toon staat me niet aan, Wentzler.'

'Dat is dan jammer, Herr Doktor, maar luister: wij gaan er vannacht vandoor. Men stelt hier geen prijs meer op onze aanwezigheid. Het waarom leg ik je later nog wel eens uit. Als iedereen slaapt, willen Erich en ik een kano stelen en dan zijn we hier weg. Je kunt met ons meekomen of hier blijven om de Jajomi nog meer chirurgische kunsten te tonen. In dat geval raad ik je aan je eigen keel door te snijden, voordat zij dat voor je doen, en dan een stuk hardhandiger. Zeg het maar: blijf je of ga je mee?'

'Hoe zou ik zo'n vriendelijk aanbod kunnen afslaan?'

Gerhard negeerde zijn sarcasme. 'De opzet is heel eenvoudig. Als dit vuur is uitgewoed, verpulveren we Zeppi's gebeente. Uit eerbied voor de doden zullen de Jajomi ons daarbij met rust laten. Het ziet er niet naar uit dat we de gebruikelijke bottenpap hoeven te drinken, en dat wil ik benutten met een toespraak waarin ik aankondig dat we naar de rivier gaan om het poeder te verstrooien. Dat dat eigenlijk zo hoort bij dolfijnen. Vervolgens gaan we met zijn drieën naar buiten, grijpen de eerste de beste kano en rennen ermee naar het water. Alle kano's liggen nu ondersteboven vanwege de regenval en de peddels liggen eronder. Niet vergeten, anders komen we niet ver.'

'Maar als ze nu met ons meelopen?' vroeg ik.

'Ik denk niet dat ze dat doen. Nu we uit de gratie zijn, zullen ze ons zo veel mogelijk willen mijden. We zijn nu verschoppelingen met wie niemand gezien wil worden, dus het zit er dik in dat ze ons ongestoord de sjabono uit zullen laten lopen. Mits we alleen Zeppi's as meenemen, zodat het duidelijk is wat we gaan doen. Jij moet je tas dus laten staan,' zei hij tegen Klaus.

'Geen denken aan. Die instrumenten zijn een fortuin waard, en wat ben ik voor dokter zonder dokterstas?'

'Wat ben je voor dokter mét?'

'Ophouden,' snauwde ik. 'Jullie allebei.'

'Je hebt gelijk, Erich,' zei Gerhard. 'Als ze zien dat je je tas meeneemt, begrijpen ze dat we niet van plan zijn terug te komen. Die tas blijft dus hier.'

Klaus zei niets meer, en Gerhard sprak verder. 'Mochten we toch de pech hebben dat ze met ons meekomen, dan rennen we evengoed naar de kano's. De Jajomi voelen zich slecht op hun gemak in het donker, omdat de nachtlucht gevuld zou zijn met geesten. Dus als we wegrennen, durven ze waarschijnlijk niet te volgen. Kunnen jullie je hierin vinden?'

Ik knikte instemmend. Klaus snoof. 'Vergis je niet,' voegde Gerhard eraan toe, 'we krijgen maar één kans en dat is vannacht, dus er mag niets misgaan.'

Hierna keken we naar de vlammen. De schroeilucht nam langzaam af terwijl Zeppi's lichaam werd verteerd. De Jajomi aten ondertussen. Niemand bood ons iets aan, en Gerhard bezwoer ons nergens om te vragen, omdat dat uitgelegd kon worden als een provocatie. 'Bovendien is het beter om met een lege maag te vluchten,' zei hij, 'dan kun je jezelf ook niet bevuilen als het misloopt.'

Een grapje, maar het duurde even eer ik dat begreep.

Toen ze klaar waren met eten, zochten de Jajomi hun hangmatten op, maar het gebruikelijke gebabbel en gegrinnik bleef achterwege. Ze lagen urenlang toe te kijken hoe we het vuur verzorgden tot er weinig meer van over was dan wat gloeiende houtskool. Gerhard fluisterde dat we zo lang mogelijk over het stampen van de botten moesten doen. Als we dat tot in de kleine uurtjes rekten, zou iedereen misschien in slaap zijn en konden we er zonder ingewikkelde smoes tussenuit knijpen. Het liep volgens mij tegen middernacht, en de meesten lagen al te snurken.

Gerhard haalde de vijzelstokken en we sloegen het vuur uit om Zeppi's botten te vergaren. Zijn hoopje was kleiner dan dat van moeder was geweest. De andere vuurtjes waren ook zo'n beetje opgebrand en er was alleen nog het licht van de volle maan, boven de opening in het sjabonogewelf.

Gerhard en ik stampten de botten fijn. Klaus begreep dat ik het gemeend had toen ik zei dat zijn hulp niet op prijs werd gesteld. Hij zat op zijn hurken naast zijn dokterstas en keek toe. Toen we de laatste stukjes bot verpulverd hadden, was de maan allang boven de opening vandaan en was het te donker om te zien of er nog iemand naar ons keek.

'Goed, we pakken het als volgt aan,' fluisterde Gerhard. 'Voor het geval dat er toch nog iemand wakker is, nemen we het poeder mee. Erich, jij draagt het. En maak er een beetje theater bij, zodat het een dolfijnenritueel lijkt. We lopen heel langzaam naar het gat in de wand, achter elkaar aan en zo plechtig mogelijk. Ik zal vooropgaan en verzin wel een of andere pas, die jullie precies nadoen. Toon geen enkele haast, want als iemand dat ziet, hebben ze door dat we op de vlucht zijn. Duidelijk zo? Goed, dan moeten we nu eerst iets hebben om het poeder in te doen.'

Ik vond een drinkkom, die we vulden met Zeppi's fijngestampte as, waarna ik hem met twee handen boven mijn hoofd tilde en we een rij vormden. Gerhard voorop, ik in het midden en Klaus als derde. Gerhard zette een zonderlinge schuifelpas in, die we zo getrouw mogelijk imiteerden. Onder andere omstandigheden zou het grappig zijn geweest om met zijn drieën achter elkaar te lopen en om de twee schreden een buiginkje te maken, maar nu werkte het geenszins op mijn lachspieren. Het leek eeuwig te duren, maar eindelijk ontwaarde ik de losse doornstruik in het gat van de sjabonowand.

We waren er bijna toen er opeens iemand uit de schaduw stapte en voor ons ging staan, met zijn armen over elkaar.

Het was Waneri. Met een grijnslach die ik eerder voelde dan zag. Hij zei iets, en de smalende, agressieve toon liet weinig te raden over. Gerhard gaf antwoord en er ontspon zich een gesprek. Geen van beiden sprak hardop en het leek me uitgesloten dat anderen het konden horen.

'Hij zegt dat we tot morgen moeten wachten om de as uit te strooien,' zei Gerhard over zijn schouder.

'Zeg hem dat het dolfijnengebruik is om dat 's nachts te doen,' opperde ik.

'Heb ik al gedaan, en hij antwoordde dat dolfijnen geen gebruiken kennen. Anders had je nooit het Jajomiritueel gevolgd om de botten van je moeder te eten. Hij is niet van plan erin te trappen, vrees ik.'

'We móéten hier weg,' siste Klaus achter me. 'Als we niet doorzetten, worden we morgenochtend vermoord.'

'Da's waar,' gaf Gerhard toe, 'maar ik ben door mijn ideeën heen. Iemand een voorstel?'

Ik keek achterom, en kreeg een inval toen ik zag dat Klaus eigenwijs was geweest. 'Je tas... je hebt je tas bij je! Waneri is daar bang voor. Hij was het die zich sneed toen hij er een greep in deed, dus hij denkt dat er een demon in huist. Laat hem je demon zien.'

'Wat voor demon? Er zitten alleen instrumenten in.'

'Erich heeft gelijk,' zei Gerhard. 'Open je tas en spreek je demon toe, alsof je hem ophitst om Waneri te pakken. Speel je rol, Brandt, er zit een demon in je tas die je kennis wilt laten maken met Waneri. Vooruit, en zorg in godsnaam dat je overtuigt.'

En eerlijk is eerlijk, Klaus begreep wat er van hem verlangd werd. Hij trok zijn tas open en grinnikte als een psychopaat. Hoe ironisch – een gek die een gek speelde om ons te redden.

Klaus liep met de open tas op Waneri toe en lispelde zijn naam, als een kinderlokker die een dreumes probeerde mee te krijgen, zoetelijk en flemerig, en je hoorde hem erbij grijnzen. Waneri week terug voor de gapende zwarte rechthoek die hem werd voorgehouden.

Klaus boog zich over zijn tas om de duivel verder op te hitsen, en hief hem weer op naar Waneri, die ondertussen vaak genoeg zijn eigen naam had gehoord om voor een vervloeking te vrezen. Hij stond ruggelings tegen de doornstruik en Klaus kwam almaar dichterbij. Gerhard en ik flankeerden hem, ongewapend, maar wel vrienden van de demonenmeester, dus kon hij ons ook maar beter ongemoeid laten. Er zat maar één ding voor hem op, en dat deed hij dan ook. Hij draaide zich om, greep met beide armen de struik beet en trok hem ijlings uit het gat, de venijnige doorns voor lief nemend, waarna hij er gedienstig mee uit de weg stapte.

'Wegwezen,' zei Gerhard, en Klaus stapte als eerste door het gat. Gerhard volgde en toen ik, waarbij ik in mijn haast de kom liet vallen. Ik bleef een tel of twee bedremmeld staan, maar vermande mezelf en holde Klaus en Gerhard achterna. In het maanlicht zag ik de kano's hoog op de oever liggen, keurig in gelid, als zwarte stroken in het gras. Achter ons hoorde ik Waneri alarm slaan.

'Rennen!' riep Gerhard.

Er klonk rumoer in de sjabono, dat al snel aanzwol toen de eerste Jajomi zich door het gat werkten. Ze schreeuwden ons na, wat alleen maar een reden was om nog sneller door het maanlicht te rennen, met gierende ademhaling, onze voeten pletsend op de drasse grond. Ik zag in een flits hoe de tas van Klaus tegen zijn dijbeen botste. Het IJzeren Kruis ranselde mijn borst, en de huid tussen mijn schouderbladen verwachtte de eerste pijl.

We gingen in volle sprint op de kano's af. Ik passeerde Klaus met zijn zware tas. Als hij te traag was en gepakt werd, kon me dat niets schelen. Hij verdiende niet beter. Ik probeerde nog sneller te gaan, in de hoop hem te ontmoedigen zodat hij terugviel, maar hij vond juist zijn tweede adem en snelde mij weer voorbij, met zijn tas tegen zijn borst gedrukt, een grijns van inspanning, zijn dijen pompend als zuigerstangen.

Gerhard bereikte de kano's en draaide er een om. Hij greep de peddels, gooide ze erin en tilde de voorkant op. Klaus kwam als tweede aan, smeet zijn tas in de kano en pakte de rand van het middenstuk beet. Ik was er een seconde later en greep de achterkant, die meteen weer uit mijn handen schoot omdat Klaus en Gerhard de ren naar het water hadden ingezet. Ik zette het weer op een lopen, kreeg opnieuw de achterkant te pakken en stemde mijn snelheid af op de hunne. De tas van Klaus lag te hotsebotsen tussen de peddels, en wij puften intussen als marathonlopers.

Er zoefde iets langs mijn oor. Een pijl!

Het geluid gaf me nieuwe kracht en ik rende opeens zo hard dat ik de kano voor me uit duwde, sneller dan Klaus en Gerhard hem konden dragen. De stemmen achter ons klonken steeds luider, geschreeuw en gehuil van woede, een gekrijs als van dol geworden apen. Het klonk alsof de hele sjabono ons op de hielen zat. Weer een pijl! Ik hoorde hem met een *ploep* in het water voor ons terechtkomen. En ik hoorde nog iets anders, een gejank en gepiep, en begreep dat ik dat zelf voortbracht.

'Zijn er... bijna.' Gerhards stem was onherkenbaar, een raspend gehijg, overslaand van angst. Ik hoorde zijn voeten in ondiep water pletsen, en toen die van Klaus, en ik botste op de kano omdat ze stopten om hem in het water te laten vallen. Hij plonsde erin neer en veerde direct weer op en ik zag Gerhard halsoverkop naar binnen klauteren. Klaus volgde, kreunend van vermoeidheid. Het water reikte nog maar tot aan mijn knieën en ik wilde niet te veel vaart verliezen terwijl Gerhard en Klaus hun peddel zochten, dus bleef ik buiten de kano, met mijn handen om de rand geklemd, en duwde hem dieper de rivier in, waar de Jajomi niet konden volgen zonder zelf te worden afgeremd.

Een meter of vijf verder haalde ik diep adem, greep de rand nog steviger beet en hees mezelf uit het water. En net op dat moment, terwijl ik nog bezig was erin te klimmen, werd ik getroffen door een pijl, precies in de vouw van mijn linkerbil en dij.

Het voelde als de steek van een horzel. Ik verstarde, meer van schrik nog dan van pijn, en reikte met één hand naar achteren om de pijl eruit te trekken. Ik had moeten wachten tot ik in de kano zat, had hem in mijn vlees moeten laten zitten, ook al laaide de pijn op tot de ergste die ik ooit had gevoeld. Want nu verloor ik mijn greep op de rand, en terwijl ik de pijl beet had en een ruk gaf, schoot de kano langs me heen, ruisend in het water, en was buiten mijn bereik.

De pijl kwam eruit en ik slaakte een geluidloze kreet. Ik kokhalsde van pijn, maar mijn maag was leeg. En de kano gleed steeds verder van me weg. Gerhard en Klaus hadden niets in de gaten en peddelden als gekken. Ik zag hun malende armen in het maanlicht, de peddels die radeloos in het water klauwden, en ik begreep dat ik erbij was. Want hoe kleiner de kano werd, des te harder werd het geplas en gespetter achter me, van de Jajomi die met tientallen het water in renden, jankend en blaffend als een primitieve meute.

Er kwam een hol gevoel over me, de angst van een prooidier dat zich gevangen weet, overgeleverd aan gespierde lijven, klauwen met lange nagels, blinkende tanden, weerloos. Vlak voor de slag die me velde, een dreunende bonk op mijn slaap, keek ik omhoog naar de maanschijf daarboven, onwaarschijnlijk dichtbij, zo dichtbij dat ik elk detail zag van zijn barre vlakten en ijzige, zuurstofloze bergen. Ik werd bij mijn keel gepakt en onder water geduwd, mijn adem die in een razernij van bellen uit me wegvloeide, maar daardoorheen, en door de verwrongen mensengedaanten rondom me, als zwarte vlaggen in een storm, bleef ik de maan zien, gelig wit, zuiver en sereen, ongenaakbaar, een oog zonder pupil, blinde getuige van mijn dood.

En het oog sloot zich.

TWAALF

Ze sleurden me terug naar de sjabono, dwongen mijn armen om een steunpaal en bonden mijn polsen samen, waarna er nieuwe vuren werden ontstoken en het verhaal van de ontsnapping steeds opnieuw en steeds opgewondener verteld werd. Waneri deed voortdurend alsof hij iemand wurgde, zijn vingers moordlustig gekromd, waaruit ik kon opmaken dat hij het was die me onder water had gehouden tot ik mijn bewustzijn verloor. Zijn gezicht straalde van triomf, zijn houding werd steeds theatraler en heldhaftiger.

Ze dansten om me heen en sloegen me op mijn schouders en achterhoofd, telkens met de vlakke hand, niet om me pijn te doen maar om me te vernederen. Ter verhoging van de vreugde werd de joppo-pijp erbij gehaald en de sjabono leek urenlang één grote feesttent. Ik sloeg het tumult gade en vroeg me af hoe ik aan mijn eind ging komen. Dát ze me zouden doden stond vast. We hadden ze bedrogen, en bedrog werd niemand vergeven. Ik zou ervoor boeten, alsook voor de ontsnapping van Gerhard en Klaus.

Die twee zaten nu stroomafwaarts in de kano, maar ik kon me niet voorstellen dat het goed bleef gaan. Het draaide ongetwijfeld op vechten uit en de kans was niet denkbeeldig dat ze dat geen van beiden overleefden. Dus alles was voor niets geweest. Mijn hoofd deed pijn, mijn vastgebonden polsen schrijnden. De wond in mijn bil brandde en klopte. Ik had honger en werd door wanhoop vervuld.

Awomé mocht me wat pap voeren, maar toen ze bij me bleef staan om me te troosten, werd ze door Manokwo zelf weggerukt. Als iemand me dood wilde hebben, dan was hij het wel. Ik had hem mijn broertje als bruid beloofd, maar in plaats van in een meisje was Zeppi in een hoopje beenderas veranderd. Ook daarvoor moest ik tol betalen. Zowat elke Jajomi kwam een overwinningsdansje voor me uitvoeren, en Waneri piste tegen mijn rug. Zelfs de kinderen kwamen me bespotten, ook de vriendjes van Zeppi. Alleen Kwaitsa en Noroni waren minder uitgelaten, en Awomé kwam zo dicht mogelijk in mijn buurt zitten en staarde me aan met stil verdriet.

Hoe meer joppo er werd ingeblazen, des te wilder werd het gedans en gepraal. Ik kon het niet langer aanzien en concentreerde me op de paal voor mijn neus. Het duurde niet lang meer tot ik me bij moeder en Zeppi zou voegen, en dan konden de Jajomi de draad weer opvatten, zonder blanken in hun sjabono. Mochten hier ooit weer blanken verzeild raken, dan zouden ze die prompt afmaken, want hun leugenachtigheid zou nooit meer worden vergeten.

Mijn benen waren pijnlijk en moe, maar ik wilde niet gaan zitten uit angst dat mijn wond dan vuil zou worden. Eigenaardig, ik wist dat ik ging sterven, maar gedroeg me alsof daar geen sprake van was. Waar kwam dat vandaan? Een innerlijke kracht die me onbewust in redding deed geloven? Waarom ging ik niet zitten, wond of geen wond, om er nog even mijn gemak van te nemen? Voor een infectie had ik niet lang genoeg te leven. Maar ik merkte dat ik het gewoon niet kón, en dat deed me inzien dat ik ondanks alles nog niet klaar was om te sterven. Verstandelijk wist ik dat de dood onafwendbaar was, en ik leek me met mijn lot verzoend te hebben, maar dat werd gelogenstraft door mijn onwil om in de modder te gaan zitten. Een vreemde les. Des te vreemder omdat ik er niets mee opschoot.

Mijn instinct was te leven en adem te halen, en zo zou het blijven tot mijn schedel werd ingeslagen of mijn keel werd afgesneden. Waneri had me al twee keer bij mijn haar gepakt om mijn hoofd naar achteren te trekken en zijn kapmes voor mijn keel langs te halen. Zonder mijn huid te raken, maar de bedoeling was duidelijk, en de toejuichingen van de anderen ook. Bij de derde keer zat hij zo vol joppo dat hij per ongeluk in mijn wang sneed, maar het was een oppervlakkige wond.

De uren verstreken en ik werd uiteindelijk zo moe dat ik mijn polsen toch maar langs de paal liet glijden om neer te kunnen hurken, waarbij ik mijn linkerknie in de modder plantte om de huid van mijn bil niet te rekken en de wond te ontzien. Ik kreeg aandrang om te poepen, maar kon dat niemand duidelijk maken, wat ook weinig zou hebben geholpen, want niemand zou me losmaken om me even naar de rivier te laten gaan.

De aandrang werd zo hevig dat ik winden begon te laten, wat door enkele kinderen werd opgemerkt en tot grote hilariteit leidde. Ze kwamen allemaal om me heen staan om scheetgeluiden te maken. Vanuit mijn ooghoek zag ik dat Awomé naar de wand van de sjabono liep en een blad lostrok uit het vlechtwerk. Ze kwam naar me toe en schoof het blad onder mijn achterste. Dat nam mijn laatste gêne weg, en ik deed mijn behoefte, onder luid gelach en gejoel. Toen ik klaar was, trok Awomé het blad weg en liep ermee naar buiten. Manokwo kon het haar niet meer verbieden. Die lag uitgeteld in zijn hangmat, verloren in een joppo-roes, zoals vele anderen.

Het werd veel minder rumoerig nu. Wie geen overmaat aan joppo had gebruikt, werd door slaap overmand, en de een na de ander zocht zijn hangmat op. De vuurtjes brandden op, en toen de opening in het gewelf de eerste gloed van de dageraad toonde, leek iedereen diep in slaap. Ik begon de gevlochten band om mijn polsen langs de paal te schuren, maar het hout was te glad en de vezels te taai. De Jajomi waren te uitzinnig geweest om de doornstruik weer in het gat in de wand te plaatsen. Als hun vijanden nu de sjabono wilden binnenvallen, konden ze dat onbelemmerd doen. Ik zag het voor me – naakte, met oorlogsverf besmeerde gestalten die steels naar binnen glipten voor een slachting, maar de hoop die het beeld voedde was ijdel. Niemand zou me komen redden. En als Manokwo en de rest straks ontwaakten, had mijn laatste uur geslagen.

In de sjabono was het stil, maar uit het oerwoud kwamen de eerste geluiden, van nachtwezens die hun nest opzochten en dagwezens die zich begonnen te roeren. De rook van de nasmeulende vuurtjes mengde zich met de nevel die van de rivier door het gat en de wand kwam drijven, ijl en wit, amper zichtbaar in de ochtendschemering.

Er schoof een schaduw voor me langs, en voor ik wist wat er gebeurde, hurkte Awomé aan de andere kant van de paal neer, met een kapmes waarmee ze de band om mijn polsen begon door te zagen. Enkele tellen later was het gelukt en vielen mijn handen weg van de paal. Los.

Ik stond op. Ze keek me even doordringend aan en sloop weg. Ik zag haar het kapmes tegen de steunpaal van iemands hangmat zetten, waarna ze in haar eigen hangmat kroop en naar mij ging liggen kijken, haar ogen weinig meer dan een fonkeling in het halfdonker. Dit ging haar misschien wel haar oren kosten, of meer. Ik wenkte haar, smeekte haar in stilte om mee te komen, maar ze sloot haar ogen, en die bleven dicht.

Ik haalde het IJzeren Kruis om mijn nek vandaan en legde het op de grond, wist zelf niet waarom, misschien om ze te paaien als ze mijn ontsnapping ontdekten. Tagerri was ervoor gestorven, en ik wilde het niet meer. Het was zomaar een stuk ijzer aan een smoezelig lint, en een opluchting om ervan verlost te zijn.

Ik liep op mijn tenen naar het gat in de wand, de pijn in mijn bil verbijtend, stapte erdoorheen en holde hinkend naar de oever, waar ik de eerste de beste kano naar het water sleepte. Nog even terug voor de peddels en weg was ik, de rivier op. Er gonsde iets in mijn keel. Het lied van de vrijheid.

Een laatste blik over mijn schouder leerde me dat ik niet werd achtervolgd. Niets dan stilte rond de sjabono. Er lag een krans van grondmist om het gewelf, alsof het elk moment kon wegdrijven als een luchtkasteel. Ik peddelde als een bezetene, diep en jachtig, tot ik de bocht genomen had en de kano's uit het zicht waren verdwenen.

Ik was alleen. Awomé had bij me moeten zijn, maar dat was ze niet. De banden met haar familie en stam waren te sterk. Ze zouden haar verdenken, en slaan tot ze haar misdaad bekende, en dan zou ze gestraft worden. Ik verfoeide mezelf omdat ik haar aan dat lot overliet, maar misschien viel het mee, misschien zou Noroni voor haar pleiten. Haar vader, de gezagvolle medicijnman. Misschien leidde dat tot een impasse en zou iedereen geneigd zijn om het allemaal maar te vergeten, niet meer aan die indringers te denken die gedaan hadden alsof ze witte dolfijnen waren. Geen woorden meer vuilmaken aan de leugenaars. Misschien werd dat de afloop. Ik zou het nooit weten.

Ik peddelde urenlang door, zonder een ogenblik van rust. De Jajomi zouden pas laat in de ochtend wakker worden na hun woeste nacht, maar dat hoefde ze er niet van te weerhouden de achtervolging in te zetten. Er waren twee kostbare kano's gestolen, en wat belangrijker was: hun gevangene was ontsnapt, een schande voor de hele sjabono. Ik zette door alsof die achtervolging een kwestie van tijd was, peddelde onverdroten verder en negeerde de pijn in mijn armen. En er was nog iets anders dat me dreef: als ik maar snel genoeg ging en geen rust nam, was er een kans dat ik Klaus en Gerhard inhaalde. Ze lagen maar een uur of vier, vijf op me voor.

Toen ik voor mijn gevoel twee uur onderweg was, begon het te regenen. Een goed teken, ondanks dat het peddelen nu nog zwaarder werd, want het zou de Jajomi waarschijnlijk binnen houden.

De regen tuchtigde mijn hoofd en schouders, elke dikke druppel leek in te slaan als een kogel, en het duurde niet lang of ik zat in een badje van opgezameld hemelwater. Ik kon slechts hopen dat het mijn wond schoonspoelde en geen infectie veroorzaakte. Het deed in elk geval pijn, maar die kon ik toch niet verhelpen, dus bleef ik me maar voor ogen houden dat ik zo snel mogelijk stroomafwaarts moest blijven varen. En dat lukte ook, omdat de stroming merkbaar sterker werd. De rivier zelf ging soms minutenlang schuil achter een regengordijn, en als ik dan weer even de oevers kon zien, leken ze telkens verder weg te liggen, verdrongen door het stijgende water.

Van de voorste bomen kon ik de stam al niet meer zien, alleen nog takken die de golfslag probeerden te weerstaan. De rivier was zijn invasie van het oerwoud begonnen, en al tweemaal zo breed als toen ik de kano in het water had geduwd. De donder rommelde onophoudelijk in een hemel die onzichtbaar was door de regen. Alsof je door een wolk peddelde.

Ik had geen benul meer van de tijd, omdat ik die niet meer aan mijn voortgang kon afmeten en omdat mijn vermoeidheid me steeds vaker en langer in een staat van verdwazing bracht. Mijn geest werd leger en leger en ik wist alleen nog dat ik peddelde, alleen maar peddelde, op de momenten na dat ik even op adem moest komen en ging verzitten om mijn wond te ontzien. In die ogenblikken tuurde ik ingespannen naar links en naar rechts, bang als ik was dat ik in de takken van een boom zou belanden. De rivier stroomde nu zo hard dat de kano door zo'n aanvaring kon breken.

In de loop van de middag ging het iets minder hard regenen en kon ik meer van mijn directe omgeving zien. Ik was niet meer alleen op de rivier. Er dreven complete bomen in, uit de grond gerukt en meegesleurd door het bruinig schuimende water, met de aarde nog aan hun wortels, takken vol bladeren en lianen, waaraan zich menige ontredderde aap vastklampte. En het water had meer dieren verrast. Hier en daar zwom een tapir met een radeloos opgestoken slurf. Ik zag zelfs een jaguar die spartelend en ploeterend een drijvende boom bereikte en erop klom – dubbele pech voor de apen die in de takken hun toevlucht hadden gezocht. Een groene slang kronkelde langs mijn peddel omhoog, op weg naar mijn hand, maar ik kon hem tijdig afschudden.

Mijn hele bovenlichaam deed zeer, maar ik dacht aan de pijn die Zeppi moest hebben gevoeld, de joppo ten spijt, en met wat moeder moest hebben doorgemaakt toen het vlees van haar botten werd gevreten, en ik schold mezelf uit voor slappeling, een lafaard die de vrijheid niet verdiende die hem geboden was door een meisje dat de moed had opgebracht om tegen de wetten van haar stam te zondigen, wetende wat haar te wachten stond. Voor haar en voor mijn moeder en broertje peddelde ik verder, en voor mezelf.

Mijn naam werd geroepen...

Ik tuurde door de regensluier, maar kon niemand ontdekken. Even vroeg ik me af of het God was die me riep, omdat ik nergens een mens zag. Of begon ik mijn verstand te verliezen? Nee, daar was het weer... 'Erich! Erich, hier!' Toen pas zag ik de boom, links van me, ik was hem eigenlijk al voorbij want zijn takken vertraagden zijn vaart. Met één arm om de stam geslagen, en zwaaiend met de andere, was daar Gerhard!

Ik stuurde de kano naar links en begon uit alle macht tegen te peddelen, opdat de boom me weer in zou halen. Gerhard begreep dat ik hem gezien had en sloeg ook zijn andere arm om de stam. Tergend langzaam kwam de boom langszij, de wortels gingen me voorbij, en toen ook Gerhard me voorbij was, reikte ik met mijn laatste krachten naar de stam. Gerhard greep met één hand naar de kano, klemde zijn vingers om de rand en liet de boom los.

De kano zwenkte een beetje door zijn gewicht, en zwenkte nog verder toen hij zich omhoog begon te hijsen. Ik leunde zo veel mogelijk naar rechts om tegenwicht te bieden, maar we sloegen toch nog bijna om toen Gerhard zijn been over de rand zwaaide en naar binnen klauterde. Hij bleef hijgend liggen en ik stuurde weer als een bezetene naar rechts om niet verstrikt te raken in de takken.

'Erich... wat een verrassing! We dachten dat je gepakt was...'

'Was ik ook, maar ik ben ontsnapt. Waar is Klaus?'

'Ergens voor ons... hij heeft de kano...'

'Wat is er gebeurd?'

'We zagen niets meer door die regen en botsten op een boom... ik sloeg overboord en hij... de kano schoot van me weg.'

'Hoe lang is dat geleden?'

'Geen idee... uren! Alles goed met je? Niet mishandeld?'

'Nee. Nou ja, een pijl in mijn kont, en dat prikt wel een beetje.'

Hij keek me met grote ogen aan, en barstte in lachen uit. Ik lachte met hem mee. Twee hyena's waren we, verloren in een wereld van water en regen, maar we gierden van het lachen. Toen hij weer wat op krachten was, werkte Gerhard zich overeind, greep ook een peddel en we doorkliefden het water nog sneller dan voorheen. Ik merkte nu pas op dat het water in de kano een roze tint had. Het zou roder zijn geweest als de regen het niet voortdurend verdunde. Mijn wond deed niet zo'n pijn meer, maar bloedde dus nog wel en ik vroeg me bezorgd af of ik flauw zou kunnen vallen. Maar ik bleef peddelen, want elke minuut telde als we aan de Jajomi wilden ontkomen en Klaus wilden inhalen.

Toen het eindelijk ophield met regenen, zagen we dat de rivier zich ongelooflijk had verbreed. We konden nog steeds beide oevers zien, althans het bos aan weerszijden, maar de afstand ertussen bedroeg minstens twee kilometer. Ter hoogte van de sjabono was de rivier maar een meter of honderd breed geweest. En al dat water kwam van stroomopwaarts, dus kon het haast niet anders of de Jajomi dreigden op dit moment hun sjabono te verliezen. Die gedachte beviel me, want het betekende dat Awomé's bestraffing zou worden uitgesteld, en misschien was de nood wel zo hoog dat ze van de weeromstuit mijn hele ontsnapping vergaten.

Ik voelde me blij, ondanks mijn pijn en uitputting, ondanks dat we alleen deze kano en twee peddels hadden. Blij omdat mijn vrouw haar straf ontliep en omdat ik herenigd was met mijn vriend, die voor me zat te peddelen alsof zijn leven ervan afhing, zijn spieren rollend in zijn magere rug.

Als ik ooit nog onder de mensen kwam te verkeren, zou ik iedereen vertellen, of ze het horen wilden of niet, dat joden precies zo waren als alle andere mensen. Geen groter verschil dan tussen een blauwe en een groene papegaai. Een papegaai was een papegaai, en wie een papegaai een vleermuis noemde, die was niet goed bij zijn hoofd. Ik wist wel beter. Ik had mijn lesje geleerd.

'Gerhard!' riep ik.

Hij keek verschrikt om. 'Wat is er?'

'Een papegaai is geen vleermuis!'

Hij keek me even fronsend aan, zei 'Eh, nee' en peddelde weer verder.

En ik viel flauw.

Het eerste wat ik voelde was grond onder mijn rug. Week en glibberig, maar niettemin grond. Ik opende mijn ogen en zag niets dan duisternis. Was het nu alweer nacht? Nee, mijn ogen wenden aan het donker en ik bleek tegen de bodem van de kano aan te kijken, en hoorde de regen op de romp tikken. Gerhard moest hem ter beschutting over me heen hebben gelegd.

Waar was hij? Ik wurmde een hand onder de rand, duwde de kano van me af en daar zat hij, met zijn rug naar me toe naar de rivier te kijken. Ik werkte me in een zittende houding en zag een breed boomblad onder mijn wond, om die vrij van modder te houden. Er zat bloed op, maar niet veel meer.

Gerhard draaide zich om. 'Goedemiddag.'

'Goedemiddag...'

Mijn maag was pijnlijk leeg. Ik had al een etmaal niets meer gegeten, en het was uitgesloten dat we iets zouden vangen in dit weer. En zelfs al lukte dat, dan konden we geen kookvuur aanleggen. De gedachte joeg een scheut door mijn maag, die me mijn kont deed vergeten.

'Ik ben naar de kant gepeddeld,' zei Gerhard. 'Ik kón niet meer.'

Ik knikte. 'Heb jij ook zo'n honger?' vroeg ik. 'Zelf verga ik zowat. Het doet gewoon pijn.'

'Dat had ik een uur of wat geleden. Die pijn trekt weg, geloof me. En dan ga je je pas echt beroerd voelen.'

'Fijn om te weten.'

'Als je kunt, moeten we het water maar weer op. We kunnen nog een paar uur peddelen voor het donker wordt. Niet dat er stroomafwaarts iets te eten is, maar voor het mooie uitzicht hoeven we niet te blijven.'

Ik krabbelde overeind. 'Kom op dan maar.'

'Weet je het zeker? Ik had de grootste moeite om te sturen zonder jou achterin. Als je weer indut, zouden we wel eens in de problemen kunnen komen.'

'Dat gebeurt niet. Ik ben heerlijk uitgerust. Zo fit als een hoentje.'

'Goed, dan gaan we.'

We schoven de kano weer in het water en duwden af. Het blad hield ik onder me, omdat het gladder was dan hout. Er was niets veranderd terwijl ik sliep, het regende en donderde nog even hard, de rivier bleef stijgen en de lucht zat potdicht. Je kon nog steeds niet zien wat oost of west was. Ik nam aan dat we ons westwaarts bewogen, omdat dat de algemene stroomrichting van de rivier was. Sinds onze vlucht kon hij natuurlijk talloze bochten en lussen hebben gemaakt, maar dat deed er niet toe – we konden toch alleen maar met de stroom mee.

'Hoe ver is het nog tot waar de Iriri wonen?' vroeg ik.

'De Jajomi zeiden altijd dat hun gebied op drie dagen peddelen lag. Maar dat was peddelen onder normale omstandigheden. Het zou me niets verbazen als we er al waren.'

We peddelden voort. Er was geen teken van Iriri of van welke levende wezens ook, afgezien van de dieren die in het vloedwater zwommen of op ontwortelde bomen meedreven. En opeens was daar de zon, verrassend laag aan de hemel, die de onderkant van de wolken in een rode en gele gloed zette. We hadden hooguit nog een uurtje daglicht over, en we waren allebei doodop, dus besloten we alvast naar een van de oevers te sturen, zodat we snel aan land konden gaan als de schemering viel. We kozen de rechteroever, zonder bijzondere reden. En toen we er nog maar een meter of honderd vandaan waren, zagen we de kano van Klaus. En toen Klaus zelf.

Hij was al naar de kant gegaan, stond in het oerwoud te turen en had totaal geen erg in ons. Toen ik zijn naam riep, draaide hij zich om, maar zijn gezicht toonde geen enkele blijdschap of zelfs maar verrassing. Alsof hij ons vijf minuten geleden nog gezien had. We stuurden onze kano door de bomen die tot hun takken in het water stonden. De kruinen van kleinere bomen wiegden als zeewier onder het oppervlak. De grond begon bij Klaus' voeten.

Hij keek naar mij, en naar Gerhard. 'Hoe komen jullie bij elkaar?'

'Ik ben ontsnapt en kwam Gerhard op de rivier tegen. Vaar jij straks nog verder?'

'Dat zou onverstandig zijn. Het is bij daglicht al moeilijk genoeg.'

'Dan voegen we ons bij je,' zei Gerhard.

'Geen denken aan,' zei Klaus. 'Erich, jij kunt blijven, maar die jood moet opdonderen.'

Ik draaide me naar Gerhard. 'Je hebt het hem ook verteld, merk ik.'

'Ja, en het viel niet echt in goede aarde, zoals je hoort. Maar dat had ik ook niet verwacht, hoor.'

'Waarom heb je het verteld?'

'Och, het ontglipte me min of meer. Jij wist het, dus leek het me onzinnig om het hem niet ook te vertellen. Maar jij reageerde een stuk aardiger, Erich. Onze nazivriend vond het maar niets om bootje te varen met een Untermensch. Hij verzocht me zelfs uit te stappen, maar daar voelde ik weinig voor.'

'Waarom heb je me dit niet eerder verteld?'

'Omdat ik er niet van uitging dat we Herr Doktor nog terug zouden zien.'

'Maar dat heb je dus wel,' zei Klaus, 'en nu donder je op. Neem je kano en vertrek. Nu!'

'Veel te moe, m'n beste. Vertrek jij maar.'

'Ik was hier eerder!'

Ze klonken als twee schooljongens die ruzieden over wie er op de schommel mocht.

'Heeft hij je uit de kano geduwd?' vroeg ik aan Gerhard.

'Nee, maar het was tijdens ons gekibbel dat we die boom raakten.'

'En hij deed geen poging je uit het water te trekken?'

'Het beantwoorden van die vraag laat ik aan Brandt over.'

Ik keek van Gerhard naar Klaus. 'Hij was zelf zo onhandig om eruit te vallen, en het leek me niet nodig hem te helpen,' zei hij onverschillig. 'Ratten zijn uitstekende zwemmers.'

'En als nazi zat hij liever alleen in die kano,' zei Gerhard. 'Een mens kan nooit genoeg Lebensraum hebben, hè Brandt?'

'Klaus,' zei ik. 'Heb je iets om een wond te verzorgen? Ik ben door een pijl geraakt. Het is niet diep, maar wel pijnlijk.'

Hij liep naar de dokterstas in zijn kano en trok hem open. 'Kom hier.'

Hij scheurde een papieren zakje open, strooide antiseptisch poeder op de wond en legde een verband aan rond mijn dijbeen en heupen. 'Niet op de grond gaan zitten, en probeer het droog te houden.'

'Dat zal niet meevallen, maar dank voor de moeite.'

Hij keek me niet eens meer aan, reikte opnieuw in zijn tas en haalde er nu een scalpel uit.

'Wentzler, ik zal je sparen, maar dan moet je nu wel wegwezen. Geen getalm meer of ik snij je joodse strot af.'

'Klaus, wees nou...'

'Hou je erbuiten, Erich. Hij heeft zijn rechten verspeeld door niet meteen voor zijn afkomst uit te komen.'

Gerhard schoot in de lach. 'Nee maar, hecht jij zo aan openhartigheid? Waarom heb je Erichs moeder dan als arts ten huwelijk gevraagd en niet als massamoordenaar? Toch nog enige schaamte misschien?'

'Je vergist je deerlijk, jood. Ik schaam me nergens voor. Je hebt tien tellen om weg te komen.'

'Aha, dus toch geen greintje geweten. Zou me ook verbaasd hebben.'

'Nog zeven.'

'Wat een monster.'

'Vijf.'

'Klaus, hou op!'

'Drie...'

Ik ging tussen hen in staan, met mijn gezicht naar Klaus. 'Doe het niet, oom.'

Hij stapte opzij. 'Twee...'

‘Heb het lef,’ tartte Gerhard.

Ik ging opnieuw voor Klaus staan en hij week uit naar de andere kant. ‘Met alle plezier, jood.’ Maar hij deed geen stap in Gerhards richting.

‘Waar blijf je, Brandt. Je tellen zijn op.’

‘Mijn naam is Linden, Klaus Linden! En nu opgeduveld!’

Gerhard keek naar mij, haalde zijn schouders op en liep op Klaus toe. Hij trok de scalpel uit zijn hand en gooide die met een achteloos gebaar het water in, waarna hij Klaus in zijn gezicht begon te slaan, links en rechts, en niet één maar wel tien of vijftien keer. Hij bleef intussen naar voren stappen, waardoor Klaus niet anders dan achteruit kon wankelen, te verbijsterd om de slagen af te weren, laat staan dat hij terugsloeg. Hij leek niet te kunnen geloven dat een jood dit met hem deed, en viel na de laatste klap op zijn knieën, zijn mond opengezakt van verbazing, of misschien was het ontzetting.

Hij kon geen woord uitbrengen, zelfs niet toen Gerhard van hem wegliep, en toen hij eindelijk geluid maakte, kon ik mijn oren niet geloven. Het begon als gejammer, maar zwol aan tot een geloei als van een luchtalarm, oorverdovend, tot hij de laatste lucht uit zijn longen had geperst. Toen viel hij voorover in de modder, trok zijn benen op en sloeg er zijn armen omheen. En zo bleef hij liggen. Ik was met stomheid geslagen.

Ik zag dat Gerhard niet naar hem kon kijken, zag de verterende haat in zijn ogen, en begreep dat volkomen. Het was ontluisterend om Klaus zo te zien, verslagen door zijn eigen onmacht, een man die zóveel op zijn kerfstok had. Als een dode lag hij daar, een lijk waar je niets meer voor kon doen, dat zelfs geen gevoelens meer opriep. Hij was mijn oom niet meer, maar een dode die vagelijk op hem leek.

En opeens, even abrupt als zijn val, stond hij op en beende naar zijn tas. Hij haalde er opnieuw een scalpel uit, maar zette het lemmet nu op zijn linkerpols. Gerhard en ik keken zwijgend toe, wachtend op de haal die een eind aan zijn leven zou maken. Ik voelde niet de minste neiging om hem tegen te houden. Maar hij kon, of wilde, niet doorzetten. In plaats daarvan begon hij te snikken, met de scalpel nog steeds op zijn pols gedrukt. Hij huilde als een kind, en toen hij was uitgehuild, smeet hij de scalpel weg. Hij greep zijn tas en gooide ook die in het water. Zijn deftige zwarte dokterstas, die nog openstond en in een mum van tijd vol water liep en zonk.

Klaus slaakte een zucht. Hij liep naar zijn kano en sleurde die het water in. Zonder nog naar ons om te kijken sprong hij erin en peddelde tussen de bomen door de rivier op, waar de stroming hem opnam en razendsnel wegvoerde. Ik blies mijn adem uit, en begreep nu pas dat ik die al die tijd had ingehouden.

De lucht werd donker en de dag eindigde met de zoveelste stortbui. Gerhard stond te rillen toen de eerste druppels op zijn magere gezicht en warrige baard vielen, op zijn knokige bovenlijf en bemodderde benen.

We trokken onze kano verder omhoog tegen de modderhelling, en zochten een boom uit die niet wemelde van dierlijk leven. Daar klommen we in, en maakten ons op voor wat waarschijnlijk de minst comfortabele nacht van ons leven zou worden. Toen ik me in de takken had genesteld, verviel ik in gepeins over Klaus, maar dat ging al snel vervelen. Hij was mijn gedachten niet langer waardig. Hij bestond niet meer. In plaats van aan hem besloot ik aan aangenamer zaken te denken. Aan eten, bijvoorbeeld. Een besluit waar ik de rest van de nacht spijt van had.

De volgende ochtend gingen we al vroeg weer de rivier op, en in de middag zagen we Klaus terug. Het regende weer dat het goot, maar links van ons, op grote afstand, konden we zijn kano zien. En twee andere kano's, elk met meerdere indianen, die hem achtervolgden en op hem inliepen. En net toen ze hem hadden ingehaald, verdikte het regengordijn zich en werden ze voor ons verborgen, en wij voor hen.

'Jajomi?' vroeg ik Gerhard.

Hij schudde zijn hoofd. 'Daarvoor zijn we te ver. Dit moeten Iriri zijn. Had ik je al verteld dat het koppensnellers zijn?'

'Nee.'

'Aha, dan zal ik je niet bang hebben willen maken. Ze zullen hem van zijn hoofd beroven. Dat verbrijzelen ze, waarna ze de botscherven en hersens via de mond verwijderen. Het hoofd vullen ze dan met heet zand, en ze naaien de lippen dicht. Als ze klaar zijn, is zijn hoofd nog maar vuistgroot.'

Ik wilde zo snel mogelijk weg zijn en peddelde harder dan ooit, dankbaar voor de sluier van water die ons onzichtbaar maakte. Mijn honger en uitputting waren vergeten. Al wat telde was mijn vrijheid, en die van Gerhard.

Als een schaduw gleden we over het verdronken oerwoud. Op weg naar het punt waar onze rivier zou samengaan met een andere, en weer een andere, tot we ten slotte in de machtige Orinoco zouden uitkomen. En ergens op dat ontzagwekkende waterlint zouden we een stoomboot zien, en gezien worden, en dan namen ze ons aan boord, Gerhard en mij, en er zou zeep zijn en verzorging, en we konden ons te goed doen aan wat ons werd voorgezet op een lange, schone tafel.

Die ontmoeting kon niet uitblijven, en dan lieten we onze kano achter, deze uitgeholde boomstam uit Jajomiland, die met de stroom mee zou drijven, dolend op water dat zilverig glansde aan de oppervlakte en modderig bruin was in de diepte, helemaal de Orinoco af tot hij op een dag de zee bereikte en een prooi werd van de golven, van water dat groen was en blauw, de kleuren van het oerwoud en de hemel.